KB195859

만남과 소통으로 꽃피는 교실

엄선생의

학급
운영
레시피

이 책에 나와 있는 아이들 이름은 모두 가명임을 밝힙니다.

만남과 소통으로 꽃피는 교실

엄선생의 학급
운영
레시피

맘에드림

 저자의 말

"선생님을 만나 참 행복해요!"

몇 년 전 갓 결혼한 후배의 집들이에 초대를 받았습니다. 엄마 뻘이나 되는 선배 교사가 후배 또래들만 모이는 자리에 끼는 것이 불편한 일이 되지 않을까 조금은 조심스러웠습니다. 그러나 모두들 새 학년을 맡아서 어떻게 해야 할 지에 대한 조언을 듣고 싶다면서 적극 환영해주었습니다. 또 한번은 발령 받은지 1년이 채 안 된 새내기 선생님 3분이 교실로 찾아왔습니다. 선배 교사에게 배우고 싶다면서 꽃까지 사들고 말입니다. 후배들과 그런 관계를 맺을 수 있다는 것이 정말 감사했습니다. 그런 후배들이 있어 정말 든든했습니다.

저 역시 아직도 시행착오를 거치면서 넘어질 때가 많습니다. 아침에 눈뜨자마자 학교 걱정이 앞선 때도 있습니다. 그러나 서로 나누면서 더불어 성장하는 기쁨을 맛볼 수 있어 좋습니다. 그동안 후배들과 같이 이야기를 나눌 수 있는 기회가 많았습니다. 한참 신나게 말을 하다보면 목이 아플 정도였습니다. 그래서 몇몇 후배들에게는 제가 정리한 파일을 주기도 했습니다. 그럴 즈음 한 후배가 말했습니다.

"선생님, 책으로 내 주시면 안돼요?"

"어휴, 내가 책을 어떻게 내!"

1981년 교직에 발령을 받았으니까 벌써 33년이 되었습니다. 휴직으로 쉰 적은 한 번도 없고 학습 연구년 기간인 6개월 동안만 아이들과 함께하지 못했습니다. 그동안 다양한 연수나 연구회 활동 등으로 계속 저를 성장시켜 나갔습니다. 연수가 취미일 정도로 관심 있는 분야면 여기저기 다 찾아다녔습니다. 새내기 교사 시절부터 아이들의 의사소통에 관심이 많았습니다. 그래서 발표 지도를 꾸준히 하다 보니 자연스럽게 아이들이 주체가 되어 학급을 스스로 이끌게 되었습니다. 수업개선연구교사나 시범수업 등을 할 수 있도록 격려해주셨던 김정순(전 서울문교초 교장)선생님 덕분에 수업에 관해 많이 성장할 수 있었습니다. 학급운영 사례를 동료들과 나눠보라고 하시며 처음으로 강의 기회를 마련해주셨던 조성한 교감 선생님(서울고원초등학교)의 신뢰와 지지가 큰 힘이 되었습니다. 또 항상 지지와 응원을 보내주셨던 선후배 선생님들의 도움 또한 빼놓을 수 없습니다.

작년(2013년) 여름 생각지도 않게 출판 제의를 받았습니다. 한참을 망설이다가 한번 부딪쳐보자라는 마음으로 결정했습니다. 그동안 썼던 강의 원고나 책자에 실렸던 글, 실천 사례 연구보고

서 등을 정리했습니다. 그런데 원고를 보낸 후부터 정서적 불안 상태가 나타나기 시작했습니다. 갑자기 두려워지기 시작했습니다. 마지막 과정에서 이것저것 신경 쓸 일이 많아지자 엄청난 스트레스가 밀려왔습니다.

그러나 …… 그냥 모든 걸 내려놓기로 했습니다. 부족한 글, 두려움, 여러 가지 제한점 등은 다 내려놓고 오직 우리 아이들과 생활하면서 있었던 이야기를 전하는 데만 집중하기로 했습니다. 이 책에 대단한 정보가 담겨 있는 것은 아닙니다. '아이들과 해보았더니 정말 이렇게 되더라'라는 이야기를 하고 싶었습니다. 학생들이 주인이 되어 다양한 학급 활동을 하는 이야기를 함께 나눠보고 싶었습니다. 이 세상에는 이미 다양한 학급운영 자료들이 소개되어 있습니다. 문제는 자기 나름대로 직접 적용해보는 것이라고 생각합니다. '과연 아이들이 이렇게 할 수 있을까'라는 생각은 일단 접어두고 한 가지만이라도 시도해보면 됩니다. 어떤 것이든 직접 해보지 않고는 공감할 수 없습니다. 이 책에 나오는 '회전문'이라는 문제해결 활동을 직접 해본 선생님들과 이야기하다 보면 얼마나 공감하는 부분이 많은지 이야기가 끝도 없이 이어집니다. 강의를 듣고 이것저것 실천해본 선생님들의 전화를 받을 때가 가끔 있습니다. 신기하게도 아이들이 생각한 것보다 훨씬 더 잘하더라고 하면서 모두들 기뻐하십니다. 아이들이 생각보다 훨씬 멋지게 해낼 때 머리가 쭈뼛 서는 감동을 느낍니다. 그런 순간이 있어 여전히 현장에서 아이들과 함께 있고 싶은가 봅니다.

아이들의 성향이 각각 다르듯이 선생님들의 기질에 따른 유형도 모두 다릅니다. 따라서 이 책의 내용에 관해 저의 생각과 다를 수 있습니다. 그런 점에서 생각이 달라 혹시라도 불편함을 느끼신다면 너그럽게 이해해주시기 바랍니다.

　저는 책을 읽을 때 공감되는 내용이라도 나오면 밑줄을 치면서 '와, 맞아, 맞아. 어쩜 이렇게 나랑 생각이 똑같을까?' 하면서 기뻐합니다. 그런데 지금 문득 이런 생각이 듭니다. 이 책을 읽는 독자 중 한 분이라도 저와 같은 말을 하면 좋겠다고. 그리고 더 나아가 적용한 소감을 함께 나눌 수 있으면 좋겠습니다. 책이라는 것의 제한점 때문에 다 풀지 못한 이야기가 많습니다. 직접 얼굴을 맞대고 나눌 수 있는 기회가 있다면 기꺼이 함께하고 싶습니다.

　제가 좋아하는 랄프 왈도 에머슨의 시에서 성공이란 '자주 많이 웃는 것'이라는 말이 나옵니다. 저의 부족한 책이 선생님들께서 아이들과 자주 많이 웃을 수 있게 되는 데 조금이나마 도움이 되었으면 하는 소망을 가져봅니다. 또 아이들에게 "선생님을 만나서 참 행복해요."라는 말을 듣게 되는 데에 아주 작게나마 보탬이 된다면 더욱 좋겠습니다.

　끝으로 아름다운 열매를 맺게 해주신 소망의 하나님께 감사드립니다.

항상 평화롭고 행복한 교실이 되길 기도하며

엄은남

추천의 글

선생님이라면 누구나 아이들과 어떻게 하면 행복하게 지낼 수 있을까 고민하게 됩니다. 이제 2월이면 학년을 마무리하고 새로운 만남을 준비하느라 여러 가지로 분주할 것입니다. 나름대로 계획을 세우고 이것저것 준비해보지만 무엇인가 좀 부족하지 않나 하는 생각이 들 때가 많습니다. 그런 분들께 반가운 책이 출판되어 추천합니다.

이 책의 저자인 엄은남 선생님은 33년 동안 아이들과 현장에서 뛴 교사입니다. 수업개선연구교사로서 활동하기도 하고 후배 교사와 팀 연구 등을 하면서 늘 전문성 향상에 힘써왔습니다. 교육청이나 연수원에서 주관하는 연수 외에도 장소나 비용을 불문하고 다양한 분야의 연수를 받았고 그 관심과 노력의 결과를 학급운영에 오롯이 녹여, 존중하고 사랑하는 학급을 운영하고 있습니다. 후배들에게 선배로서의 모범을 보이며 든든한 버팀목 역할도 하고 있습니다. 이번에 서울교육연수원과 인디스쿨, 각 학교나 단체에서 강의했던 내용을 정리하여 책으로 출판하게 되었습니다.

이 책에는 엄은남 선생님만의 학급운영 사례가 생생하게 소개되어 있습니다. 이 책을 보면 교사가 어떤 아동관을 가지고 학급을 이끌어야 하는지 잘 알게 될 것입니다. 또 서로 존중하며 주인 의식을 가지고 활동하는 살아있는 교실의 모습을 생생하게 볼 수 있습니다. 무엇보다도 따뜻한 시선으로 아이들을 기다려주고, 아이들이 편안한 마음으로 자신을 표현할 수 있도록 하는 노하우를 배우게 될 것입니다.

학생들을 존중하는 교사의 관점, 학부모님들과 소통하는 방법, 학급 문제를 회의로 해결하는 과정, 회복적 생활지도를 통한 학생의 책임 능력 강화, 공동체 놀이를 통한 협력의 자세 키우기까지. 그 무엇이 되든 선생님께서 일구시는 학급운영의 기본 철학은 '교사가 학생을 존중하면 학생도 교사를 존중한다.'라는 것입니다.

이 책이 갖고 있는 가장 큰 장점은 어떤 학년을 가르치든, 어떤 학생을 만나든 이 책에서 소개하고 있는 방법들이 적용 가능하다는 것입니다. 생활지도는 활동 속에 녹아있어 자연스럽게 이루어지며, 수업도 학생들과 함께 만들어가기 때문에 교사와 학생 모두가 행복한 수업이 됩니다.

특히 새내기 교사들에게 적극 추천합니다. 선배가 현장에서 직접 실천한 내용들을 들여다보는 것만으로도 아이들을 이해하고 지도하는 데 큰 도움이 될 것입니다.

아무쪼록 이 책이 '교사와 학생이 모두 행복한 교실'을 만드는 데 큰 도움이 되길 바랍니다.

서울시교육청 초등교육과 장학관

이 재 관

차 례

1장
신뢰를 쌓아가는 학급 생활 디딤돌

2장
모두가 함께하는 아름다운 약속

1장

신뢰를 쌓아가는
학급 생활 디딤돌

1. 첫 만남에서 아이들에게 꼭 해야 할 말

학급마다 분위기가 다르고, 학급문화가 다르다. 교사와 학생, 학생과 학생이 어떤 관계를 맺고 있느냐에 따라 학급 분위기는 달라질 수밖에 없다. 따라서 학생들과의 첫 만남이 이루어지는 순간부터 바람직한 관계, 아름다운 관계를 맺는 것에 초점을 맞추어야 한다. 학생들과 처음 만나는 순간에 그런 아름다운 관계를 맺기 위해서는 어떤 말로 시작하면 좋을까? 아이들에게는 낯선 담임 선생님으로부터 처음 듣는 말이니만큼 분명 다른 말보다 기억에 더 잘 남을 것이다.

나의 경우 '우리 모두는 다 소중한 사람이고 다 존중받아야 한다.'라는 말로 시작한다. 여기에서 '우리'에는 교사와 학생 모두가 다 포함된다. 서로서로 소중한 사람들과 만나는 것이다. 내가 교직에 몸을 담은 후 계속 꼭 붙잡고 있는 단어가 '존중'이다. 교사나 학생 모두 정서적으로나 신체적으로 편안함을 느낄 수 있기 위해서는 먼저 학교가 안전한 배움의 장이 되어야 한다. 여기서 진정한 안전은 공동체에서 전적으로 상호 존중하는 관계가 이루어질 때만이 가능하다. 랄프 왈도 에머슨(Ralph Waldo Emerson, 1803~1882)은 '교육에 비법이 있다면, 그것은 학생 존중에 있다.'라고 말한다. 백번 맞는 말이라고 생각한다.

어떤 조건이나 형편 등에 상관없이 다 소중한 사람이라는 것을 아이들에게 강조한다. 학생들은 이미 자기들 나름대로 기준을 두어 친구들을 분류해 놓는 경우가 많다. 공부 잘하는 아이, 외모가 괜찮은 아이, 힘이 센 아이, 인기 있는 아이 등 나름대로 기준에 따라 그 아이들과 어떤 관계를 맺을지 어느 정도 생각해 두고 있다. 그래서 교사는 외모, 능력, 가정환경 등과 아무런 관계없이 모두가 소중하다는 것을 강조해야 한다. '내가' 소중하듯이 '다른 사람도' 똑같이 소중하기 때문에 어떠한 이유로든 무시할 수 없으며 서로 전적으로 존중해야 한다는 것을 못 박아야 한다.

'존중' 하니까 떠오르는 이야기가 하나 있다. 1학년을 담임할 때다. 교사 '수업 공개'여서 같은 학년 선생님들이 수업을 참관하고 있었다. 집에서 기르는 동물에 관해 알아보는 시간이었다. 교과서 삽화 중에 강아지와 남자 어린이가 놀고 있는 장면이 나온다. "가족들이 무엇을 하고 있나요?"라는 질문에 한 남학생이 자신 있게 대답했다. "남자 어린이와 강아지가 서로 존중하면서 놀고 있습니다." 그 말을 듣고 참관 중인 선생님들은 한참 웃었다. 얼마나 '존중'을 강조했으면 강아지하고도 서로 존중하며 논다고 하느냐면서. 우리 반 학생들은 그 학생의 말이 너무 당연한 일이라고 생각해서인지 아무렇지도 않게 반응하던 모습이 떠오른다. 물론 그 대답한 학생이 항상 친구들을 존중하며 전혀 문제를 일으키지 않는 학생은 아니었다. 하지만 '서로 존중'해야 된다는 생각은 늘 하고 있었다는 것이 확실히 증명된 셈이다. 1학년을 담임할 때는 알림장에 매일 '서로 존중'이라는 내용을 쓰고 그 옆에 자신의 실천 결과를 학급에서 정한 기호로 표시해가며 자율적으로 점검을 해보도록 했다.

학급에서 문제를 일으키고 친구들과 갈등을 일으키는 아이들은 존중받지 못하는 가정환경에서 자란 경우가 많다. 본인이 충분히 존중받지 못했기 때문에 다른 사람을 존중할 수 있는 마음의 여유도 없을뿐더러 그런 삶의 기술도 배울 기회가 없었던 것이다. 그런 학생들의 경우 자존감도 낮고 다른 사람을 이해하고 공감하는 능력이 부족하다. 그러한 학생들이 학교에서라도 진정으로 존중받는 경험을 충분히 할 수 있도록 해야 하는 것이다.

인간은 누구나 '중요한 사람'이 되고 싶은 욕망이 있다. 다른 사람에게 인정받고자 하는 갈망이 있다. 학급 구성원 모두가 다 학급에서 중요한 사람이라는 생각을 갖게 되면 새로운 환경에서 느끼는 긴장이나 두려움에서 벗어나 정서적으로 빨리 안정을 찾을 수 있다.

'존중' 다음에 하는 말은 체육 시간에 관련된 것이다. 아이들이 학교 오기 전에 반드시 체크하는 것 2가지는 무엇일까? 내가 담임을 맡았던 아이들의 경우 예외 없이 그 2가지에 대한 관심이 지대했다. 바로 그 날의 '급식 메뉴'와 '체육 시간 유무'이다. 체육과 급식은 그만큼 아이들에게 커다란 관심사이다. 여기저기 강의를 가서 지방에 계신 선생님들께 이 질문을 했을 때도 마찬가지였다. 아마도 전국적으로 아이들은 다 똑같을지도 모른다는 생각이 들 정도다. 그런 아이들의 마음을 충분히 알기에 처음 만나는 날 아이들에게 항상 이렇게 말한다.

"체육 들은 날 체육 하느냐고 물어보지 마세요. 당연히 합니다. 눈이 오나 비가 오나 언제나!"

"오늘 국어 해요?"라고 아이들이 물어보는 경우는 거의 없다. 아니 한 번도 들어본 적이 없다. 그럼 왜 유독 체육은 그렇게 물어볼까? 학생들은 불안한 것이다. 학교 행사나 기타 사유에 의해 체육 시간을 빼먹기라도 할까봐 걱정되기 때문에 아침부터 확인해보는 것이다. 여기에서 '기타 사유'는 주로 교사가 주도권을 잡고 결정하는 경우가 많다. 기타 사유에 의해 그렇게도 좋아하는 체육을 못했던 아픈 상처가 아이들에게 있었던 것이다. 국어나 수학 하느냐고 물어보지 않듯이 체육 하느냐에 대해서 물을 필요가 없다는 것을 확인시켜야 한다. 지금은 매주 토요일이 휴업일이지만 둘째 주와 넷째 주 토요일만 휴업일일 때가 있었다. 그때 나는 토요일에 체육 시간이 들어가지 않도록 시간표를 짰다. 학생들이 토요

휴업일에 들어있는 체육 시간을 얼마나 아깝고 안타깝게 생각하는지 누구보다도 충분히 알기 때문이다. 그리고 체육 시간 준수에 대한 약속을 확실히 지킨다. 이 약속 한마디로 아이들과의 신뢰가 90% 이상 형성된다. 몇 년 전 근무했던 학교에서는 강당 건설 공사 때문에 운동장의 반 이상을 거의 반년 동안 사용하지 못하던 때가 있었다. 그때도 어김없이 체육 시간을 준수했다.

상대방의 마음을 충분히 알아주고 서로의 욕구를 충족시켜주면 믿음은 저절로 생긴다. 믿음은 곧 소통이다. 서로에 대해 충분히 이해하고 욕구가 무엇인지 아는 것, 그것이 곧 소통이고 신뢰인 것이다.

학생들이 만든 가치 사전에서 '존중'

학생들이 만든 가치 사전에서 '존중'

2. 아이들 서로 존중하는 학급문화

가르치는 일보다 더 중요한 것은 교사와 학생 사이의 관계이다. 어떤 관계를 맺느냐에 따라 가르치고 배우는 과정의 질이 달라진다. 교육의 질에 가장 큰 영향을 미치는 것은 곧 교사와 학생 사이의 관계인 것이다. 학생이 학교에서 관계를 맺을 수 있는 소중한 사람, 의미 있는 사람도 곧 교사가 된다. 교사가 가장 중요한 학습 환경이라는 말도 있듯이 교사와 학생의 관계가 수업에 미치는 영향은 아무리 강조해도 지나치지 않는다. 가르치고 배우는 과정이 효과적으로 이루어지려면 교사와 학생들 사이에 유대감이 존재해야 함은 두말할 필요가 없다. 여기서 교사에 대한 '신뢰'가 매우 중요한데 학생들이 교사에 대한 믿음을 갖게 되면 이미 관계 형성은 성공했다고 해도 과언이 아니다. 학생들이 교사를 생각할 때 '어떤 상황에서든지 학생 개개인을 존중하고 자신들의 성장을 위해 도움을 줄 수 있는 사람'이라는 믿음이 생기면 된다. 사람은 누구나 존중받고 싶어 하는 욕구가 있기 때문에 그것이 충족되면 신뢰는 저절로 따라온다.

교사와 학생이 서로의 필요를 존중하는 관계, 서로의 욕구가 모두 충족되는 관계가 바람직함은 두말할 필요가 없다. 그렇다면 학생들은 언제 존중받는다고 느낄까? 학급의 주인으로서 스스로 선택하고 결정하게 되었을 때 존중받는다고 느낀다. 결정권이 자신에게 있을 때 자신이 주인임을 실감하고 책임을 느끼게 된다. 사람은 누구나 명령이나 지시, 통제를 받는 것을 싫어한다. 학생들은 그들의 욕구가 존중되고 자신들의 선택에 의해 결정된 행동을 하게 되면 당연히 선택에 대한 책임감이 생기고 성숙한 사람으로 성장할 수 있게 된다. 그러나 교사가 힘이나 권위로써 통제를 하게 되면 학생들은 자율성이나 독립성을 기르는 대신 교사에게 의존하게 된다.

교과 담당 교사를 할 때의 일이다. 모둠별로 게임을 할 때였는데 아무래도 게임을 하다 보니 교실이 소란스러워졌다. 이때 한 여학생이 갑자기 "선생님, 우리 선생님한테 전화하세요."라고 말했다. 왜 그러는지 이유를 묻자 교실이 너무 시끄러워서 그렇다는 것이었다. "게임을 하는데 이 정도는 문제가 없는 것 같은데 넌 힘든가 보구나. 그럼 친구들한테 제안해보는 것은 어때?"라고 했더니 무슨 뜻인지 이해를 하지 못했다. 그동안 교실이 시끄러울 때 해결 방법은 교사의 명령이나 지시였던 것이다. 교실의 주인으로서 그 문제를 해결한다는 것은 생각해 보지도 않은 듯했다. 결국 사소한 일에도 교사에게 의존하는 것이 습관이 되어버린 것이었다. "4모둠 친구들 목소리가 너무 커서 불편합니다. 목소리를 조금 줄여주시면 고맙겠습니다."라고 해보면 어떻겠느냐고 하니까 용기가 안 나는지 싫다고 했다. 그런 식으로 자신이 느끼는 불편함을 자유롭게 이야기해본 적도 없고 또 그렇게 했을 경우 반 친구들이 어떻게 반응할지도 모르기 때문에 시도하는 것을 두려워한 것이다.

학생들이 학급의 주인으로서 자율성과 책임을 가지고 자신들의 목소리를 낼 수 있는 민주적인 관계를 형성하는 것은 반드시 필요하다. 그런 관계로 연결될 수 있는 분위기가 당연히 조성되어야 한다. 상호 의존적인 관계, 상호 존중하는 관계일 때 학생들의 욕구가 충족되고 성장도 촉진된다. 상대방의 욕구를 존중하고 배려하며 스스로의 행동을 자제하고 협력하는 태도는 자율과 책임이 주어질 때 비로소 형성될 수 있다.

1학년 학생들도 학급의 문화를 그렇게 만들면 충분히 자신들의 목소리를 낼 수 있다. 누군가의 목소리가 커서 불편하면 언제든지 제안할 수 있다. "영찬이 친구 목소리가 커서 불편합니다. 좀 더

소곤소곤해주시면 고맙겠습니다."라고 요청하면 된다. 그리고 요청받은 친구는 당연히 친구의 요구를 들어줄 책임이 있다. 그러나 그런 요구에 응하지 않는 학생이 꼭 있다.

"안 무섭거든!"

평소에 계속 친구들을 불편하게 하는 한 남학생에게 한 여학생이 좀 조용히 해달라며 눈짓을 주자 남학생이 놀리면서 한 말이다. 말로 하면 다른 친구들에게 방해가 될까 봐 눈짓을 주었는데 그 배려에 고마워하기는커녕 놀리는 투로 말한 것이다. 그 말 한마디에서 그 남학생이 어떤 환경에서 자랐는지 금방 알 수 있다. 무섭게 화를 내거나 힘으로 통제할 때만 겨우 움찔하고 그 행동은 다시 제자리로 돌아올 수밖에 없다. 자기 자신의 행동이 다른 사람들에게 어떤 영향을 주는지 깊이 생각해본 적도 없고 그저 처벌받는 순간만 모면하려는 태도가 굳어 있는 것이다. 그러니까 학교에서 친구들의 조언이나 충고에 도리어 '안 무섭거든'이라는 식으로 반응하는 것이다. 이런 학생들의 행동은 단기간에 수정되지 않는다. 그런 태도나 문제행동이 형성되는 데 걸린 만큼의 시간이 필요할 수도 있다.

교사가 일일이 어떤 힘이나 권위로 통제하는 것은 결국 학생들을 타율적이고 의존적으로 만들게 된다. 일부 학생들은 일어나서 그렇게 말하는 것에 재미를 느꼈는지 조금만 소란해져도 요청을 한다. 그래서 그렇게 요청하는 말이 도리어 더 불편을 끼칠 때가 있기도 하지만 말이다. 아무튼 학생들에게 언제든지 제안할 권리가 있고 그 제안을 받아들일 책임과 의무가 있다는 것을 충분히 알게 하는 것이 중요하다.

"요즘 네가 무엇이든지 열심히 하고 발전을 하니까 나는 기분이 더 좋아."

방학하는 날 한 여자아이가 남자아이에게 보낸 편지에서 본 내용이다. 공부 시간에 집중을 하지 않고 시끄럽게 떠든다거나 친구의 물건을 허락 없이 감추는 등 여러 가지로 불편하게 하는 그 남자아이에게 아이들은 좀 잘해달라고 끊임없이 부탁했다. 때로는 칭찬도 해가며 도와주려고 애도 썼다. 모둠 활동을 할 때에는 같이 협력해서 잘해보자고 격려도 하면서 기다려준 결과 드디어 좋은 모습으로 변화되는 것을 보고 아이들은 함께 기뻐하는 것이다. "네가 발전을 하니까 내 기분이 더 좋다."라고 하면서 친구의 긍정적인 변화에 함께 기뻐할 수 있는 관계로 맺어져 있다는 것이 참 고마웠다.

인간은 서로 존중하고 신뢰할 수 있는 '관계'로 맺어질 때 진정한 안전을 느낀다. 자율성과 자발적인 협력을 통해 배움과 성장이 일어나는 곳, 곧 그곳이 우리의 교실이어야 한다. 교사와 학생, 학생과 학생이 따뜻하고 우호적인 관계를 맺을 때 서로의 영향력은 극대화된다. 힘으로 통제하면 할수록 관계는 어긋날 수밖에 없다. 서로의 필요를 존중하는 관계가 성립되었을 때 자연히 서로를 신뢰하게 되고 진정으로 서로를 보살피며 협력할 수 있는 분위기가 조성되는 것이다.

3. 학급 문제에 대한 결정은 아이들에게

'어쩌라고!'라는 말은 상대방에게 불편을 끼치는 행동을 하면서도 자신의 잘못을 인정하기는커녕 도리어 화를 내며 방어하는 학생들이 흔히 쓰는 말이다. 항상 다른 사람 일에 참견을 잘하고 정서적으로 감정 기복이 심한 준기가 소연이를 귀찮게 하자 예림이가 "준기야, 소연이 귀찮게 하지 마."라고 하면서 부드럽게 충고했다. 그러자 준기는 자동적으로 반응했다.

"어쩌라고, 네가 뭔데!"

그 말에 예림이는 망설임 없이 단호하게 말했다.

"우리 반 일이니까."

백번 맞는 말이다. 공동체 안에서 누구도 함부로 대해서는 안 되고 모두가 서로 존중하고 존중받아야 된다. 또한 '우리 반 일'이라는 공동체 의식을 가지고 그 문제를 모두 같이 해결해나가야 한다. 예림이의 분명한 그 한마디에 준기는 당황스러워하며 어쩔 줄 몰라했다. 예림이의 말이 얼마나 대견하고 믿음직스러웠는지……

모두가 주인이 되는 학급에서는 학생들이 스스로 참여하고 스스로 책임진다. 3월 초 학급 규칙에서부터 공책 이름 정하기, 학급 활동 이름 결정하기, 1인 1역 활동 정하기까지 학생들이 주체가 되어 정한다. 학급 규칙 중 등교 시각에 대해서는 8시 30분부터 심지어는 1교시가 시작되는 9시까지로 하자는 다양한 의견이 나왔다. 의견에 대한 충분한 이유를 들어보고 서로를 설득하며 결정된 등교 시각은 8시 45분이었다. 또 청소할 때 책상 속이 무거워 불편하다는 의견이 나오자 바로 협의에 들어갔다. 결국 집에 갈 때 책상 속에 넣어 둘 수 있는 물건은 공책 1권 정도로 정해졌다. 이처럼 학생들은 자신들의 생활에 대한 필요를 반영하며 자신들만의 규칙을 정하는 것이다.

공책 제목도 공모하여 학생들의 의견을 모아 정했는데 이런 과정을 거쳐 정하니까 그 공책에 대해 더 애착을 갖게 되고 자기네 반만의 공책이라는 자부심도 갖게 되는 이점이 있었다. 우리 반에서는 매일 아침 10분 동안 자유롭게 이야기하는 시간을 운영하고 있다. 그 활동의 이름 역시 학생들 스스로 지었다. '아침마당', '천사의 선물', '이야기 꽃나무', '이야기 나무' 등 모두 학생들의 아이디어로 정해진 이름이다. 이 시간을 통해 학생들은 자유롭게 자신들의 일상을 이야기하고 서로 경청하며 교사가 없어도 언제든지 진행할 수 있다.

또한 학교생활을 하면서 일어나는 소소한 일까지도 스스로 협의하다 보니 자연히 학급회의 횟수가 많아진다. 아이들은 '남은 특별급식 처리 방법', '현장 체험학습 갈 때 누구 옆에 앉나?' 등과 같은 자신들에게 아주 민감한 문제뿐만 아니라 아침 축구, 학급 활동 시간 연장, 사물함 정리, 다른 선생님들의 우리 반 수업 참관 등 다양한 사안들을 학급회의 의제로 올려 협의한다. '남은 특별급식 처리 방법'에 대한 회의에서는 장장 4시간에 걸친 열띤 협의 끝에 아주 구체적인 해결 방법을 정하기도 했다. 학교에서 특별급식이란 학생들이 좋아하는 돈가스, 만두, 핫도그 같은 음식을 말한다. 이러한 과정들은 시간이 많이 걸리기는 하지만 그 시간 이상으로 가치 있는 경험이고 성장할 수 있는 기회가 된다.

또한 '제안해요'라는 게시판을 만들어 놓고 언제든지 실명으로 제안을 하고 그 내용을 회의의 안건으로 활용했다. 어떤 사안은 회의도 하기 전에 제안 내용이 해결되기도 했다. 걸레 관리 담당자인 학생이 마르지도 않은 걸레를 걸레 바구니에 넣어두는 것이 매우 불편하다고 하며 완전히 말린 것만 넣어줄 것을 '제안해요' 게시판에 부탁했다. 그랬더니 다른 친구들이 그 의견을 받아들여 스스로 그 문제를 신경 써서 해결했던 적도 있다.

어느 학급이나 학생들 간에 크고 작은 다툼이 일어나기 마련이다. 이럴 경우 공동체 구성원들이 모두 한자리에 모여 사건을 해결한다. 당사자들이 앞에 나와 사건의 개요를 말하면 다른 친구들은 여러 가지 질문을 하며 서로의 생각을 충분히 나눈 뒤 당사자들이 자신들의 행동에 책임을 질 수 있는 방법을 스스로 선택한다. 이렇게 함으로써 교사와 학생들과의 관계가 깨어지지 않으면서 그 사건의 영향을 받는 공동체 전체가 문제를 해결해나가는 것이다. 이러한 과정은 사건의 재발을 방지할 수 있을 뿐만 아니라 그 해결 과정 자체가 또 하나의 배움의 장이 될 수 있다.

학생들이 학급 일에 스스로 참여하고 자신의 의견을 당당히 이야기하며 결정하고 책임을 지게 되면 자연스럽게 주인 의식이 생긴다. 학생들은 어른들이 생각하는 것 이상으로 문제해결 능력이 있다. 다만 어른들이 믿지 못하고 자꾸 대신 해결해주려고 하는 것이 문제인 것이다. 일단 학생들을 믿어야 한다. 그리고 기다려 주면 된다. 스스로 주인이 되어 문제를 해결해나가도록 장만 마련해주면 된다. 그렇게 할 때 학생들은 그 과정에서 성취감을 느끼고 학급 구성원으로서 귀한 존재임을 깨닫게 된다. 위에서 소개된 다양한 학급 활동들에 대해서는 이 책의 여러 장에서 자세하게 언급될 것이다.

"선생님, 요즈음 지각하는 애들이 많아서 걱정이에요."

학생들은 스스로 학급의 문제를 고민한다. 학급의 문제를 스스로 고민하고 같이 해결하려는 움직임이 있을 때 비로소 학생이 학급의 주인이 되는 것이다. 이렇게 되면 교사의 잔소리는 필요 없게 되고 학생들이 스스로 그들의 불편을 그들의 목소리로 말하고 서로서로 해결한다. 물론 가끔 잘못된 결정을 내릴 때도 있다. 그러나 실수나 실패를 두려워해서는 안 된다. 그런 경험마저도 귀한 교훈이 될 수 있다. 신중한 결정을 내리는 것이 왜 중요한지 깨닫게 되는 기회가 되기 때문이다. 서로를 존중하며 자신의 의견을 당당하게 밝히면서 활발하게 의사소통하는 아이들, 공동체의 문제를 스스로 해결하고 자신의 결정에 책임지는 아이들, 어른들이 먼저 그들을 존중하고 전적으로 믿고 지켜봐줄 때 그런 민주 시민의 새싹들은 파릇파릇하게 자라 튼실한 열매를 맺을 수 있을 것이라 생각한다.

4. 모든 학생들이 의견을 말하는 학급

"선생님, 그거 다 해야 돼요?"

3월 초 자기소개나 1인 1역 활동 계획 발표를 할 경우 꼭 나오는 질문이다. 한 사람도 빠짐없이 100% 모두 다 해야 되느냐는 말이다. 시간상 문제도 있고 또 전혀 하려는 의지를 보이지 않는 학생을 억지로 시키는 것도 쉽지는 않다. 그런 이유로 몇 명만 하고 나머지는 하지 않았던 경험이 있었기 때문에 묻는 것이다. 그런 식으로 빠지는 학생은 늘 빠져왔기 때문에 당연히 용기도 없고 두려움을 갖기 쉽다. 이럴 경우 모두가 주인이기 때문에 반드시 다 참여해야 된다는 것을 잘 이해시켜야 한다. 준비가 안 되었거나 도저히 할 자신이 없으면 있는 그대로 자신의 상태나 생각을 말하게 하면 된다. 그렇게 해서 학생들의 부담감을 덜어 주어야 한다.

"저는 자신이 없어 잘 못하겠습니다. 나중에 하겠습니다."

"저는 할 말이 생각나지 않습니다."

이런 식으로라도 자신을 표현해야 한다. 공동체의 일원으로서 마땅히 그렇게라도 참여해야 할 책임이 있다는 것이다.

짧은 시간 동안 모든 학생들의 의견이나 느낌들을 듣기 위해 활용하는 '번개'라는 활동이 있다. 이 활동을 할 때도 반드시 모든 학생이 참여해야 하고 혹시 할 말이 갑자기 생각이 안 나면 '통과'라고 말하면 된다. 여기서 '통과'라고 말하는 장치를 만들어 학생들이 부담감 없이 참여하되 '모두 참여'하는 것이 원칙이라는 것을 확실히 해야 할 필요가 있다. 처음에는 당연히 그냥 '통과'라고 말하는 학생들이 많다. 그동안 말할 기회를 많이 갖지 못해 자신감이 없어서일 수도 있고 또 다른 이유로 말하기 싫을 수도 있다. 그렇다면 그 점은 있는 그대로 존중해주어야 한다. 그렇지만 다른 친구들에게 '통과'라는 말을 함으로써 공동체의 한 사람으로서 참여는 반드시 해야 한다는 것이다. 대부분 처음부터 '통과'라는 말을 하는 학생들은 목소리도 작아 들리지도 않게 하는 경우가 많다. 하지만 그렇게 해서라도 학급의 주체로서 참여하는 경험을 하게 해야 된다. 그날그날의 목표를 정하라고 할 때 어떤 학생은 '통과라는 말 크게 하기'라고 쓰는 경우도 많다. 그렇게 몇 번 그 목표를 달성하게 되면 이젠 자신감이 생겨 자신의 느낌이나 생각을 큰 소리로 발표할 수 있게 된다.

여기서 중요한 것은 어느 누구 한 사람도 소외시키지 말고 '모두가 참여'해야 된다는 것이다. 1인 1역 계획 발표를 할 때도 마찬가지다. 모두 발표하되 발표 차례는 학생들의 선택에 맡긴다. 발표 지원자를 받을 때 '선착순'이라는 말을 사용하면 매우 효과적이다. "일단 선착순 3명 받습니다."라고 말한다. 어느 학급이든지 2~3명 정도는 이미 발표에 자신이 있고 앞에 나와 말하는 것에 그리 큰 부담을 느끼지 않는다. 그런 학생들이 나와 발표를 하면서 분위기를 잡으면 그다음부터는 자연스럽게 지원자가 나온다. 지원자가 많아지면 빨리하고 싶은 욕구가 올라와 미리 예약하겠다고 말하는 학생이 생기기도 한다. 그런 식으로 계속 3명씩 지원자를 받아 발표를 하면 학생 모두가 다 할 수 있다. 3명 이상이 나오면 나와서 기다리는 학생들끼리 이야기하며 집중하기 힘든 경우가 생긴다. 이때 할까 말까 망설이는 학생이 당연히 생긴다. 그럴 때 이미 발표한 학생들이 그 친구들을 격려해주며 지지해주는 것이 아주 중요하다. 모둠에서 모둠원들이 모두 참여할 수 있도록 용기를 북돋워주면 모든 학생이 다 끝마칠 수 있다. 이렇게 다 하려면 물론 시간이 많이 걸린다. 그러나 그 시간은 매우 의미 있고 가치 있는 시간이다. 공동체 구성원이 모두 참여하며 함께했다는 사실 하나만으로도 큰 수확을 얻은 것이다.

모둠에서 맡을 역할을 정한 후 각자의 모둠 역할 활동 계획을 발표할 때도 당연히 모두 참여해야 한다. 예를 들면 각 모둠에서 '이끎이' 역할을 맡은 사람이 다 나와 자신의 계획을 발표하면 되는 것이다.

"저는 1모둠의 이끎이로서 우리 모둠 친구들이 각자의 역할을 잘하도록 도와주겠습니다."라고 하면, 그다음 학생은 좀 더 특별히 잘하고 싶은 마음이 생겨 거기에 점점 살을 붙여 보충해나가기도 한다. 평소에 말을 잘 못하는 학생도 모둠 친구들의 도움을 받아 쪽지에 써 가지고 와서까지 잘 해내기도 한다. 이런 식으로 나머지 역할 담당자들도 모두 참여하게 한다. 이렇게 하고 나면 모두가 참여했다는 생각에 뿌듯해하고 자연스럽게 공동체 의식도 생긴다. 또 소수 몇 명만이 발표를 독점하고 나머지는 구경꾼이 되는 경우를 방지할 수 있다.

학급의 주체로서 모두 참여한다는 것은 학급 구성원으로서 책임을 지고 반드시 해야 할 일이다. 그렇게 함으로써 모두가 진정한 주인이 될 수 있는 것이다.

5. 3월부터 웃음 가득한 교실로

'3월엔 절대 웃지 마라'라는 말이 있다. 과연 학생들 앞에서 3월 한 달 내내 웃지 않으면 나머지 1년이 아주 순조로울까? 초임 교사 시절 솔깃해서 한두 시간 시도해본 적이 있다. 그러나 너무 불편하고 힘들어 '이건 아니다'라는 결론을 내리고 바로 생각을 바꿨던 기억이 난다. 주변에서 그런 말들을 듣고 좀 시도해보다 같은 결정을 내린 사람이 많을 것이다. 웃지 않고 굳은 표정을 지어 학생들이 좀 더 긴장하고 집중하라는 이야기일 수도 있다.

웃지 않는 사람을 대할 때 어떤 느낌인지는 누구나 다 알고 있을 것이다. 아무래도 눈치를 보게 되고 하고 싶은 말을 자유롭게 하기보다는 꼭 해야 할 최소한의 말만 하게 된다. 어떤 반응이 나올지 두렵기 때문에 마음 놓고 못하는 것이다. 웃지 않는 굳은 표정으로는 당연히 지시나 명령, 전달식의 말을 하게 된다. 학생들의 의견을 묻는다든가 혹은 칭찬을 한다거나 하는 상황이 생긴다해도 사무적인 말투가 되지 않을까? 이런 분위기에서 수업을 한다고 생각해보자. 역동적이고 활발한 소통은 기대하기 힘들 것이다.

힘이나 권위로써 통제하려고 하는 순간부터 교사의 어깨는 무거워지고 힘겹다. 한시라도 틈을 주면 불안해진다. 어쩌다 교실을 비우게 되는 일이 있어도 꼭 단속하고 나가야 한다. 그런 식으로 에너지를 쓰다 보면 교사는 지친다. 그 영향은 당연히 학생들에게 그대로 반영될 수밖에 없다.

학급의 주체는 학생이다. 그러므로 학급운영의 주체도 당연히 학생이 된다. 학급운영은 학급의 주체인 학생과 교사의 '건강한 관계 맺기'이다. 바람직한 '연결'이다. 서로 자유롭게 소통할 수 있도록 잘 '연결'되어 있을 때 학생들은 자유롭게 자신을 표현한다. 어떤 것이라도 수용된다는 믿음이 생기면 학생들은 자발적으로 자신을 맘껏 표현한다. 그런 분위기에서 '웃는다'라는 것은 지극히 자연스러운 일이다. 웃지 않는 것이 능사가 아니다. 웃지 않는 것이 절대로 비법이 아니다. 오히려 교실에 웃음이 자주 터져 나오게 해야 한다. 그래서 교사와 학생이 한바탕 웃을 수 있어야 한다.

"오늘 학교 오길 잘한 것 같다."

1학년 여자아이의 일기에서 이 문장을 보고 한참을 웃었다.

'겨울 물오리'라는 노래를 배우는 시간이었다. 한 남자 아이가 흥에 겨워 오리 흉내를 내며 춤을 추기 시작했다. 앉아서 추다가 급기야는 일어나서 추기 시작했다. 춤추는 표정이 얼마나 실감이 나고 귀엽던지…….

"와, 춤 정말 잘 추네! 앞에 나와서 친구들에게 보여주면 어떨까?"

별 망설임 없이 나와서 한바탕 신나게 춤을 추었다. 당연히 교실은 웃음바다가 되었다. 이쯤 되면 같이 추고 싶은 아이들이 꼭 생기게 마련이다. 그 욕구를 들어줘야 한다. 같이 출 사람 나오라고 하니 기다렸다는 듯이 떼를 지어 나왔다. 신나게 한바탕 떼를 지어 오리 춤을 추었다. 정말 입이 아프도록 한참 웃었다. 그렇게 집단 오리 춤을 추던 날 일기에 그렇게 표현한 것이다.

거의 해마다 볼 수 있는 일인데 흥에 겨워 자발적으로 춤추는 아이가 꼭 생긴다는 것이다. 그런 학생의 흥과 끼에 다른 학생들의 흥이 합해져 늘 큰 웃음을 만들어주곤 한다. 모두가 즐겁게 참여하고 활발하게 소통이 이루어지는 분위기가 조성되면 이런 일은 자연스럽게 일어난다. 이렇게 모두가 한바탕 웃고 나면 흡족한 표정으로 이런 말을 하지 않을까?

"오늘 학교 오길 정말 잘한 것 같아."

6. 아이들 스스로 꾸미는 사물함 이름표

학년 초 선생님들이 항상 준비하는 것 중의 하나는 사물함 이름표이다. 예쁜 틀을 골라 이름을 쓰고 반듯하게 오려 깔끔하게 붙여준다. 컬러로 프린트하는 경우도 많다. 학생들은 늘 담임 선생님이 그렇게 해오셨으니까 별로 새롭지도 않고 그저 자기 이름이 붙여져 있는 곳에 자신의 물건을 넣으면 될 뿐이다. 학생들이 사용하는 사물함은 당연히 그 학생들이 주인이다. 굳이 그 이름표를 교사가 만들어줄 필요는 없다. 학년 초에 미술 시간을 통해 사물함 이름표를 디자인하면 된다. 학생들은 어떤 활동에 스스로 참여할 때 그 활동을 의미 있게 생각하고 관심과 애정을 갖는 법이다.

우리 반에서는 '사물함 이름표 디자인하기'를 첫 번째 미술 시간에 항상 실시한다. 이 활동은 이름표를 예쁘게 디자인하는 것뿐만 아니라 이름표 끼우는 곳을 어떻게 조작해야 하는지 등의 실제 생활과 관련된 기술도 습득할 수 있어서 아주 효과적이다. 평소에 이런 일을 해보지 않았던 학생들은 이름표 끼우는 곳의 플라스틱 덮개를 어떻게 뺄지 몰라 한참을 쩔쩔매기도 한다. 또한 이름표가 분실되었을 경우 교사가 일일이 다시 프린트하여 오려주지 않아도 된다. 학생들은 자신이 만든 것이기 때문에 애착을 가지고 스스로 관리를 철저히 하게 된다. 그러므로 분실되거나 훼손되는 일도 거의 없다. 훼손되더라도 스스로 알아서 즉각 다시 끼워놓기 때문에 언제나 깔끔하게 정돈된 이름표를 볼 수 있다는 장점이 있다.

먼저 사물함 이름표 만들 때 꼭 생각해야 할 것에 대하여 알아본다. 다음은 학생들이 발표한 '이름표 만들 때 꼭 생각해야 될 것'들이다.

- 이름이 잘 보여야 한다.
- 이름 글씨 크기가 알맞아야 한다.
- 색이 어울려야 한다.

- 이름표 끼우는 곳과 이름표 크기가 딱 맞아야 한다.
- 깔끔하고 예뻐야 한다.
- 창의적이고 개성 있게 한다.
- 이름이 굵고 진해야 한다.
- 꼼꼼하게 해야 한다.
- 글씨가 밖으로 튀어나오지 않게 한다.
- 이름을 정확하게 쓴다.

그 다음엔 작은 크기의 종이를 잘라 놓고 마음대로 가져가서 사용하도록 한다. 망치면 얼마든지 가져가서 다시 하면 된다. 이면지를 사용해도 상관없다. 이때부터 학생들은 다양한 방법으로 사물함 이름표의 정확한 크기를 알아보려 애쓰기 시작한다. 교사가 정확한 크기로 잘라 놓는 것보다 학생들 스스로 크기를 생각하여 하게 하면 그것 또한 문제해결 활동이 된다. 어떤 학생은 자를 가지고 와서 재보는가 하면 어떤 학생은 대강 눈짐작으로 하기도 한다. 여러 번의 시행착오를 거친 결과 사물함 이름표 만드는 종이의 크기는 끼우는 곳의 크기보다 살짝 작아야 된다는 사실을 깨닫는다. 크면 삐져나오거나 들어가지도 않고 작으면 헐렁거려서 제위치에 고정되어 있기 어렵다는 것을 자연스럽게 알게 되는 것이다. 어떤 학생은 종이를 대더니 손톱으로 살짝 눌러 크기를 알아보는 방법을 사용하기도 했다. 다양한 방법으로 문제를 해결하는 그 과정에서 학생들은 서로서로 배우게 된다. 어떤 학생은 몇 번을 왔다 갔다 해도 계속 잘 맞지 않으니까 짜증을 내며 포기하려고도 했다. 한 번도 그런 종류의 문제를 스스로 해결해 본 경험이 없었던 것이다.

이름표 사이즈를 알아낸 후 드디어 이름표 디자인에 들어간다. 여기에서 각자의 개성이 다 드러난다. 좋아하는 취향도 다 나온다. 깔끔하면서도 심플한 디자인을 좋아하는 학생, 아기자기하게 꾸미는 것을 좋아하는 학생, 별 장식 없이 그냥 이름 석 자만 덩그러니 써 놓는 학생 등 다양하다. 다 꾸민 후 사물함에 이름표를 끼운다. 교실마다 이름표를 끼우게 되어 있는 것도 있고 붙이게 되어 있는 것도 있을 테니 반 상황에 맞춰 하면 된다.

다 끼워 놓은 다음 '사물함 이름표 디자인 베스트 3'을 뽑는다. 우수 작품의 수는 학생들의 의견에 따라 정하면 된다. 보통 학생들은 금, 은, 동을 뽑자고 한다. 친구들의 이름표를 보고 자기가 맘에 드는 것 3개를 뽑는다. 칠판에 해당되는 친구 이름을 쓰고 자신이 잘했다고 생각되는 친구 이름 옆에 동그라미표를 하면 된다. 이때 교사도 한 표만 행사한다. 또 교사는 맨 마지막에 의사를 밝혀야 한다. 학생들의 선택에 영향을 주지 않기 위해서다. 맨 나중에 집계를 하여 금, 은, 동을 선발한다. 학생들에게 왜 그 친구 것을 뽑았는지 이유를 발표하게 한다. 학생들의 의견은 매우 재미있다. 어떤 학생은 그때가 학년 초라 그런지 봄기운이 느껴지는 등 계절과도 어울리는 디자인이라 뽑았다고 했다. 나름대로의 의견이니까 모든 의견은 다 존중해주고 수용해준다. '깔끔해서 뽑았다', '이름이 눈에 잘 띄어서 뽑았다', '색이 잘 어울린다' 등의 이유를 댄다. 또 수상 소감을 들어보면 생각하지도 않았는데 뽑혀서 기분이 정말 좋다 등의 느낌을 밝히기도 한다. 이 활동을 할 때 보라색 바탕에 검은 글씨로 이름을 썼던 3학년 남학생이 기억난다. 반 아이들이 그 친구 이름이 잘 안 보여서 좀 그렇다고 하니까 자기는 잘 못하겠다고 해서 몇몇 여학생이 도와주었던 일도 있었다. 이런 식으로 하면 자신이 만든 이름표라서 관리도 잘하고 서로의 이름표를 보고 자신의 것과 비교해 보면서 서로에게 배우는 기회도 된다. 디자인 재능이 있는 학생은 이때부터 벌써 뭔가 좀 색다르게 꾸민다. 서로의 작품을 감상하고 평가하는 과정에서 좋은 점을 칭찬하며 친구들을 인정하게 되는 좋은 기회가 되기도 한다.

학생들이 각자 만든 사물함 이름표

학생들만의 아이디어로 예쁘게 디자인한 사물함 이름표는 똑같은 모양으로 쫙 통일되어 붙여진 이름표와는 전혀 다른 느낌이 들고 학생들에게도 특별한 의미를 준다. 또 스스로 생각해서 만들었기 때문에 각자가 관리를 잘하게 되어 훼손되거나 분실되는 일이 전혀 없다. 교사가 일률적으로 프린트하여 붙여주게 되면, 나중에 분실되거나 훼손될 경우 교사가 다시 그것을 프린트해서 줘야 한다. 한 학생 것을 준비하기 위해 종이 한 장을 다 써야 하니 종이와 잉크도 낭비되는 셈이다. 자신의 사물함 이름표를 만드는 것도 그들의 창의성을 펼칠 수 있는 기회가 될 수 있다. 또 서로의 작품도 감상하고 다양한 의견을 나눌 수 있는 좋은 기회라고 생각한다. 학생들은 교사들이 생각하는 것보다 훨씬 창의적이고 잠재력이 있다. 따라서 교사는 그들을 믿어주고 그런 능력들이 잘 계발되도록 촉진자 역할을 하면 된다.

　그리고 작품란 제목 꾸미기도 또 다른 하나의 작품이 될 수 있다. 보통 학생들의 학습 결과물이나 기타 작품 등을 교실에 게시할 때 제목을 붙이게 된다. 제목을 쓰거나 꾸밀 때 학생들이 참여하도록 하면 좋다. 고학년일 경우 작품 게시까지도 학생들이 책임지고 맡아 할 수 있다. 내가 3학년을 담임했을 때 일이다. 서울시 서울글로벌센터에서 주관하는 국제 이해 교육을 신청하여 콩고민주공화국 분이 와서 수업을 한 적이 있다. 그때 학생들이 그 시간에 배운 내용을 정리하고 그것들을 게시하면서 학생들이 스스로 정한 제목은 '콩고야, 친구하자.'였다. 학생들은 굉장히 유연한 사고로 학생들 수준에 맞는 제목을 잘 만들어낸다. 제목이 정해지면 디자인하고 싶은 학생이 맡아서 하면 된다. 학생들은 자신들의 아이디어로 만든 것이라 아주 자랑스럽게 생각할 뿐만 아니라 관심도 많다.

1학년들은 어려서 할 수 있을까 생각할지 모르지만 1학년은 1학년답게 잘한다. 누가 꾸몄는지 아랫부분에 써 넣으라고 했더니 친구랑 같이 했다면서 '글-김지혜, 색칠-윤소은'이라고 써왔다. 아마 글씨와 색칠하기를 분담해서 한 모양이었다. 이렇게 하다 보니 계속 지원자가 생기고 '제목 꾸미기 도전'이 이어졌다. 어떤 학생은 예약하겠다고 말하기까지 했다. 교사가 교사 취향대로 하는 것이 아니라 학생들에게 학급의 주인으로서 참여할 수 있게 기회를 주면 작품을 게시할 때마다 학생들의 관심은 매우 크다.

7. 학급 꾸리기 1년 활동 계획

"선생님, 왜 공부는 안 해요?"

3월 첫째 주 상호 이해 활동이나 규칙 만들기 등의 활동을 하느라 교과서를 다루지 않았더니 묻는 말이다. 학생들은 꼭 교과서를 펴 놓고 무엇인가를 해야 '공부'했다고 생각한다. 더불어 생활하기 위한 여러 가지 사회적 기술이나 삶의 기술 등이 먼저 학습되어야 함에도 불구하고 그것들은 아주 소홀하게 생각되는 경향이 없지 않다.

3월엔 학급 세우기 활동을 집중적으로 한다. 먼저 서로에 대해 관심을 갖고 마음을 열어 모두가 학급의 소중한 일원임을 인식하게 하는 것이 중요하다. 다양한 활동을 통해 서로를 이해하고 생각을 나누는 기초를 닦는다. 이런 활동을 통해 의사소통 능력이 향상될 뿐만 아니라 주인 의식, 자발성 등이 길러진다. 또 문제해결 활동 등을 통하여 배려, 협력을 실천하고 성취감을 경험하여 모두가 하나 됨을 맛보게 한다. 모두 주인 의식을 갖게 되면 그 이후에는 학생들에게 학급 활동을 주체적으로 잘 이끌어갈 수 있는 튼튼한 힘이 생긴다.

학급 행사도 교사가 미리 다 계획을 세워놓고 '이런 것 하자'라고 말하는 것은 별로 효과가 없다. 학생들의 필요에 의해 협의를 거쳐 결정된 행사를 치루면 된다. 그렇게 하기 위해서는 학년 초에 그런 활동들을 해나갈 수 있는 기반을 확실히 다져놓아야 한다. 학급회의를 할 때 몇몇 학생들이 엉뚱한 쪽으로 몰고 가면 어떻게 하나 하는 두려움 때문에 학생들에게 맡기기 어렵다는 말을 하는 선생님들이 있다. 그런 이유를 보더라도 학년 초에 학급 분위기를 잘 조성하는 것이 최대의 관건이다.

우리 반의 경우 '서로 존중하기', '서로 신뢰하기', '서로 도와주기'라는 것을 핵심적인 모토로 정하고 학급 분위기를 항상 그 방향으로 이끈다. 저학년일 경우 "우리 반은 서로서로 존중하는 반이잖아."라고 하면서 학생들끼리도 스스로 항상 강조해서 말하는 것

학급 급훈

을 볼 수 있었다. 그런 분위기가 조성되면 이제는 학생들이 주체가 되어 학급 활동들을 이끌어갈 수 있는 내공이 점점 생긴다. 물론 교사의 도움이 전혀 필요하지 않다는 말은 아니다. 모든 활동을 교사가 철저하게 계획하여 내놓지 않아도 된다는 말이다.

다음은 3월 초부터 학년 말까지 할 수 있는 다양한 학급 활동을 정리한 것이다. 학급 상황에 맞게 수정 보완하여 활용하면 될 것이다. 무조건 많은 활동을 한다고 좋은 것은 아니다. 한 가지 활동이라도 제대로 해서 그 활동의 목표를 최대한 달성할 수 있게 하면 된다. 다음 활동 중 일부 활동의 구체적인 진행 방법은 이 책의 다른 장을 참고하면 된다.

		활동명	활동 방법	기대효과	시기
모두가 소중해요	소중한 나	나의 명패	자신의 이름과 장래 희망 적어 친구들 앞에서 발표하기	의사소통 능력 향상, 경청, 자기 인식	3월 1주
		나만의 별칭	자신의 이미지를 표현할 수 있는 별칭을 짓고 그 배경에 대해 발표하기	자아인식, 의사소통 능력 향상, 경청	3월 1~2주
	소중한 친구들	내 짝꿍을 소개해요	짝에게 3가지 이상 질문하고 대답 듣기	의사소통 능력 향상, 경청	짝 바꿀 때마다
		도전! 친구이름 외우기	3월 첫 주쯤 반 친구들 이름 모두 외우기 도전하기(교사도 필히 도전해야 함)	성취감, 존중감, 경청, 의사소통 능력 향상	3월 1주
	소중한 우리 선생님	질문! 선생님 탐구	선생님이 제시한 키워드 7~10개를 가지고 질문하기	의사소통 능력 향상, 경청, 사고력 증진	첫 만남에서
		선생님을 칭찬해요	선생님 칭찬 공책에 칭찬하고 싶을 때 언제든지 칭찬 쓰기(실명제)	교사에 대한 신뢰, 감사, 교사와의 긍정적인 관계 맺기	연중

		활동명	활동 방법	기대효과	시기
마음을 열고 함께 나눠요	모두가 주인이 되어	우리가 정한 우리반 규칙	등교 시부터 하교 시까지 지켜야 할 일에 대해 협의하고 정하기	자발성, 의사소통 능력 향상, 주인 의식, 배려	3월 1주
		이것만은 내가 전문가	1인 1역 활동 계획 발표하기(활동 방법, 시간, 준비물, 유의점 등)	자발성, 의사소통 능력 향상, 주인 의식, 배려	3월 1주, 1인 1역 바꿀 때
		이렇게 이끌어 갈래요	-매달 임원들의 공약발표하기(실천가능하고 구체적인 약속 5가지 정도) -공약실천 결과 발표하기	자발성, 의사소통 능력 향상, 주인 의식	매월 혹은 학기 초
		조용히, 빨리, 깨끗이	6명이 6일 동안 청소 활동을 하고 자율적으로 점검	자발성, 주인 의식, 의사소통 능력 향상	연중
		현장학습에선 이렇게!	현장학습에서 지킬 일을 모둠별로 토의하고 발표, 쓰레기 생산 결과 발표하고 상호 피드백 받기	자발성, 의사소통 능력 향상, 주인 의식,	현장학습 가기 전날, 갔다 온 후

		활동명	활동 방법	기대효과	시기
마 음 을 열 고 함 께 나 눠 요	모두가 주인이 되어	생각을 모아 함께 정해요	용도에 맞는 공책 이름 공모하여 협의하여 정하기	의사소통 능력 향상, 경청, 사고력증진, 주인 의식	3월 1주
		나만의 아이디로 개성 있게	사물함 이름표 디자인 대회	의사소통 능력 향상, 경청, 사고력증진, 주인 의식	3월 1주
		우리가 꾸리는 우리반 행사	학생들의 제안에 따라 합의된 다양한 행사(사물함 정리 왕 뽑기, 학년말 마무리 행사 등)	주인 의식, 협력, 소통, 자발성, 리더십	연중
	나누며 함께 해요	나눔 천사	각 분야별로 먼저 목표를 성취한 학생이 도우미가 되어 도와주기	나눔, 배려, 이해, 타인 존중, 의사소통 능력 향상	연중
		우리들의 가치사전	'존중', '배려', '신뢰' 등에 대해 학생들의 수준에 맞게 정의 내려 보고 실천하기	사고력 증진, 배려, 협동 등의 가치를 실제 생활에서 실천 가능한 예 찾아 실천	1달에 1번
	우리 들의 이야기 마당	쿠아드 뇌프?	매일 아침 자유롭게 자신들의 이야기하기	의사소통 능력 향상, 타인 이해, 경청, 발표력 향상	4월 이후 매일
		우리 반 일은 우리가 스스로 해결해요	학급에서 일어난 크고 작은 사안을 학생들의 협의를 통해 해결하기	주인 의식, 의사소통 능력 향상, 경청, 타인 이해, 관용	사안이 생길 때 마다

2장

모두가 함께하는
아름다운 약속

1. 아이들 스스로 정하는 학급 규칙

　모두가 학급의 주인으로서 규칙 하나하나를 직접 정하면 주인
의식이 생긴다. 반 친구들이 모두 평안하고 행복해지기 위해서는
약속이 필요하고 그 약속은 모두가 참여하여 함께 정해야 한다는
것을 강조한다. 여기에서 '모두가 참여'라는 것이 중요하다. 먼저,
규칙을 정하기 전날 과제로 '모두가 평화롭고 행복한 1년을 보내
기 위해 꼭 지켜야 할 것 2가지 이상 생각해오기' 등을 내주면 좋
다. 학생들이 생각해온 것들을 칠판에 적고 좀 더 구체적으로 표
현해보도록 한다. 예를 들어 '지각하지 않는다.'보다는 '8시 45분
까지 교실에 도착하기'로, '청소 시간에 빨리빨리 한다.'보다는 '청
소 활동 시간은 15분을 넘지 않게 한다.' 등 구체적인 행동이나 시
간을 제시하게 한다. 시간이 걸리더라도 하나하나 꼼꼼하게 정하

는 것이 좋다. 혹시 학생들이 너무 분별력 없이 정하지나 않을까 걱정되어 망설인다면 전혀 그럴 필요가 없다. 학생들은 자신들이 결정을 내릴 수 있는 권한을 갖게 되면 어느 정도 책임감을 느끼고 신중하게 한다. 일단 믿고 맡기면 된다. 중요한 것은 학급 구성원 모두가 참여하고 그 결정에 만족할 수 있어야 한다는 것이다. 누구라도 불만이 있으면 안 된다. 반대하는 사람이 있는지 수시로 체크해가면서 해야 한다. 그러기 위해서는 충분한 협의 시간이 필요하다. 서로 의견이 맞지 않을 때는 무조건 반대하기보다는 서로 설득하고 이해하며 경우에 따라서는 양보하는 경험을 하는 중요한 기회로 삼는다. 이런 과정을 거치게 되면 스스로 정한 것이기 때문에 지키려는 의지가 자연스럽게 생긴다.

'등교 시각을 몇 시로 하느냐?'부터 시작하여 조항 하나하나를 꼼꼼하게 협의하면 시간이 다소 걸리기는 한다. 하지만 학급 구성원 모두가 참여하여 만든 것이기 때문에 규칙에 어떤 내용이 들어있는지 확실히 알고 잘 지키게 된다. 시간 낭비가 전혀 아니고 충분히 투자할 만한 가치가 있다. 어떤 점으로 인해 불편한지는 학생들이 더 잘 안다. 그렇기 때문에 자신들의 필요에 맞는 맞춤형 규칙을 정할 수 있다. 청소를 할 때 책상이 무거워 힘들다고 느끼면 그 문제점을 해결할 수 있도록 새로운 규칙을 정하면 되는 것이다.

청소할 때 책상 속에 들어 있는 물건이 많아 무겁고 또 바닥에 떨어지는 일이 발생하자 바로 제안이 들어왔다.

"청소할 때 엄청 불편해요. 아이들이 책상 속에 책을 가득 넣어두고 가서 무거워요. 집에 갈 때 책상 속 비우기를 규칙에 넣었으면 좋겠어요."

제안이 나오자마자 바로 집에 가기 전에 책상 속에 넣어도 되는 물건의 종류와 무게에 대해 아주 구체적으로 협의하는 시간을 가졌다. 누군가가 불편하다고 제안하면 공동체는 반드시 불편하게 하지 말아야 할 의무가 있다는 것을 직접 체험할 수 있는 귀한 시간이 되었다. '배려'라는 것에 대해 가치 사전을 만든 적이 있다. 그때 한 학생은 이렇게 표현했다. "배려란 집에 갈 때 책상 속 물건을 모두 사물함에 넣고 가는 것"이라고.

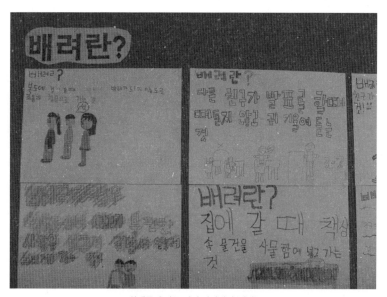

학생들이 만든 가치 사전에서 '배려'

또 규칙은 언제든지 수정이나 추가하는 것이 가능하다. 우산 통에 휴지를 넣는 친구들이 많아 불편하다는 제안이 들어와 그런 내용이 시정되도록 규칙을 추가한 적도 있다. 규칙은 학생들 모두 자신들의 생활 공책에 기록해 놓는데 언제 어떤 규칙이 추가될지 모르니까 항상 규칙과 규칙 사이에 추가할 부분을 생각하여 여백을 좀 남겨두고 기록하게 한다.

의견이 팽팽하게 맞설 경우 쉽게 거수를 하여 정하는 경우가 있는데 그 방법은 좋지 않다. 만장일치가 아닐 경우 늘 승자와 패자가 나오기 때문이다. 설득을 하거나 또는 타당한 이유를 대면서 설명하는 등의 충분한 협의 시간을 가져야 한다. 모두가 다 전적으로 찬성하지는 않더라도 적어도 반대하는 사람은 없도록 이끌어내야 한다. 학급 구성원 전체가 결정에 모두 동의하는 단계까지 가야 한다. 누군가의 압력에 의해 마지못해 따르게 해서는 절대로 안 된다. 다른 의견이 있는지 수시로 확인해보고 다른 의견을 가지고 있는 학생이 있다면 그 학생이 누구 눈치 보지 않고 당당하게 말할 수 있는 분위기가 조성되어야 한다.

규칙이 다 정해졌으면 아이들 각자의 생활 공책에 규칙을 적고 그것 중 본인이 특별히 노력해야 할 것, 확실히 지킬 자신이 있는 것 등에 자신만의 기호나 표시를 하게 하면 더욱 좋다. 이런 과정을 거쳐 규칙을 정하면 학생들이 스스로 정한 것이기 때문에 규칙에 어떤 사항들이 있는지 누구보다도 더 잘 안다. 또 누군가가 지키지 않을 경우 바로 말을 해주어 고치도록 한다. 또한 학급에 새로운 규칙이 필요하다고 생각되면 늘 협의를 거쳐 추가하게 되므로 학급 내에 발생하는 문제 해결이 한결 쉬워진다.

학생들이 정한 규칙의 내용 중 몇 가지를 소개하면 아래와 같다.

학급 규칙 정하기

의제	의견	결정된 사항
등교시각	- 8시 40분(여유 있게 오는 것이 좋으니까) - 9시(집이 멀어서 일찍 오기 힘드니까) - 8시 50분(독서시간이 그때 시작되니까)	8시 45분(9시는 1교시 준비하기에 너무 늦고, 8시 50분에 시작되는 독서를 준비하려면 적어도 5분 전에는 와야 하기 때문에)
청소 활동 시간	- 10분 - 15분 - 20분 - 25분	보통 때는 20분 이내로 하고 미술 시간이 들어 있거나 만들기 같은 활동을 해서 교실 바닥에 쓰레기가 많이 있을 경우엔 25분 이내에 하기로 함. 정해진 시간을 초과할 경우 하루를 더 청소해야 함.
집에 갈 때 책상 속에 남겨두어도 되는 물건	- 책 1권 - 공책 1권 - 종이 1장 정도	청소할 때 책상이 무겁고 아래로 떨어지면 불편하니까 공책 1권까지만 허용함. 그 이상을 넣어놓을 경우 봉사 1일. 잘 굴러 떨어지는 리코더도 제외함.

2. '모두가 전문가' - 1인 1역 활동

가정에서도 각자의 맡은 일이 있듯이 학급에서도 각자 한 가지씩 일을 맡아 철저하게 계획을 세우고 실천한다면 학급 구성원들이 모두 불편 없이 생활할 수 있을 것이다. 역할의 종류 알아보기, 역할 담당자 정하기, 활동 계획 세우고 발표하기, 활동 상황 발표하기 등의 활동을 통하여 그 역할에서는 나름대로의 전문가가 되어 책임지고 실천한다. 그렇게 함으로써 자발성과 책임감을 자연스럽게 기를 수 있는 계기도 된다. 또 의사소통 능력을 향상시키는 것뿐만 아니라 자신이 맡은 일에 대한 자신감, 자신만의 노하우까지 갖게 되는 효과를 거둘 수도 있다.

한번은 교사 대상 강의를 가서 칠판 지우는 일 등 연수 기간에 꼭 필요한 역할을 정하는 워크숍을 한 적이 있다. "제가 아침마다 물 떠오는 일을 맡아서 하도록 하겠습니다. 혹시 이 일을 하실 분 계신가요? 없으면 제가 하겠습니다."라고 하면서 여러 선생님들이 자발적으로 역할을 분담했다. 역할을 나누기 전엔 '누군가가 하려니' 혹은 '책임자가 알아서 하겠지'라고 생각하고 있었는데 역할 정하기를 하면서 자발적으로 신청도 하고 그 용기에 박수도 주고받으며 모두 주인 의식을 가지고 즐겁게 참여하는 모습을 보았다.

1인 1역 활동 정하기

학급 세우기 활동 중에서 학년 초 시급하게 할 일이 '1인 1역 활동 정하기'이다. 학급 구성원 모두가 역할을 맡아 책임지고 수행할 때 학급은 원활하게 돌아가게 된다. 이 활동 역시 규칙을 정할 때와 마찬가지로 전 구성원이 참여해 하나하나 정하는데, 역할을 정하는 데만 2시간 이상 소요될 수도 있다.

1인 1역 활동 정하기를 하나의 수업 주제로 삼아서 하면 좋다. 먼저 '1인 1역 활동이란 무엇인가?'에서부터 시작한다. 저학년인 경우 그것이 무엇인지조차 모르는 학생이 많기 때문이다. 그 다음 이면지를 나누어 주고 학급에서 필요하다고 생각되는 역할 활동을 생각나는 대로 쓰게 한다. 제한 시간을 두면 더 효과적이다. 가장 적게 쓰는 학생은 2~3개, 많이 쓰는 학생은 10개 이상을 쓰기도 한다. 가장 적게 쓴 학생이 쓴 내용은 주로 '우유통 가져다 두기', '칠판 지우기' 정도이다. 친구들이 쓴 내용이 자신의 것과 같으면 표시를 해가며 확인한다. 친구들이 생각해내지 못한 역할을 쓴 학생과 다른 친구들보다 더 많은 역할을 생각해낸 학생을 칭찬해준다. 굳이 말하자면 독창성과 유창성을 칭찬해준다고 말할 수 있을 것이다. 이런 과정을 거치면서 학생들은 어떤 활동이 필요한지 스스로 깨닫게 된다. 또한 그동안 자신이 학급의 일에 얼마나 관심을 가지고 있었는지 다시 한번 살펴보는 계기도 될 수 있다. 그 시점에서 질문을 한다.

"그럼 우리 반에 필요한 활동은 몇 개일까요?"

1인 1역이란 뜻을 정확히 파악한 학생은 교실을 둘러보며 학급 학생이 몇 명인지 얼른 세어보기도 하고 바로 교사에게 학생 수를 질문하기도 한다. 적어도 몇 개의 활동이 필요하다는 것을 알고 난 후 칠판에 그 역할을 차례대로 적는다. 유리창, 계단 등은 역할 분담을 아주 세분화하여준다. 예를 들면 계단 1인 1역의 경우 위에서부터 첫 번째~다섯 번째 칸 담당, 여섯 번째~열 번째 칸 담당, 손잡이와 기둥 담당, 층계참 담당 등으로 세분화시키면 효과적이다. 유리창일 경우도 유리1, 유리2, 유리3, 유리4 등 번호를 매겨 역할을 맡기면 더욱 책임감을 가지고 할 수 있다.

역할을 정할 때 주의할 점은 다음과 같다.

- 희망자가 있는 일부터 담당자를 정한다.
- 역할을 정하지 못하는 아동들은 충분한 시간을 준 후 결정하도록 한다.
- 모든 아동들이 역할을 한 가지씩 선택할 때까지 한다.
- 반 아이들 모두 스스로 자기 일을 선택하게 하는 것이 중요하다.

구체적인 진행 방법은 다음과 같다.

① 먼저 필요한 역할들을 칠판에 적는다. 2학기 때는 1학기 때 정한 역할들을 미리 칠판에 적어 놓으면 좋다. 또한 전출생의 유무, 특별구역 청소 변경 등 학급 내의 여러 가지 변동 사항을 고려하여 일의 종류를 더 세분화한다. 또 일의 경중을 고려하여 일을 통합할 필요가 있는지 알아보고 역할의 종류를 확정한다. 1인 1역 담당자를 바꾸는 횟수는 학급의 형편에 따라 학생들과 협의하면 된다.

② 역할 담당자를 정하는 데 따르는 기본 원칙을 정한다.

- 지원자가 1명일 경우는 그 사람이 할 수 있다. 2학기 때는 지

원자가 없을 경우에만 이미 했던 것을 다시 해도 된다.

- 필요한 인원보다 더 많은 학생들이 지원하는 경우에는 먼저 그 학생들의 활동 계획을 간단히 들어본다. 그리고 반 친구들의 의견을 들어본 후 다시 지원자들의 의견을 물어 최종적으로 결정한다. 가위바위보나 제비뽑기 등은 되도록 하지 않는 것이 좋다.

- 지원자가 2~3명 정도일 때는 학급 친구들 앞에서 활동 계획을 이야기해보도록 하고 그 이상일 때는 모든 지원자를 교실 뒤편으로 보내 지원자들끼리 자율적으로 결정할 수 있도록 한다. 결정한 후 학급 친구들에게 어떤 방법으로 정했는지 불만을 가진 사람은 없는지 발표하게 한다. 그렇게 하면 흔쾌히 양보하는 학생도 생기고 나름대로 민주적인 방법으로 결정해오는 경우가 많다.

여기서 중요한 것은 어느 누구도 다른 사람의 압력을 받거나 억지로 하는 것이 아니라는 것을 분명히 해야 된다. 자발적으로 자신이 원하는 역할을 하는 것을 원칙으로 한다. 물론 '칠판 관리' 같은 역할은 학생들에게 매우 인기 있는 역할이라 희망자가 많다. 따라서 그 역할을 못하게 됨으로써 속상하게 생각할 수도 있으나 친구들의 활동 계획을 들어보고 서로 인정해주고 양보하는 과정을 거치다 보면 흔쾌히 다른 역할을 지원하게 된다. 학생들은 쉽게 가위바위보로 결정하려는 때가 많다. 이때 가위바위보의 장점과 단점을 살펴보며 되도록 그런 방법은 사용하지 않도록 하는 것이 좋다.

1학년을 가르칠 때의 일이다. '우유 통 가져다 두기'를 누가 맡을 것인가 의논하던 중 어떤 한 학생이 가위바위보로 정하자는 의견을 냈다. 그래서 가위바위보의 좋은 점과 좋지 않은 점에 대해 이야기해보는 시간을 가졌다. 좋은 점에 대해서는 '빨리 끝난다.', 안 좋은 점은 '진 사람이 속상하다.', '진 사람이 슬프다.', '가위바위보 못하는 사람은 안 좋다.' 등 1학년다운 답변을 했다. 그래서 더 좋은 방법은 없느냐고 했더니 '계단을 2~3칸씩 내려가지 않는 친구'가 해야 된다는 의견이 나왔다. 안전을 제일 먼저 생각했던 모양이었다. 그 당시에 학생들이 자랑삼아 계단을 2~3칸씩 내려가는 경우가 있었던 것이다. 역시 1학년다운 의견이었고 그 의견에 대해 다른 학생들은 만장일치로 찬성을 했다. 결국 계단을 한 칸씩 안전하게 잘 다니는 친구들을 뽑아 순서를 정해 우유 통 가져다 두기 역할을 하게 했다. 이렇게 하는 과정에서 그 당시 계단을 2~3칸씩 오르내리던 학생들에게 다시 한번 자신들의 행동을 살펴보고 수정할 수 있는 기회를 줄 수 있었다.

한번은 이런 일이 있었다. 수학 시간에 '아이 엠 그라운드 1 큰 수 말하기'라는 게임을 할 때였다. 학생 2명이 서로 자신이 먼저 하겠다고 우기고 있었다. 그렇게 하면 시간이 다 지나가버려 두 명 다 못할 수도 있다고 하니까 마음이 급했던지 한 학생이 제안했다.

"가위바위보로 하자."

이 말에 다른 학생이 "가위바위보면 다냐?" 하면서 이의를 제기했다. 다른 좋은 방법이 없나 생각해보라는 말에 한 학생이 선뜻 "내가 양보할게." 하자마자 다른 학생은 얼른 말했다. "고마워."

이처럼 무조건 가위바위보로 빨리 결정을 내리는 것을 지양하고 서로 협의를 하는 과정을 거치는 것이 좋다. 그렇게 함으로써 친구를 배려하고 양보도 하는 등의 가치를 직접 체험할 수 있다. 자신보다 먼저 "네가 먼저 해."라고 배려해주는 용기 있는 친구에게 고마움을 느끼고 더욱 신뢰할 수 있다. 또 그런 모습을 보게 되는 학급 구성원 모두에게도 이러한 경험들이 아주 귀한 배움과 성장의 기회가 될 수 있다.

다음은 역할 정하기 사례이다.

학급문고 관리 역할에 지원자가 1명일 경우
먼저 지원한 학생이 다른 지원자가 있는지 확인하게 한다.
지민 : 저는 학급문고 관리를 맡고 싶습니다. 이 일을 하고 싶은 분 있습니까?(말한 뒤 교실을 둘러본다. 희망자가 없는 것을 확인하면) 그럼 제가 학급문고 관리를 하겠습니다.(말한 뒤 칠판에 쓰여 있는 그 역할 옆에 자신의 이름을 쓴다.)

칠판 관리 역할에 희망하는 학생이 2명일 경우

먼저 두 학생의 활동 계획을 들어본다.

지연 : 저는 작년에도 이 역할을 해보았기 때문에 하는 방
　　　법을 잘 알고 있습니다. 쉬는 시간마다 칠판을 잘 지
　　　우고 마커가 잘 나오는지 확인하여 자료실에서 갖다
　　　놓겠습니다. 또 얼룩이 생기면 물걸레로 잘 닦고 친
　　　구들이 칠판에 낙서도 하지 못하도록 하겠습니다.

중석 : 저는 칠판을 잘 지우고 자석도 잘 관리하겠습니다.
　　　가끔 물걸레로 닦기도 할 것입니다.

위와 같이 희망자의 활동 계획을 간단하게 들어본 후 반 친
구들의 의견을 들어본다.

미희 : 두 친구 모두 발표를 잘했는데 제 생각에는 지연이가
　　　하는 것이 더 좋을 것 같습니다. 일단 키가 커서 지우
　　　는 데 어려움이 없고 활동하기가 좋을 것 같습니다.

승희 : 저는 중석이가 하는 것이 좋을 것 같다고 생각합니
　　　다. 작년에 해본 친구가 하는 것도 좋지만 해보지 않
　　　은 친구가 하는 것도 좋을 것 같습니다.

이런 식으로 학급 친구들의 의견을 들어본 후 다시 희망자

들의 최종 의견을 들어 확정한다.

지연 : 친구들의 이야기를 들어보니까 이 일은 중석이가 하
    는 것이 더 나을 것 같아 저는 그 친구에게 양보하고
    다른 일을 해보겠습니다.

1인 1역 활동 계획서 쓰기

1인 1역 활동이 정해졌으면 아이들 각자 자신의 역할을 어떻게 수행할 것인지에 대해 계획서를 쓴다. 이때 자신이 맡은 1인 1역 활동을 어떻게 실천할 것인지 구체적으로 계획한다. 1인1역 활동 이름, 활동 방법, 활동 시간, 횟수, 활동할 때 주의할 점, 준비물, 친구들에게 부탁하고 싶은 말 등을 자세하게 쓰도록 한다. 또한 맡은 일에 대하여 잘 모르는 것이 있으면 이전 학년 혹은 전 학기에 했던 친구에게 자문을 구해도 좋다. 이렇게 하면 창의적인 아이디어도 나올 수 있고 친구에게 부탁하고 싶은 말을 발표함으로써 교사가 일일이 잔소리를 하지 않아도 학급 내의 소소한 생활 문제가 해결되기도 한다. 예를 들면 분실물 바구니 담당자가 친구들에게 제발 물건에 이름을 써달라고 부탁한다든가 아니면 유리창 담당자가 유리에 손바닥을 대지 말아달라고 부탁할 수 있다. 그러면 친구들의 부탁이라 교사가 하는 말보다 훨씬 더 잘 기억했

다가 실천하는 경우가 많다.

내가 학년부장을 맡고 있었을 때다. 학년 가정통신이 모두 우리 반으로 오기 때문에 가정통신 1인1역이 있었다. 그 학생은 계획을 발표할 때 가정통신 사이사이에 끼여 있는 긴 종이를 제발 빼지 말아달라고 친구들에게 부탁했던 적이 있다. 가정통신문을 다른 반에 배달할 때 제일 중요한 것이기 때문에 신신당부했던 것이다.

1인 1역 활동 계획서는 다음과 같이 쓰면 된다.

1인 1역 활동 이렇게 할래요

( )학년 ( )반 이름 ( )

☞ 맡은 1인 1역 활동을 어떻게 할 것인지 구체적으로 생각해보고 정리해 보세요.(맡은 일, 활동 시간, 활동 횟수, 준비물, 친구들에게 부탁하고 싶은 말, 활동 시 주의점 등)

• 맡은 일 : 난간 관리
• 활동 방법 및 순서
  ① 걸레를 빤다.
  ② 화분이 깨질 수 있으니까 살짝 민다.
  ③ 난간을 깨끗이 닦는다.
  ④ 화분을 해님이 있는 쪽으로 옮긴다.

• 활동 시간 : 점심 먹고 나서

- 준비물 : 물걸레
- 주의할 점 : 화분을 조심해서 다룬다.
- 친구들에게 부탁할 점 : 함부로 화분을 만지지 말아주세요.

아직도 기억에 남는 1인 1역 활동 아이디어가 있다. 청소함 1인 1역을 맡았던 5학년 여학생은 청소함의 먼지는 매일 닦고 일주일에 한 번은 쓰레받기를 물걸레로 닦겠다는 계획을 세웠다. 그리곤 그 계획을 한 번도 거르지 않고 철저하게 지키는 것을 보았다. 사실 쓰레받기를 물걸레로 닦는다는 것은 생각하기 힘든 일인데 그런 생각을 했다는 것이 참 신기하기도 하고 놀라웠다. 아무튼 그 학생 덕분에 우리 반 쓰레받기는 항상 깨끗하게 유지되었다. 누가 시킨 것이 아니고 스스로 생각해서 계획한 것이기 때문에 즐겁게 할 수 있고 또 보람도 느끼게 된다. 그리고 한번은 3학년 여학생이 휴지 1인 1역을 맡았을 때였다. 그 여학생은 우유를 흘렸을 때는 몇 칸, 책상을 닦을 때는 몇 칸 등을 정하여주고 친구들이 휴지를 일정량만큼만 사용하도록 했다. 그렇게 하니까 휴지가 낭비되지도 않고 휴지 쓸 일을 만들지 않도록 노력하는 모습도 보여서 좋았다. 또 우산 통 1인 1역은 친구들이 자꾸 우산 통에 쓰레기를 버린다고 하면서 사용하지 않는 날에는 스스로 알아서 엎어놓기도 했다.

자신이 맡은 일을 스스로 책임지고 최선을 다하는 모습은 서로

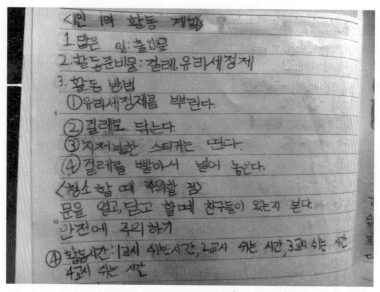

1인 1역 활동 계획서

서로에게 긍정적 자극이 되어 모두 학급 일에 더욱더 신경을 쓰게 된다.

1인 1역 활동 계획 발표하기

1인 1역 활동 계획서를 다 쓰고 나면 친구들 앞에 나와 자신 있게 발표하고 질의응답하는 시간을 갖는다. 또 미비한 부분이 있으면 발표 후 얼마든지 보충해도 된다. 다른 친구의 발표를 들을 때는 다음과 같은 점에 중점을 두며 듣도록 유도해야 한다.

- 계획이 구체적이고 자세한가?
- 실천 가능한가?
- 목소리 크기, 듣는 친구들과의 눈 맞춤 등 기본적인 말하기 태도가 잘 갖추어져 있는가?

학급 전체 학생의 발표가 다 끝나면 학생들로 하여금 위의 관점에서 보아 칭찬할 친구들을 추천하여 칭찬하게 한다.

위와 같은 과정을 거쳐 1인 1역 활동을 하게 되면 학생들은 자신이 구체적으로 계획한 일이기 때문에 책임을 지고 실천하게 된다. 또 활동 중 친구들의 도움이 필요한 사항은 언제든지 말하게 됨으로써 학급 일에 대해 자연스럽게 관심이 많아진다. 교사의 입을 통하지 않고 학생들 스스로 꼭 지켜야 할 사항들을 요구하게 되고 그 요구를 들어줌으로써 특별한 생활지도 없이 문제가 해결되기도 한다. 특히 맡은 일의 종류에 따라 좋다거나 나쁘다는 편견이 없어지고 어떤 일을 맡든지 구체적인 계획과 실천으로 그 일에 관하여는 나름대로의 전문가가 된다.

다음은 학생들이 발표한 내용 중 일부이다.

저의 1인 1역은 화분 관리입니다. 하는 방법은 먼저 화분에 물을 줍니다. 그 다음에는 화분을 닦고 썩은 잎을 없애 버립니다. 다음엔 받침대의 물을 버립니다. 그리고 주변의 먼지를 치우면 됩니다.

제가 맡은 1인 1역은 걸레 관리입니다. 아침 자습 시간, 쉬는 시간, 점심시간에 걸레 바구니와 걸레 걸이를 확인합니다. 걸레 걸이에 구겨져서 널어진 걸레는 펴서 널고 마른 것은 잘 개서 걸레 바구니에 넣습니다. 그리고 걸레 바구니가 지저분하면 걸레를 다 꺼내서 다시 개서 넣습니다.

저는 폐휴지함 1인 1역을 맡고 있습니다. 먼저 폐휴지함이 가득 차면 통의 내용물을 보고 조그마한 종이가 있으면 쓰레기통에 버리고 나머지는 폐휴지 버리는 곳에 버립니다. 아침마다 버립니다. 그래서 좀 힘듭니다. 그리고 주의할 점은 박스가 찢어지지 않도록 해야 하고 다른 곳에 부딪히지 않게 하여야 합니다. 부탁하고 싶은 말이 있습니다. 제발 조그만 종이는 쓰레기통에 버려주세요. 왜냐하면 손이 많이 가기 때문입니다. 그리고 폐휴지는 휙 버리지 말고 차곡차곡 쌓아 버려주었으면 좋겠습니다. 휴지 NO! 커다란 종이 YES!

제가 맡은 1인 1역은 가정통신문입니다. 저는 가정통신문이 올 때마다 꼬박꼬박 나눠 줍니다. 그런데 혜준이가 제가 1인 1역 할 때마다 따라와서 자꾸 자기한테 달라고 해서 힘듭니다. 주의할 점은 가정통신문 곳곳에 껴있는 종이가 빠지면 나눠 주기 어려워 조심해야 합니다. 친구

들에게 부탁하고 싶은 말은 껴있는 종이를 만지지 말아달
라는 것입니다.

저는 쓰레기봉투를 맡은 김상혁입니다. 그런데 가끔 쓰
레기를 밟아줘야 하는데 깜박하고 밟지 않는 경우가 있습
니다. 그리고 부탁할 말은 쓰레기는 꼭 쓰레기봉투에 넣
어주세요. 쓰레기가 주위에 버려져서 제가 힘듭니다.

1인 1역 활동 실천 발표하기

1인 1역 활동이 잘 실천되고 있는지 가끔 발표하는 기회를 갖는
다. 1인 1역 활동 실천 발표는 1회에 3~4명씩 나와 자신의 1인 1
역 활동 상황에 대해 발표하고 친구들의 질문에 답하며 피드백을
받는 것이다. 이런 활동을 함으로써 친구들의 질문에 자신 있게
답변할 수 있고 또한 평소에 맡은 일을 게을리하지 않게 된다. 또
학급에 있는 학생 모두가 각자 맡은 역할이 있기 때문에 모두 관
심을 가지고 열심히 참여하게 된다. 이때 1인 1역 활동을 언제 어
떻게 몇 번 정도 하는지 구체적으로 발표하고 그 역할을 하면서
어려운 점이나 친구들에게 부탁하고 싶은 점이 있으면 발표한다.
이렇게 하면 꾸준히 잘 하는 학생을 발굴하여 칭찬할 수도 있고
대강 넘어가는 학생에게는 친구들 앞에서 다시 약속할 수 있는 기
회를 줄 수 있다. 이때 잘못하는 친구들을 비난하거나 질책하기보
다는 다시 한번 기회를 주어 열심히 실천하겠다는 약속을 하게 한

다. 또 그 약속에 대해 서로 믿음을 주고받는 시간으로 삼는 것이
바람직하다. 자세한 활동 내용은 다음과 같다.

1인 1역 활동 실천 발표회(2학년)

교사 : 지금부터 우리 반 친구들이 자기가 맡은 1인 1역을 어떻게
　　　실천하고 있는지 발표하는 시간을 갖도록 하겠어요. 언제,
　　　어떻게 하고 있는지 또 하면서 어려운 점은 없는지 발표해
　　　보도록 하세요. 그럼 누가 먼저 나와서 발표해볼까요?

준혁 : 제가 맡은 1인 1역은 교탁 정리입니다. 저는 쉬는 시간에
　　　정리를 하고 걸레로 가끔 닦습니다. 어려운 점은 없는데
　　　회장들이 하얀 칠판 펜을 쓰고 나서 교탁 위에 많이 올려
　　　놓지 않았으면 좋겠습니다. 이상입니다. 질문 있습니까?

영서 : 저는 준혁이 친구가 1인 1역 활동하는 것을 많이 보았습
　　　니다. 또 펜(보드마커)이 잘 나오나 안 나오나 확인하면서
　　　정리하는 것을 보았습니다.

민정 : 저도 준혁이 친구가 교탁 정리를 하는 것을 자주 보았습
　　　니다. 제 1인 1역이 칠판 지우기라 칠판을 지우다가 많이
　　　보았습니다.

동민 : 저도 교실 앞을 쓸다가 준혁이 친구가 교탁을 정리하고
　　　있는 것을 많이 보았습니다. 열심히 잘하고 있습니다. 칭
　　　찬합니다.

교사 : 준혁이 친구가 1인 1역을 아주 잘하고 있군요. 그럼 다음

엔 누가 발표해 볼까요?

동민 : 제가 맡은 1인 1역은 교실 앞 쓸기입니다. 저는 매일 쉬는 시간에 교실 앞을 빗자루로 쏩니다. 어려운 점은 아이들이 쉬는 시간에 교실 앞에 나와서 청소하는 것을 방해하는 것입니다. 쉬는 시간에 앞에 나오지 말았으면 좋겠습니다. 이상입니다. 질문 있습니까?

유빈 : 저는 동민이 친구가 교실 앞 청소하는 것을 많이 보았습니다.

하민 : 저도 많이 보았습니다.

지호 : 여러 친구들이 많이 보았다고 하니 동민이 친구는 1인 1역을 열심히 했다고 봅니다. 계속 열심히 해주시기 바랍니다. 칭찬합니다.

현지 : 저의 1인 1역은 복도 걸레질입니다. 저는 쉬는 시간에 복도를 걸레로 닦습니다. 어려운 점은 친구들이 마구 뛰어다니는 것입니다. 이상입니다. 질문 있습니까?

성철 : 저는 현지 친구가 복도 닦는 것을 별로 본 적이 없습니다.

인영 : 저도 같은 생각입니다. 현지 친구가 복도 닦는 것을 한 번도 보지 못했습니다.

동완 : 현지 친구는 어떻게 된 것인지 이유를 말씀해주시기 바랍니다.

현지 : 저는 복도가 더러울 때만 합니다.

성민 : 저는 복도가 더러울 때도 현지 친구가 복도 청소하는 것

을 한 번도 못 보았습니다.

정현 : 그럼 현지 친구가 1인 1역 하는 것을 본 친구가 있습니까?

유빈 : 제가 본 적이 있습니다.

정현 : 알겠습니다. 이제 현지 친구는 친구들이 많이 보게 해주면 좋겠습니다.

현지 : 잘 알겠습니다. 그럼 그 다음 친구 나와서 발표해주시기 바랍니다.

민아 : 제가 맡은 1인 1역은 학급 문고 정리입니다. 저는 쉬는 시간마다 책을 크기대로 정리하고 책꽂이를 걸레로 닦습니다. 그런데 아이들이 책을 보고 나서 제자리에 꽂지 않아서 불편합니다. 원래 있던 자리에 꽂아주시기 바랍니다. 이상입니다. 질문 있습니까?

예린 : 저는 민아 친구가 책 정리하는 것을 많이 보았습니다.

인호 : 저도 보았습니다.

재훈 : 열심히 잘 하고 있어 칭찬합니다. 계속 열심히 해주시기 바랍니다.

민아 : 잘 알겠습니다. 그럼 다음 친구 발표해주십시오.

성규 : 제가 맡은 1인 1역은 청소함 정리입니다. 저는 청소 당번일 때는 청소할 때 하고 청소 당번이 아닐 때는 좀 빨리 합니다. 어려운 점은 빗자루가 자꾸 떨어져서 다시 넣어야 되는 점입니다. 이상입니다. 질문 있습니까?

인호 : 저는 성규 친구가 청소함 정리하는 것을 못 보았습니다.

성규 : 저는 애들이 다 간 다음에 해서 그렇습니다.

● 이하 생략 ●

1인 1역 활동 실천 발표회(5학년)

은별 : 지금부터 5학년 4반 1인 1역 활동 발표회를 시작하겠습니다. 먼저 맡은 1인 1역 활동을 잘하고 있는 친구들이 있으면 발표해주시기 바랍니다.

심지 : 저는 우유 1인 1역을 맡은 친구들을 칭찬합니다. 요즈음 날씨도 추운데 우유를 잘 가지고 오고 또 친구들이 남김없이 먹도록 하고 갖다 놓기도 잘하기 때문입니다.

지연 : 저도 생각이 같습니다. 우유 1인 1역 맡은 친구가 우유 통을 갖다 놓을 때도 우유갑을 잘 정리하여 잘 갖다놓는 것을 보았습니다.

진영 : 저도 앞의 친구들과 생각이 같습니다.

은별 : 우유 1인 1역을 맡은 친구들이 잘한다는 발표가 있었습니다. 또 다른 친구들은 없습니까?

평화 : 저는 폐휴지 1인 1역인 주연이를 칭찬합니다. 주연이는 폐휴지를 날마다 잘 갖다 버립니다.

기찬 : 저도 주연이가 폐휴지 바구니를 열심히 비우는 것을 보았습니다. 바구니가 찰 때마다 그때그때 잘 버려서 칭찬하고 싶습니다.

현정 : 저도 주연이가 폐휴지 바구니 비우는 것을 자주 보았습니

다. 그리고 그 바구니의 겉의 먼지도 잘 닦고 바구니 밑의 먼지를 닦는 것도 보았습니다.

수정 : 그런데 주연이한테 한 가지 부탁이 있습니다. 폐휴지 버리러 갈 때 혼자 가셨으면 합니다. 친구랑 가면 떠들게 되기 때문입니다.

은별 : 주연이 친구는 부탁한 말을 잘 듣고 혼자 조용히 가져다 버리고 오시기 바랍니다.

주연 : 예 잘 알겠습니다.

은별 : 이 친구들 말고 또 1인 1역 활동을 잘하는 친구들이 있으면 발표해주시기 바랍니다.

한지 : 복도쪽 유리 1, 2, 3, 4, 5, 6, 7, 8번 1인 1역 맡은 친구들을 칭찬합니다. 제가 복도를 지나가다가 닦는 것을 자주 보았습니다.

정현 : 저도 그 친구들이 닦는 것을 여러 번 보았고 지금 유리가 깨끗한 것을 보면 날마다 열심히 활동한 것을 알 수 있습니다.

미현 : 저도 3분단 쪽에 앉아서 자주 볼 수 있습니다.

은별 : 그럼 이번엔 활동이 좀 부족하다고 생각되는 친구는 없습니까?

정윤 : 저는 화분 관리를 맡은 준성이 친구가 1인 1역 활동을 좀 소홀히 하는 것 같습니다. 요즈음 화초에 먼지가 좀 많이 있습니다.

서현 : 저도 준성이 친구가 화분 관리를 잘하지 않는 것 같다고 생각합니다. 도리어 예서 친구가 화분의 먼지를 닦고 있는 것을 보았습니다.

은별 : 준성이 친구, 지금 친구들이 한 말이 사실입니까?

준성 : 예. 지금부터는 제 1인 1역을 열심히 하겠습니다.

은별 : 준성이 친구는 친구들 앞에서 약속하신 것을 꼭 지켜주시기 바랍니다. 또 다른 친구는 없습니까?

준희 : 청소함 1인 1역인 준영이가 전보다는 좀 소홀히 하는 것 같습니다.

윤진 : 저도 그렇게 생각합니다.

민현 : 저는 준영이가 잘하고 있는데 청소하는 친구들이 청소 도구를 제대로 놓지 않아서 그런 것 같습니다.

혜송 : 저도 앞에 말한 친구와 생각이 같습니다. 빗자루를 쓰고 제대로 잘 세워놓지 않고 빗자루에 붙은 먼지 덩어리를 잘 떼지 않아서 그런 것 같습니다.

은별 : 준영이 친구는 어떻게 생각합니까?

준영 : 전보다 조금 열심히 안 한 것은 사실이지만 친구들이 청소 도구를 잘 넣어 주었으면 합니다.

은별 : 지금 준영이 친구 말대로 빗자루나 쓰레받기를 쓴 친구들은 그것을 잘 정리해 놓으시기 바랍니다. 오늘 발표하지 못한 친구들은 다음에 발표해주시기 바라고 이상으로 1인 1역 활동 발표회를 마치겠습니다.

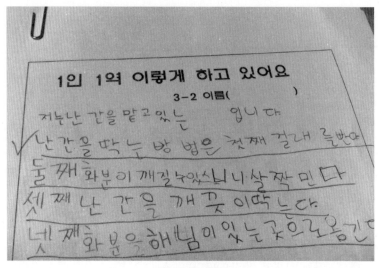

1인 1역 활동 발표

3. '이렇게 이끌어갈게요' - 임원 활동 계획과 실천

학교마다 사정은 다르겠지만 학급마다 임원이 있고 그 학생들이 리더로서 역할을 잘 수행하여야 함은 두말할 필요가 없다. 임원으로 임명받은 학생들은 임원 활동을 시작하기 전에 임원 활동계획을 발표하도록 한다. 학급 임원으로서 어떤 일을 해야 하는지에 대해 스스로 생각해보고 실천 가능하고 구체적이며 실천 여부를 확인할 수 있는 계획을 세우도록 한다. 막연하게 "우리 반을 최고의 반으로 만들겠습니다."라든지 "우리 반을 위하여 최선을 다하겠습니다."와 같은 두루뭉술한 말을 하게 하면 안 된다. '열심히 하겠다' 혹은 '최선을 다 하겠다' 등의 애매한 다짐보다는 구체적인 약속을 발표해야 한다. 이때 다른 학생들은 질문을 해가며 그 약속에 대해 학급 구성원 모두가 관심을 갖도록 한다. 자신의 할 일이 무엇인지도 모른 채 임원 역할을 하는 것이 아니라 적어도 3~4가지 정도 반드시 지킬 수 있는 약속을 친구들 앞에서 발표하고 지킬 수 있도록 한다. 그러면 임원의 역할도 명확해짐은 물론 약속을 이행하려고 애쓸 뿐만 아니라 어떤 일을 할 것인가를 진지하게 생각해보는 계기가 되어 유명무실한 임원이 되지 않는다. 학생들이 쓴 활동 계획은 이런 것들이다.

- 교과실에 갈 때 맨 뒤에 서서 친구들이 오른쪽으로 조용히 이동하도록 하겠습니다.
- 떠들거나 위험한 장난을 하는 사람은 경고를 주고 선생님께 말씀드리겠습니다.
- 매주 목요일 10분간 교실 청소 봉사를 하겠습니다.
- 아픈 친구들을 보건실에 데리고 가겠습니다.
- 주혁(중국에서 온 친구)이에게 어려운 일이 있을 때 도와주겠습니다.
- 1인 1역을 급식 먹기 전에 하고 내 것을 다하면 친구들을 도와주겠습니다.
- 매주 수요일 교실 청소 봉사를 10분 동안 하겠습니다.

- 줄을 설 때 맨 뒤에 서서 친구들이 줄을 잘 서서 가는지 살펴 보겠습니다.
- 친구들이 물건 같은 걸 잃어버리면 같이 찾아주겠습니다.
- 준민(특수학급 아이)이가 힘든 일이 있으면 도와주겠습니다.
- 결석한 친구에게 전화를 해서 숙제와 준비물을 알려주겠습니다.
- 임원으로서 아이들에게 모범이 되기 위해 아침 8시 40분까지 학교에 오겠습니다.
- 준비물을 안 가져온 친구와 같이 쓰겠습니다.

임원들이 활동 계획을 발표하면 나머지 학생들이 궁금한 점을 질문하거나 잘된 점을 칭찬하기도 한다. 질의응답 시간에 학생들이 한 질문의 예를 들어보면 다음과 같다.
- 다른 친구들이 세운 계획과 똑같은 것 같은데 어떻게 생각하나요?
- 청소 봉사를 한다고 했는데 언제 몇 분 동안 할 것입니까?
- 계획을 자신 있게 실천할 수 있습니까?

학급 친구들의 의견 듣기가 끝나면 교실 뒷면에 게시하고 임원 활동 마지막 날 임원 활동을 시작할 때 약속했던 것을 어떻게 실천했는지 발표하면 된다. 그때 친구들은 '계획한 것을 잘 실천해서 칭찬합니다.' '목요일마다 청소 봉사를 한다고 했는데 하는 것

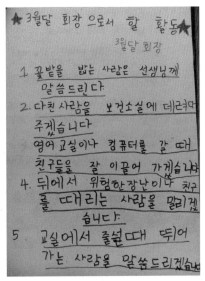

★3월달 회장으로서 할 활동★

3월달 회장

1. 꽃밭을 밟는 사람은 선생님께 말씀드린다

2. 다친 사람을 보건소실에 데려다 주겠습니다

3. 영어 교실이나 컴퓨터를 갈 때 친구들은 잘 이끌어 가게습니다

4. 뒤에서 위험한장난이나 친구를 때리는 사람을 말리겠습니다.

5. 교실에서 줄섰을때 뛰어 가는 사람을 말씀드리겠습니다

임원 활동 계획 게시

을 보지 못했습니다.' 등의 이야기를 한다.

저학년을 담임할 때는 3월에 미리 월별 임원을 지원받아 정해놓는 경우가 있는데 12월 임원 예정인 학생이 9월부터 미리미리 공책에 자기가 할 약속을 적어놓은 것을 본 적이 있다. 이렇듯 학생들은 자신이 임원 활동을 할 달이 오기 전에 미리미리 어떤 일을 할 것인가를 생각하게 되고 그것을 지키려고 노력하는 가운데 계획성과 책임감이 길러진다. 또한 학급을 위하여 어떤 일을 해야 하는지 깊이 생각하게 되어 학급 일에 관심도 많아진다.

4. '조용히, 빨리, 깨끗이' - 교실 청소 및 정리 정돈

수업이 끝난 후 청소를 시작하려 할 때면 책상 위에 치우지 않고 그냥 놓고 간 물건들, 바닥에 떨어진 종잇조각과 자질구레한 학용품 등을 흔히 볼 수 있다. 또한 어떤 활동을 하기 위해 수업

중 책상을 모두 뒤로 밀고 나면 여기저기 휴지 등이 떨어져 있어 일단 쓸거나 간단히 줍고 수업을 진행해야 되는 경우도 종종 있다. 청소 활동을 할 때도 청소하는 방법이나 청소 용구 사용법 등을 제대로 알지 못하여 시간만 낭비하고 게다가 이리저리 뛰며 장난까지 치면서 하는 경우가 있어 청소 활동이 효과적으로 이루어지지 못하기도 한다.

보통 청소 시간에 학생들이 가장 많이 하는 말은 '가도 돼요?'이다. 청소 활동이 끝난 후 '선생님 가도 돼요? 우리 언제 가요?' 등 학생들이 스스로 점검하여 마무리하지 않고 그저 생각 없이 선생님 허락만 기다리는 경우, 또 교사가 끝까지 임장 지도를 하지 않으면 뒷정리도 제대로 하지 않아 결국 교사가 마무리를 다시 해야 되는 경우 등은 학교 현장에서 쉽게 볼 수 있는 사례들이다.

말끔하게 정리 정돈된 교실 환경은 보기에도 좋을 뿐만 아니라 학습 활동에도 매우 효과적임은 두말할 나위가 없다. 청소를 깨끗이 한다는 것은 그 공간에 대한 애정이 있다는 것을 의미한다. 각 학급에서 나름대로 청소 지도 등 기본 생활 습관을 지도하고 있으나 대부분의 경우 학습지도에 비해 정리정돈이나 청소 지도 등의 생활지도는 그다지 중요하게 여기지 않고 지나쳐버리는 경우가 적지 않다. 학생들 역시 '청소' 하면 하기 싫고 귀찮은 활동으로 인식하고 있으며 어떤 잘못한 행동으로 인해 받는 벌이라 생각하는 경우도 많다. 따라서 학생들 스스로 청결의 필요성을 깊이 인식하고 실천하려는 의지를 촉진하는 효과적인 지도가 매우 필요하다.

즉 학생들이 관심을 가지고 활동하는 과정에서 스스로 느끼고 보람을 갖게 하는 지도 방법의 개선이 필요하다.

학교 생활지도에서 필수적인 정리 정돈, 청소 활동에 관련된 청결 지도에 대한 연구를 한 적이 있다. 그때 청소 활동에 관련하여 설문조사를 해보았다. 학생들은 청소 활동이 하기 싫다고 하면서 '귀찮아서', '집에 빨리 가고 싶어서', '쓰레기가 많아 힘들어서', '먼지가 날아다녀 더러워서', '청소 시간이 오래 걸려서', '나는 열심히 하는데 친구들이 하지 않고 장난만 쳐서' 등을 그 이유로 들었다. 설문조사를 통해 알 수 있었던 것은 다음과 같다.

- 청결의 필요성은 인식하고 있으나 실천 의지가 매우 부족하다.
- 청소 도구 사용법에 대해 자세히 지도받은 적이 별로 없다.
- 많은 학생들이 정리 정돈이 잘되고 깔끔한 교실 환경이 주는 이로움에 대해 생각해본 적이 별로 없다.
- 대부분의 학생들은 청소 활동이 귀찮고 하기 싫은 일이라고 생각한다.
- 청소하는 방법과 순서를 제대로 알지 못한다.
- 청소에 관련된 부정적인 경험들이 많다.

여기에서 청소에 관련된 부정적인 경험들이 학생들로 하여금 청소 활동을 하기 싫은 활동이라고 생각하게 만들었음을 알 수 있다. 따라서 이러한 부정적인 경험들의 원인과 문제 해결에 관한 토의, 능률적이고 효과적인 청소 방법에 대한 협의 등을 통하여 학생들의 인식을 바꿀 필요가 있다. 또 청소 활동이 더 이상 귀찮고 힘든 활동이 아닌 보람 있는 활동임을 알 수 있도록 하는 지도 방법이 필요하다.

그러므로 학생들이 청소가 싫었던 경험을 떠올리고 그 이유와 해결 방법을 스스로 생각하여 발표하는 시간을 가짐으로써 청소에 대하여 다시 한번 생각해보는 기회를 갖게 하는 것도 좋은 방법이다. 학생들이 주로 이야기한 내용을 살펴보면 다음과 같다.

청소가 싫었던 경험에 대한 원인과 해결 방법

싫었던 경험	원인	해결 방법
쓰레기가 많다.	우리가 무심코 버린 쓰레기가 많고, 쓰레기통에 버릴 때 꾹꾹 누르지 않는다.	최대한 쓰레기를 버리지 않고, 쓰레기는 휴지통에 조금도 흘리지 말고 넣는다. 휴지통에 종잇조각을 버릴 때에는 꾹꾹 눌러서 버린다. 자기의 쓰레기가 아니라도 줍는다.
책상 위의 물건이 떨어졌을 때 누구 것인지 몰라서 난감하다.	빨리 갈 생각으로 주변 정리도 안하고 간다.	빨리 갈 생각보다 먼저 주변 정리를 생각한다.
솔직히 집에 가면 바로 학원에 가야 하기 때문에 놀 시간이 없어서 싫다.	청소 시간에 장난을 치거나 협력을 안 하기 때문에 시간이 많이 걸린다.	청소할 때 장난을 치지 않고 빨리 끝낸다.
힘들다.	책상을 옮길 때 책상 속의 물건이 많아서 무겁다.	친구들이 책을 사물함에 넣고 가면 된다.
먼지가 많이 나온다.	구석구석 쓸지 않아 모여 있던 것이 퍼지면서 먼지가 더 많아진 거라고 생각한다.	아무리 힘들어도 구석구석 잘 쓸면 된다.

쓰레기의 올바른 처리 방법, 책상 위나 책상 속 정리 정돈 상태 점검을 위한 활동, 효과적이고 능률적인 청소 방법 등에 대해 구체적으로 협의하는 시간을 갖는 것도 매우 필요하다. 또 빗자루나 쓰레받기 사용법 등에 대해서도 세세하게 지도할 필요가 있다. 쓰레받기를 바닥에 밀착시킨 다음 조금 각이 지게 세워야 쓰레기가 잘 담긴다는 사실을 모르는 학생이 의외로 많다. 또 저학년 학생들은 쓰레받기에 쓰레기를 쓸어 담을 때 빗자루가 쓰레받기 손잡이 있는 곳까지 넘어와 쓰레기를 담는 것이 아니라 도로 다 뒤로 쓸어버리는 경우도 아주 많다.

학년 초에 청소의 순서, 유의점 , 빗자루 쥐는 방법, 쓸어가는 방향, 쓰레받기 사용법, 쓰레기 모으는 방법 등에 대해 알아보는 시간을 반드시 가져야 한다. 요즈음은 청소기를 사용하는데 뭐 그런 것까지 해야 되느냐고 반문할지 모른다. 하지만 학생들이 학교에서 주로 사용하는 청소 도구는 청소기가 아니므로 빗자루나 쓰레받기 등의 청소 용구 사용법은 반드시 지도되어야 한다.

청소 지도할 때 활용하는 '청소 용구 사용 방법' 내용을 소개하면 다음과 같다.

청소 용구 사용 방법

빗자루	빗자루 손잡이를 잡고 빗자루의 털 부분이 바닥에 충분히 닿아 쓰레기가 잘 쓸리도록 약간 눕혀서 쓴다. 이때 교사가 직접 시범을 보이는 것이 좋다.
쓰레받기	앞쪽의 쓰레기를 쓸고 난 후 그곳을 밟으면서 계속 쓸어나간 후 양쪽 끝에서 방향을 바꾸어 계속 쓸어간다. ↑↑↑↑↑↑ 빗자루로 쓰는 방향 →→→→→→ 학생의 진행 방향 ↑↑↑↑↑↑ 빗자루로 쓰는 방향 ←←←←←← 학생의 진행 방향 또 쓰레기를 한 곳에 모은 후 쓰레받기를 비스듬히 한 뒤 조금씩 뒤로 물러나며 쓰레기를 모은다. 이때 바닥이 나무로 된 교실에서는 나무 조각과 조각이 이어진 틈에 쓰레받기의 끝을 대면 쓰레기가 틈에 들어가지 않고 잘 쓸어 담긴다.

청소 용구를 구입할 때 좀 신경을 쓰면 훨씬 수월하게 청소를 할 수 있다. 그동안 경험한 바에 의하면 빗자루를 선택할 때 다음과 같은 점을 주의하면 좋다.

- 손잡이 길이가 무릎을 굽히지 않고 쓸 수 있을 정도인 것이 좋다. 길이가 너무 짧으면 바닥에 쪼그리고 앉아 쓸어야 하기 때문에 불편하다.
- 빗자루의 털은 가늘고 탄력이 있는 것이 좋다. 또 털이 쉽게 빠지지 않아야 한다. 탄력이 없으면 계속 휘어져 있어 잘 쓸어지지 않을 뿐만 아니라 털끼리 서로 엉겨 붙어 교실의 각진 곳이나 계단 구석 등을 쓸 때 잘 쓸리지 않아 아주 불편하다.
- 수수 빗자루는 자루가 굵고 무게가 좀 무겁다는 단점이 있지

만 구석구석을 쓸 때 아주 편리하고 특히 교사용으로 한두 개 정도 마련해두는 것이 좋다. 하지만 수수 부스러기가 잘 떨어지고 청소함 속에 들어가지 않아 따로 보관해야 하는 단점도 있다. 한번 사용해본 학생들은 자꾸 그 빗자루를 사용하고 싶어 하는 경우도 생긴다.

또 청소 활동을 능률적이고 효과적으로 하기 위해 청소 활동 자율 점검표를 활용하는 것이 좋다. 점검표에는 청소를 시작한 시각과 끝낸 시각을 적도록 한다. 그렇게 함으로써 빠른 시간에 깨끗이 하도록 하여 시간 절약도 하고 집중해서 청소를 하도록 하는 습관을 기를 수 있다. 특히 빠른 시간 내에 할 수 있도록 '청소 활동은 15분 이내에 해야 한다.'라는 조항을 학급 규칙에 명시한다. 물론 15분이란 시간은 학생들의 협의에 의해 정해진 것이다. 이렇게 함으로써 시간도 절약할 수 있고 스스로 점검할 사항을 체크하고 난 뒤에 알아서 하교하면 되는 것이다. 이렇게 하다 보니 어떤 모둠은 7분, 8분이면 청소를 말끔하게 끝낸다. 맡은 구역을 각자 집중해서 하게 될 뿐만 아니라 소란스럽지도 않고 체크할 항목을 꼼꼼하게 살펴보는 등 모둠원들끼리 사이좋게 의논하면서 하게 된다.

또한 16가지의 체크리스트를 자율적으로 점검하여 책임감을 가지고 청소 활동에 임할 수 있다. 청소를 마치고 난 후에는 소감을 간단히 쓰면 된다. 체크리스트는 학급의 상황에 맞춰 학생들이 정하면 된다. 교사는 활동 점검표를 보고 미진한 사항이나 잘된 점 등을 살펴보면 된다. 청소 시간이 지나치게 오래 걸리거나 어느 한 곳이 계속해서 제대로 잘 안될 경우에는 학생들이 함께 원인과 대책에 대해 협의할 수 있도록 한다.

우리 학급에서는 6명이 한 모둠이 되어 6일씩 청소를 하는데 6명의 역할은 모둠원들이 서로 의논하여 정한다. 어느 누구도 불만이 없도록 매일 돌아가며 맡은 구역을 하도록 한다. 청소 활동 자율 점검표에 모둠원 이름, 맡은 구역, 활동 시간, 항목별 체크, 활동 소감 등을 적고 스스로 하교하면 된다. 학생들은 정해진 시간 내에 하기 위해 노력하게 되어 청소 활동 시간이 단축되고 마무리까지 스스로 잘하고 간다. 청소 시작 시간을 적자마자 모두 자신이 맡은 부분을 열심히 하는 모습, 점검표를 정리하고 밝게 인사

청소 활동 자율 점검표

날짜	12월 23일 목요일	모둠원	1분단 (김○○) 2분단 (정○○) 3분단 (유○○) 교실 복도 손걸레(최○○) 복도 쓸고 닦기(손○○) 1층 현관 쓸고 닦기(구○○)		
시작 시각	12시 25분	끝낸 시각	12시 38분	활동시간	13분

순	점검사항	점검결과
1	책상 줄은 잘 맞추어져있나요?	○
2	책상 위에 남아있는 물건들은 없나요?	○
3	교실 난간, 사물함 위의 물건들은 가지런히 정리되어 있나요?	○
4	창문은 모두 잘 닫혀있나요?	○
5	전등, 선풍기, 온풍기는 모두 꺼져있나요?	○
6	쓰레기봉투 주변에 휴지가 떨어져 있지 않나요?	○

7	작품란의 작품은 잘 정리되어 있나요?	○
8	칠판과 칠판 받침 부분은 잘 정리되어 있나요?	○
9	쓰레기봉투는 제자리에 놓여 있나요?	○
10	청소함 정리는 잘 되어 있나요?	○
11	교실 바닥과 복도에 떨어진 휴지나 먼지 덩어리는 없나요?	○
12	신발장, 우산 통은 잘 정리되어 있나요?	○
13	거울과 소화기는 먼지 없이 말끔히 닦여 있나요?	○
14	학급문고와 자료 바구니는 잘 정리되어 있나요?	○
15	모둠원들 모두 조용히 맡은 구역을 열심히 했나요?	○
16	문단속을 잘 했나요?	○
청소를 마치고 나서	쓰레기가 많이 없어서 좋았다.	
선생님 확인		

하며 가는 모습을 보며 교사도 자유로움을 느낀다. 시간 셈을 잘
할 줄 모르는 2학년 학생들도 활동 시간을 적으며 자연스럽게 시
간 셈을 터득하는 모습을 볼 수 있었다. 무엇보다도 집에 가도 되
느냐고 물어보는 일이 없어서 좋다. 자신이 맡은 부분을 끝마친
학생들은 적극적으로 다른 친구를 도와 다 같이 빨리 끝낼 수 있
도록 하기도 한다. 어떤 모둠은 엄청난 집중력으로 5~6분 만에
청소를 마치기도 한다. 각자가 자신이 맡은 구역에 집중해서 하게
됨으로써 소란스럽지도 않고 장난치는 학생도 거의 없다. 학급 규
칙에 명시된 '15분'을 넘게 되면 1일이 추가되고 쓰레기가 많이 생
산되는 활동을 한 날은 청소 활동 시간을 좀 더 여유 있게 늘려가
며 하는 등의 조항은 필요할 때마다 학생들의 협의에 따라 정하면
된다.

5. '생각을 모아 함께 정해요' - 용도별 공책 제목

학년 초가 되면 각 학급 나름대로 공책을 준비하여 사용하게 된다. 우리 반에서는 공책 제목을 교사가 일방적으로 정해주는 것이 아니라 학생들에게 미리 공책의 용도를 알려주고 '공책 이름 공모'를 한다. 하루 전에 과제로 내주면 좋다. 학생들이 생각해 온 제목과 그렇게 정한 이유를 발표한 후 가장 적절하다고 생각되는 제목을 뽑는다. 학생들이 생각해온 제목이 다소 유치하고 어울리지 않더라도 모두 칠판에 적어주고 공정하게 뽑는다. 항상 느끼는 것이지만 엉뚱하고 유치한 것도 있지만 그 속에는 언제나 보석 같은 멋진 아이디어가 있다는 것이다. 또 그 보석 같은 것들을 학생들은 꼭 알아보고 뽑아준다는 것이다. 아이디어 중 2~3개가 다 좋다면 그것들을 연결해도 좋다. 분단별로 차례로 나와 자신이 맘에 드는 제목 옆에 O표 등을 하게 한 다음 집계를 내어 최종적으로 이름을 결정한다. 이때 교사도 1표를 행사하는데 반드시 마지막에 한다. 처음에 하면 학생들의 결정에 영향력을 미치기 때문에 맨 마지막에 하는 것이 좋다. 이렇게 하면 학생들이 직접 참여하여 정한 이름이기 때문에 모두 애착을 갖게 된다. 또 결정 과정을 아주 소중하게 생각하며 모두가 학급의 주인공이라는 생각으로 아주 뿌듯해한다. 가장 많은 수를 득표한 순서대로 금, 은, 동을 정하고 수상 소감까지 들으면 아주 흐뭇해한다.

수상자들은 '생각하지도 않았는데 뽑혀서 기분이 엄청 좋다.',

'어제 생각해온 보람이 있다.', '뽑아준 친구들에게 고맙다.' 등의 소감을 말하며 아주 자랑스러워한다. 항상 느끼는 것인데 공책 제목에 대해 그 전날부터 곰곰이 생각해온 학생들의 아이디어가 거의 선택된다는 것이다. 또 교사가 괜찮다고 느끼는 것을 학생들도 뽑는 경우가 많다. 우리 반에서 정했던 예를 들어보면 다음과 같다.

용도에 따른 공책 제목 정하기

공책의 용도	정한 이름
학습정리, 숙제, 틀린 문제 다시풀기	생각나무, 보물 상자, 보물찾기
자기 점검표 공책	스마일트리, 스마일지킴이, 해피 스마일, 내 친구 스마일, 칭찬나무
생활 관련 공책	아름다운 약속, 약속나무, 우리들의 약속

'생각나무' 라는 이름이 선정되었을 때 학생들이 생각해온 제목들은 '핵심 콕콕', '정리의 달인', '실력 쑥쑥', '정리 도우미', '생각나무', '오답공책', '공부정리', '나만의 공부', '보충용 공책' 등 매우 다양했다.

이런 활동을 하면서 학생들은 자신들의 아이디어로 만든 제목이라 관심이 많고 자랑스러워했다. 또 아이디어를 내고 협의하는 과정에서 서로를 존중하고 칭찬하게 되며 주인 의식이 생기고 생각하는 힘도 많이 길러진다. 자신의 아이디어가 뽑혔을 경우 인정받았다는 생각에 무척 뿌듯해한다.

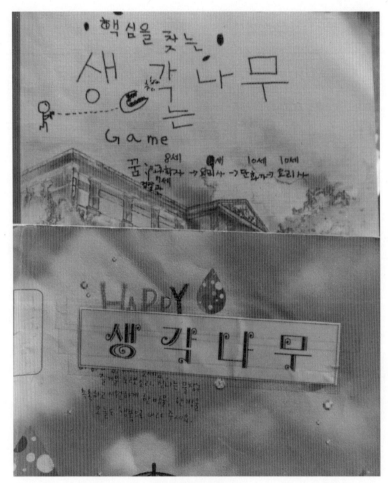

'생각나무' 공책 제목 쓰기

이런 과정을 거쳐 공책 이름이 선정되면 그 날 과제는 자기만의 디자인으로 공책 제목을 써오는 것이다. 네임펜 등으로 써도 되고 프린트해서 붙여 와도 된다. 다양한 방법을 모두 수용한다. 교사가 깔끔한 글씨체로 프린트하여 반듯하게 오려 붙여주기까지 하는 것은 다시 한번 생각해보아야 하지 않을까? 그건 교사의 만족이고 교사의 취향일 수 있다. 교사 대신 부모가 그런 일을 하는 경우도 있다. 자녀가 스스로 하지 못하게 하고 부모의 취향대로 멋지게 해서 깔끔하게 붙여 보내는 경우도 종종 있다.

한 남학생(3학년)은 '생각나무'라는 제목 앞에 '핵심을 찾는'이라는 꾸며주는 말을 스스로 쓰고 그 아래에는 '생각나무'가 자기라는 뜻으로 'a me'라고 써왔다. 또 7세부터의 꿈이 어떻게 변했는지 화살표로 표시해가며 써 놓고 있었다. 자신만의 아주 특별한 공책임을 강조하는 것 같았다. 또 그 공책이 자신의 꿈을 이루기 위해 꼭 필요한 것이라는 의미도 부여하는 것이다. 이렇듯 학생들은 자신만의 귀중한 공책이라는 생각을 갖게 된다.

학생들의 취향은 각기 다르다. 그 취향을 마음껏 누리게 기회를 주어야 한다. 글씨 크기, 글씨 모양, 꾸미는 방법, 심지어는 붙이는 위치도 모두 다르게 해온다. 어떤 학생은 한가운데에 붙여오고 어떤 학생은 왼쪽에 붙여오기도 한다. 어떤 학생은 비뚤비뚤 대강 써오고 어떤 학생은 온갖 정성을 다해 정말 한 작품을 완성하듯 해온다. 다른 친구들은 공책 제목을 어떻게 해왔는지 모두 전시해 놓고 살펴보는 시간을 갖는 것이 좋다. 둘러보면서 배우는 것이 한두 가지가 아니다. 친구들 것을 둘러보며 '와, 저런 방법도 있었네.', '와, 저 글씨체 정말 예쁘다.', '와, 저 아이디어 좋은데.' 하며 서로에게 많은 것을 느끼고 배운다. 친구들의 칭찬을 들은 학생들은 인정받았다는 것에 자부심을 느낀다. 교사도 이 활동을 통하여 학생들의 여러 가지 면을 자연스럽게 알 수 있는 기회가 된다. 디자인적인 재능이 있는 학생들은 벌써 이런 활동에서 두드러진 모습을 보인다. 이런 기회를 주지 않고 교사가 일률적으로 똑같은 위치에 붙여준다면 그런 학생들은 도리어 욕구불만이 생길 수도 있지 않을까?

3장

아이들 마음을 여는
특별한 시간

1. '질문! 선생님 탐구'

시업식 날 학생들을 처음 만나는 순간부터 서로를 알기 위한 마음 열기 소통 활동은 시작된다. 제일 먼저 하는 것이 담임 선생님 소개이다. 새 학년에 올라와 학생들이 제일 궁금해하는 것 중의 하나는 담임 선생님이 어떤 분인가 하는 것이다. 새 학년이 되기 전에 학부모의 가장 큰 바람, 기도 제목도 '좋은 선생님 만나는 것'이라고들 한다. 물론 '좋은 선생님'의 기준이 사람마다 다르긴 하겠지만 말이다.

우리 반에서 하는 활동 방법을 소개해보려고 한다. 칠판에 이름 석 자를 쓰는 대신 교사 자신과 관련된 단어 7~10개 정도를 적는다. 학생들은 그 단어가 담임 선생님과 관련이 있다는 사실을 생각하며 그 단어가 들어가게 질문을 만들어 발표하면 된다. 이때 1

단계 질문은 교사가 '예', '아니요'로만 대답할 수 있는 질문이어야 한다. 학생들이 자유롭게 질문을 함으로써 어색한 분위기는 차츰 풀리고 담임 선생님에 대해 이런저런 점을 알아간다는 생각에 호기심이 발동하기 시작한다. 질문은 자연스럽게 점점 구체적으로 된다.

학생들마다 각자가 원하는 선생님의 모습이 있겠지만 일단 담임 선생님에 대해 긍정적인 시각을 가지고 친밀하게 소통한다면 학생들과 교사 모두 행복한 1년을 보낼 수 있다. 또한 교사도 학급의 일원으로서 학생들과 하나가 될 때 모두가 일체감을 느끼게 된다.

질문의 효과에는 여러 가지가 있는데 그 중에서 '생각을 자극한다.', '정보를 얻는다.', '마음을 열게 한다.', '귀를 기울이게 한다.', '소통을 확인할 수 있다.' 등이 있다. 바로 정답을 주는 것이 아니라 끊임없이 사고하게 만드는 것이다. 교사가 자신에 대해 일방적인 소개를 하기보다는 학생들에게 관심과 호기심을 갖게 하여 스스로 생각해보게 하면 훨씬 집중도 잘하고 효과적이다. 또 질문을 통해 하나하나 알아가는 과정에서 재미를 느끼게 되며 질문을 하면서 자연스럽게 자신의 생각을 표현하는 능력이 길러지게 된다. 항상 느끼는 것이지만 교사가 말을 적게 해야 한다. 즉 학생들이 말을 많이 할 수 있게 만들어야 한다는 것이다.

첫날이라 긴장하며 어색해하던 학생들이 하나하나 질문을 해가며 표정이 밝아지고 분위기도 차츰 좋아진다. 3단계가 지나면 학생들의 호기심은 극에 달해 '선생님 연세는?', '선생님 결혼했어요?' 등 사적인 질문들을 쏟아내기 시작한다. 질문으로 이루어지는 '담임 선생님 탐구' 활동을 통해 학생들은 이미 자신들이 하고 싶은 이야기를 두려움 없이 표현한다. 신이 나서 하고 싶은 말을 아주 자연스럽게 쏟아낸다. 이미 학생들은 자신들의 의견을 자신 있게 표현하게 되고 교사와도 가깝다고 느끼기까지 하는 것이다.

학생들이 담임 선생님에 대하여 제시된 키워드를 사용해 질문을 함으로써 서로를 향해 '귀'를 열고 이것은 곧 '마음'까지 열게 만든다. 결국 상호 소통을 확인하고 좀 더 가깝게 되는 기회가 되는 것이다.

이 활동이 끝난 후 그 날 과제는 '집에 가서 담임 선생님 소개하기'이다. 본인들이 곰곰이 생각해서 질문한 후 알아낸 내용이라 이미 머릿속에 잘 저장되어 있다. 또 이 활동은 전학생이 들어왔을 경우 아주 유용하게 활용할 수 있다. 일반적으로 전학생이 오면 그 학생이 자기소개를 하는 데 반해 우리 반에서는 그와는 정반대로 한다. 즉 전학 온 학생이 자기소개를 하지 않고 학급에 대해 학생들이 먼저 소개를 하는 것이다. 낯선 학교에 전학 와서 가뜩이나 긴장된 전학생 입장을 충분히 고려한 것이기도 하다.

'우리 반은 서로 서로 존중하는 반입니다.', '우리 반은 발표를 잘 합니다.' 등 학생들이 주로 생각하는 학급의 칭찬거리를 소개한다. 그 다음엔 전학 온 학생이 무척 궁금해할 담임 선생님에 대해서도 소개해주는 활동을 하도록 한다. 전학 온 학생은 앞에 서서 반 친구들이 학급과 담임교사에 대해 소개하는 내용을 듣기만 하면 되는 것이다. 그리고 마지막으로 들은 소감만 간단히 말하면 된다. 대부분의 경우 굉장히 안도하는 표정으로 '좋은 친구들과 선생님을 만나게 되어 기분이 좋다.'라고 말하는 것을 볼 수 있다. 그런데 담임교사를 소개하는 과정에서 학생들은 놀랍게도 학년 초에 질문하고 대답했던 그 내용들을 빠짐없이 말하는 것을 볼 수 있었다. 역시 자신들이 깊이 생각하면서 만들어냈던 질문들과 그에 대한 답변들이라 고스란히 기억하고 있었던 것이다. 자세한 진행 방법은 다음과 같다.

① 교사와 관련된 키워드 7~10개 정도를 제시한다.

② 학생들은 그 단어를 반드시 넣어 질문을 만든다. 단 1단계 질문은 '예' 또는 '아니요'로만 대답할 수 있는 질문을 만들어야 한다.

③ 1단계 질문이 어느 정도 나오면 단답형 2단계 질문으로 넘어간다.

④ 마지막 3단계는 설명을 들을 수 있는 열린 질문을 하고 마지막에는 제시된 키워드와 상관없는 자유질문을 한다.

우리 학급에서 했던 사례를 소개하면 다음과 같다.

제시한 키워드 : 존중, 협력, 분홍, 보라, 고구마, 질서, 청결, 식

물, 미소, 영어, 상담(교사가 학급운영에 꼭 필요하다고 생각하는 핵심 가치나 요소들을 꼭 포함시키면 좋다.)

1단계 질문

- 선생님은 영어를 잘 하십니까?
- 선생님은 식물 키우기를 좋아하십니까?
- 선생님은 고구마를 즐겨 드십니까?
- 선생님은 질서를 중요하게 생각하십니까?
- 선생님은 '존중'이란 단어를 좋아하십니까?

2단계 질문

- 선생님은 언제부터 영어 공부를 했나요?
- 선생님은 누구를 존중하십니까?
- 선생님이 가장 좋아하는 식물은 무엇입니까?

3단계 질문

- 선생님은 왜 '존중'을 중요하게 생각하나요?
- 선생님은 어떻게 영어 공부를 하고 계십니까?

마지막 단계

- 선생님은 결혼하셨어요?
- 선생님의 연세는 어떻게 되셨나요?
- 선생님 애기 있어요?

2. '내 짝을 소개해요'

　학급에서 일어나는 여러 가지 충돌들은 대부분 상대방을 존중하지 않는 태도에서 비롯된다. 따라서 학생들이 본인이 소중한 만큼 다른 친구들도 소중하다는 것을 인식하고 친구에 대해 관심을 가지며 상대방의 긍정적인 점을 찾을 수 있도록 해야 한다. 짝을 정한 후 먼저 짝끼리 서로 질문을 통해 소통하는 시간을 갖는다.

　짝을 인터뷰하여 짝에 대해 먼저 알아본 다음 짝을 친구들에게 소개하는 활동을 하면 좋다. 짝이 본인을 소개해주면 고마운 마음이 들어 자신도 자연스럽게 짝을 소개해 주고 싶은 마음이 든다. 학생들이 주로 하는 질문은 '가족이 몇 명이야?', '작년에 몇 반이었어?', '제일 좋아하는 과목은 뭐야?' 등이다. 질문은 상대방이 대답하기 꺼려하는 것을 제외하고 무엇이든지 하면 된다.

　자기의 짝이 자신의 말을 귀담아 들어주고 또 그 내용을 친구들에게 소개해주게 되면 왠지 짝이 고맙게 느껴진다. 그래서 또 자기도 짝을 소개해주어야겠다는 생각에 반 아이들 대부분이 자연스럽게 자신의 짝을 소개하게 된다. 또 짝이 자신에게 관심을 가져주며 질문을 해주니까 스스로 중요한 사람이라는 생각을 갖게 되고 서로가 더욱 가까워짐은 물론 의사소통, 경청, 발표력 신장 등의 효과도 얻을 있다. 활동 후 정말 친절하게 답변한 사람, 귀담아 들어준 사람, 예의 바르게 질문한 사람이 누구였는지 추천하고 칭찬해주는 시간을 가지면 더욱 효과적이다.

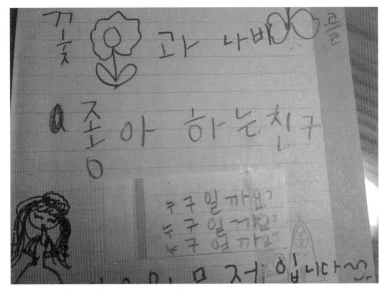
친구 소개 활동 후 만든 친구 퀴즈

활동 방법

① 짝에게 3가지 이상 질문하기

　예) 좋아하는 과목은? 그 이유는? 가족은 어떻게 되나?

② 반 친구들에게 자기 짝 소개하기

③ 친구들 질문에 응답하기

④ 활동 소감 나누기

　이 활동을 끝내고 그 날 과제로 '친구 퀴즈 만들기'를 내주면 좋다. 친구들에 관해 여러 가지를 알게 되었으니까 그것을 바탕으로 퀴즈를 만들어오면 되는 것이다. 몇 사람에게만 퀴즈가 몰릴 수도 있으니까 모둠 친구로 제한을 하는 것이 좋다.

1학년을 담임할 때 학생이 만든 친구 퀴즈 중 '꽃과 나비를 좋아하는 친구는 누구일까요?', '한 손을 놓고 자전거를 탈 수 있는 친구는 누구일까요?' 등의 퀴즈가 기억에 남는다. 반 친구들이 자신에 대하여 퀴즈를 만들어 오면 왠지 고맙기도 하고 더욱 친해지는 느낌을 받아 학급 분위기는 한층 더 부드러워진다.

3. '도전! 친구 이름 외우기'

학년 초 서로 낯선 가운데 서로의 이름을 안다는 것은 곧 서로에 대한 최대의 관심이다. 시업식날 '이름 외우기 도전 활동'에 대해 미리 학생들에게 예고를 한다. 그리고 도전 활동을 하는 당일 도전자를 받는다. 도전자는 교탁 앞으로 나와서 "지금부터 제가 우리 반 친구들의 이름 외우기에 도전해보겠습니다. 모두 일어서 주십시오. 제가 이름을 정확히 부르면 앉아 주시기 바랍니다."라고 말한다. 그 다음 1분단 첫 번째 친구 이름부터 부르기 시작한다. 혹시 부르다가 잠시 머뭇거리면 나머지 학생들은 누가 시키지도 않았는데 자동적으로 카운트다운에 들어간다. "5, 4, 3, 2, 1, 땡!" 하면서……. 다섯을 셀 동안 이름을 대지 못하면 그 다음 도전자에게 순서가 넘어간다. 이때 도전에 실패한 학생이 혹시라도 상처 받을까 걱정할 필요는 없다. 그 학생은 예외 없이 재도전하기 때문이다. 처음에 용기 있게 도전할 정도이면 그 정도 실패에 절대로 포기하지 않는다. 언제든지 재도전은 환영한다.

자신들의 이름이 한 사람 한 사람씩 호명되며 차례차례 앉는 모습에 학생들은 스스로 만족해한다. 마지막 학생의 이름이 호명되고 도전에 성공하면 학생들은 환호하며 박수를 치며 함께 기뻐한다. 학급 친구들이 자신들의 이름을 외울 수 있다는 것은 그 어떤 것보다도 기분 좋은 일이기 때문이다. 또 자신들의 소중한 이름을 짧은 기간 내에 외워서 불러주었다는 것을 매우 고맙게 생각한다.

이 활동을 할 때 꼭 빼놓지 말고 할 일이 있다. 즉 담임 선생님 이름도 꼭 불러야 한다는 것이다. 담임 선생님도 학급의 일원이기 때문이다. 또 한 가지 중요한 것은 담임 선생님도 학생들과 같이 도전을 해야 하는 것이다. 선생님이 자신들의 이름을 하나하나 부르면, 학생들은 선생님이 자신들의 이름을 기억하고 있다는 사실에 매우 기뻐하며 고마워한다. 학생 도전이 끝나면 교사가 손을 들고 '도전'을 외친다. 이때 학생들은 "에이, 선생님은 책상에 이름 다 써 있잖아요.", "와, 벌써 우리 이름 다 외우셨어요?" 등 다양한 반응을 보인다. 서로 만난지 3~4일 된 것은 똑같은 조건이라는 것을 강조하고 도전을 시작한다. 그런데 항상 느끼는 것이지만 유독 이름이 안 외워지는 학생이 있게 마련이다. 그런 학생의 이름은 그날 아침부터 철저하게 연습해서 확실하게 외워두어야 한다. 혹시라도 그 학생 이름만 말하지 못하면 그 학생에게 큰 상처가 되기 때문이다. 교사는 재도전하기보다는 1차 시도에 100% 성공을 하는 것이 좋다.

모두 일어나서 선생님이 자신의 이름을 부르면 자기 자리에 조용히 앉으면 된다. 3분단 거의 끝 부분으로 가면서 학생들은 조금씩 술렁거리기 시작한다. 선생님의 도전 성공을 바라는 마음과 자신들의 이름을 이렇게 빨리 외워 불러준 것에 대한 고마움 등 여러 가지 생각에 모두가 하나가 된 듯하다. 드디어 마지막 학생의 이름을 부르면 자발적인 박수가 터져 나온다. 그때의 기분은 직접 해보면 안다. 학생들의 칭찬 박수! 이렇게 하여 또 하나의 신뢰가 쌓이게 된다. 그날 친구 이름 외우기 도전에 성공한 학생들은 공책에 스마일 도장을 스스로 찍고 그 밑에 '친구 이름 외우기 도전 성공'이라고 쓰기로 했다. 그런데 한 학생이 선생님도 도전에 성공했으니까 칭찬 도장을 찍으라고 제안했다. 모두 그 학생의 의견에 만장일치로 찬성하여 그 날 담임교사의 칭찬 공책도 만들어졌다. 그러더니 1년 동안 이것저것 칭찬거리를 찾아 꾸준히 도장을 찍어주었다. 아직도 그 공책을 보물같이 간직하고 있다.

활동 마무리에서는 도전에 성공했을 때의 기분, 도전에 아슬아슬하게 실패했을 때의 기분, 도전자가 자신의 이름을 정확히 불러주었을 때의 느낌, 선생님이 자신의 이름을 불러주었을 때의 소감 등을 발표한다.

활동을 단계별로 설명하면 다음과 같다.

① 미리 예고된 시간에 도전 희망자를 받는다.

② 도전자는 교탁 앞에 서고 나머지 학생들은 모두 자리에서 일

어선다.

③ 도전자는 선생님 성함부터 시작하여 1분단 → 2분단 → 3분단 순서로 친구들 이름을 크고 명확하게 부른다.

④ 이름이 정확하게 맞으면 그 이름에 해당되는 사람은 자리에 앉는다.

⑤ 선생님 성함과 친구들 이름을 모두 맞게 말한 사람은 도전왕이 된다.

⑥ 중간에 이름을 대지 못하고 있으면 5에서부터 카운트다운을 하여 시간을 제한한다.

⑦ 교사도 반드시 도전하여 학생들 이름을 다 외우고 있음을 확인시킨다.

⑧ 활동 소감을 발표한다.

- 도전왕 소감 듣기
- 도전자가 자기 이름을 불렀을 때 어떤 느낌이 들었나?
- 가장 잘 외워진 친구 이름은? 그 이유는?
- 가장 외우기 힘들었던 친구 이름은? 그 이유는?
- 도중에 생각이 나지 않아 도전에 실패했을 때의 느낌은?
- 도전하기 위해 했던 노력은?
- 도전에 성공한 비결은?

이 활동을 하면 많은 학생들이 의도적으로 친구 이름을 외우려고 노력하게 되어 소외되는 학생이 없어진다. 또 친구들과 선생님이 자신의 이름을 알고 있다는 생각에 감사하는 마음을 갖게 되고 모두가 학급의 중요한 일원임을 느끼게 되어 공동체 의식이 생긴다. 단기간에 더욱 친해질 수 있고 서로에게 관심을 갖게 되어 신뢰감을 느끼게 되는 것도 이 활동의 장점 중 하나이다.

4. 함께 나누는 이야기 선물

몇 년 전 '자발성이 살아 숨 쉬는 프레네 교육'이라는 연수에 참여하게 되었다. '자발성'이라는 낱말이 정말 마음에 쏙 들어 이거다 싶었는데 그 '자발성'이 펄펄 살아 숨까지 쉰다니……. 한 치의 망설임도 없이 연수를 받았고 거기서 배운 활동 중 하나가 '쿠아 드 뇌프?'(Quoi de neuf?)라는 소통 활동이다. 그 활동은 '교사가 없어도 자율적으로 평화롭게 서로 이야기를 나누는 시간', '어떤 이야기라도 마음 놓고 내놓을 수 있는 시간'이 있었으면 하는 바람을 확실하게 실현시켜주었다. 바로 그 활동의 적용 사례를 함께 나눠보고자 한다.

서로 소통하고 협력하며 자발적으로 생활할 수 있는 프레네 교육의 테크닉 중에서 '쿠아 드 뇌프?'라는 활동이 있다. '쿠아 드 뇌프?'라는 말은 '새로운 일 없니?', '별 일 없니?' 라는 뜻을 가진 프랑스 인사말이다. 이 활동 이름이 담고 있는 것은 어제 하교 후에서부터 오늘 등교할 때까지 서로 서로 보지 못했던 시간 동안 있었던 일들에 대해 서로 나눠보자는 의미를 담고 있다. 이 활동을 통하여 학생들의 삶을 교실로 초대할 수 있다. 즉 교실 안에 학생들의 삶을 들여놓아 주체적이고 생명력 있는 교실을 만들고자 하는 것이다. 이 활동에서는 학급의 친구들이 서로의 의견을 나누고 평소에 느끼는 다양한 생각, 일상에서 말하고 싶어 하는 모든 것을 다 주제로 다룰 수 있다. 대부분의 학생들에게는 타고난 전달 욕구와 소통의 욕구가 있다. 따라서 그들에게 자유로운 표현의 기회, 소통의 기회가 주어져야 한다. 학생들은 상호 신뢰, 상호 협력하는 가운데 서로 자신의 이야기를 나누고 그 과정에서 그 날의 학습에 대한 흥미와 관심을 갖게 되며 이것은 자연스럽게 학습에 대한 동기 유발이 되기도 한다.

이 활동을 통해 학생들은 자유로운 분위기에서 어떤 말이든지 스스럼없이 할 수 있는 경험을 많이 하게 되어 의사소통 능력이 향상될 뿐만 아니라 서로에 대하여 더 잘 알게 되고 이해하게 된다. 또한 다른 사람들이 내 이야기를 귀담아 들어주는 경험을 하게 됨으로써 서로에 대한 신뢰감도 생기고 자존감도 높아지며 학급 내의 긴장감도 해소될 수 있다. 이 활동을 통해 얻을 수 있는 효과들을 정리해 보면 다음과 같다.

- 학급 내의 긴장을 풀어준다.
- 가정과 학교생활을 연계시켜준다.
- 구두로 의견 표현을 하기 때문에 발표력이 신장된다.
- 말하기를 자유롭게 하게 된다.

- 학생들에게 소통의 기회를 제공한다.
- 말하는 태도뿐만 아니라 친구들의 말을 경청하고 타인을 존중하는 자세를 배울 수 있다.
- 정서적인 안정에 도움이 된다.
- 학생들의 관심사를 잘 살펴볼 수 있다.

활동을 시작하기에 앞서 먼저 이 활동에 대해 간략히 소개하고 난 뒤 활동을 할 것인지 말 것인지에 대해 학생들 스스로 선택하게 한다. 그들에게 선택의 권한을 준다는 것은 그들을 존중하고 신뢰한다는 표시이기 때문에 이 과정은 매우 중요하다. 일단 학생들이 하겠다고 하면 그 활동의 이름을 어떻게 지을지에 대해서 먼저 협의한다. 그동안 우리 반 학생들이 지은 이 활동의 이름으로는 '아침 마당', '천사의 선물', '이야기 꽃나무' 등이 있다. 프레네 교육에서 무엇인가를 발표하는 것을 선물을 준다고 표현하기도 하는데 그런 맥락에서 보면 학생들이 활동 이름을 매우 재치있게 지었다는 생각이 든다. 선물이기 때문에 주는 사람은 자발적으로 주어야 하고 받는 사람은 고맙게 받아야 한다. 즉 자신의 이야기를 자발적으로 나누고, 듣는 친구들은 어떤 비판이나 판단 없이 그저 함께 나누는 것을 고맙게 생각하며 듣는 것이 중요하다. 이름이 정해지면 언제 얼마 동안 할지에 대해서도 협의한다. 우리 반에서는 1교시 시작 전 10분씩 매일 하기로 정했다. 활동의 이름이 정해지면 사회자, 기자, 시간 알림이를 지원받는다. 먼저 시간 알림이가 시작할 시간임을 알리면 사회자가 교탁 앞에 나와 활동을 시작한다. 사회자는 "지금부터 4학년 1반 천사의 선물을 시작하겠습니다. 할 말이 있으신 분은 말씀해주시기 바랍니다."라고 시작 멘트를 한 다음 발표하는 친구들의 말을 요약하여 간단하게 다시 말한다. 활동 마무리 시간에는 "기자는 정리한 내용을 발표해주시기 바랍니다."라고 말한 다음 "이상으로 '천사의 선물'을 마치겠습니다."라고 마무리하면 된다. 기자는 친구들이 말한 내용을 요약해서 기록한다. 원 대형으로 앉아서 하는 것이 좋긴 한데 각 학급 상황에 따라 조정할 수 있다.

활동 방법에 대한 자세한 설명은 다음 표와 같다.

쿠아 드 뇌프?

역할	하는 일	기대효과
사회자	- 시간 알림이가 시작 시간을 알리면 교탁 앞으로 나와 '쿠아 드 뇌프?' 진행하기 - 발표하는 친구들의 말을 요약하여 간단하게 다시 말하기 - 활동 마무리 시간에 기자에게 정리한 내용을 발표하게 한 다음 활동 마무리하기	- 소통, 경청 - 자발성 - 주인 의식 - 상호 존중 - 상호 이해 - 발표력 향상 - 상호 신뢰 - 긴장감 해소, - 경험 공유 - 동등한 발언권
기자	- 친구들의 발표 내용 기록하기 - 활동 마무리 시간에 정리한 내용 중에서 2~3가지 정도 선택하여 발표하기	
시간 알림이	- 시작 시각과 끝마칠 시각 안내하기	

※ 교사도 사회자에게 발언권을 얻어야만 이야기할 수 있다.

학생들이 '천사의 선물' 시간에 발표한 내용들은 다양하지만 몇

개를 소개하면 아래와 같다.

- 저는 학교 오는 길에 고양이가 죽어 있는 것을 보았습니다.
- 어제는 아빠가 늦게 오셔서 속상했습니다.
- 오늘 체육 시간이 기대됩니다.
- 오늘 체육 시간에 긴 줄넘기 3단계를 통과하고 싶습니다.
- 어제 현장학습 갔다 와서 쉬고 싶었는데 엄마가 학원을 가라고 해서 싫었습니다.
- 오늘은 그냥 기분이 좋습니다.
- 어제 엄마와 아빠가 싸워서 슬픕니다.
- 오늘 아침을 못 먹고 와서 배가 고픕니다.
- 지금 졸립니다.
- 친구들이 우리 집에서 놀고 난 후 정리를 잘하고 가면 좋겠습니다.
- 빨리 급식을 먹고 싶습니다.
- 2교시가 빨리 왔으면 좋겠습니다.
- 태권도 단 시험을 보았는데 지금도 떨립니다.
- 오늘 급식에 구슬 아이스크림이 나와서 기대됩니다.
- 나도 핸드폰을 갖고 싶습니다.
- 3일만 있으면 내 생일입니다.
- 엄마가 3번이나 불러도 대답을 안 해서 답답합니다.
- 누나랑 칫솔 먼저 잡으려고 싸우다 칫솔에 찔려서 아픕니다.
- 7살 때 돌아가신 아빠가 보고 싶습니다.

- 아침 독서 시간에 딱 2명이 성공을 못해서 아깝습니다.
- 집 앞에 빌라를 짓는데 어떻게 생길지 궁금합니다.
- 친구가 사과를 안 받아줘서 속상합니다.
- 오늘 학교에서 무엇을 할지 기대됩니다.
- 민재가 하품도 안 하고 모두가 아침 독서를 성공해서 기쁩니다.

이처럼 학생들은 아주 자유롭게 가정에서 있었던 일에서부터 학교생활, 개인의 기분까지 스스럼없이 발표한다. 활동 중 한 학생이 친구들에게 불편했던 점을 이야기하니까 관련된 학생이 예의 바르게 사과하는 모습도 볼 수 있었다. 한번은 내가 한국어 교사 워크숍 참가로 인해 연가를 내고 학교에 오지 못한 날이 있었는데 그날도 학생들 스스로 이 활동을 했다고 한다. 어쩌다 월요일 조회가 늦게 끝나 이 활동을 건너뛰려고 하면 할 말이 많다고 하면서 반드시 할 것을 강력하게 주장한다. 그만큼 학생들이 좋아하는 활동 중의 하나이다. 또 월요일엔 할 말이 많다고 하면서 활동 시간 연장에 대한 제안이 들어왔다. 결국 만장일치로 10분을 연장하기도 했다.

1년 동안 학생들은 3가지 역할을 모두 해볼 수 있는 경험을 하면서 학생들 스스로 자신을 되돌아볼 시간을 많이 갖게 된다. 어떤 사회자의 경우 2학기가 되었는데도 불구하고 친구 이름을 잘 몰라 당황하는가 하면 평소에 친구들의 말을 잘 듣지 않던 학생들은 친구들의 말을 잘 요약하지 못해 자꾸 안 들린다고 하는 일도 있었다. 요약이 힘들 때는 '혹시 요약해 주실 분 있나요?' 하고 자연스럽게 요청하면 많은 학생들이 지원하여 요약해준다. 사회자가 친구들의 말을 간단하게 요약해서 다시 말함으로써 기자에게 친구들이 말한 내용을 정리할 수 있는 시간 여유를 줄 수 있다. 또 다른 사람의 말을 경청하고 요약 정리하는 능력도 기를 수 있다.

이 활동을 통해 서로의 생각과 느낌, 경험 등을 공유하게 됨으로써 서로에 대해 많이 알 수 있게 되기도 하고 자유롭게 이 얘기 저 얘기 하면서 학생들의 관심사나 가정생활도 자연스럽게 알게 된다.

특히 교사도 발언권을 얻고 발표를 해야 하므로 학생들과 교사가 동등한 위치에서 참여하게 됨으로써 학급 구성원으로서 모두 하나가 되는 느낌도 받게 된다. 방송 조회나 기타 행사로 이 활동을 하지 못하게 되면 무척 아쉬워하며 다른 공부 시간에라도 하자고 할 때도 많다.

한 학생의 어머니로부터 들은 이야기이다. 가족이 모두 산에 올라갔을 때 아들(우리 반 학생)의 제안으로 '가족 쿠아 드 뇌프' 활동을 했다고 한다. 식구들 모두 원으로 둘러서서 각자 산에 올라온 소감을 말했다고 한다. 동생이 하는 방법을 모른다고 하니까 그냥 하고 싶은 이야기를 자유롭게 하면 된다고 하면서 자상하게 설명까지 해주더라면서 매우 기특해했다.

또 방학 중에 '눈꽃교실'이라고 하여 몇 가지 문제해결 활동 프로그램을 진행한 적이 있었다. 그때 참가 학생들이 모두 모이자 한 학생이 자연스럽게 제안했다. "아침 마당 하면 안 돼요?" 다른 반 학생들이 있어 괜찮겠느냐고 하니까 하는 방법을 알려주면 된다고 하면서 자기들끼리 즉석에서 사회자도 뽑고 알림이도 뽑아 진행을 했다. 그 활동 덕분에 서로 낯설어 하던 학생들은 금방 친밀감을 충분히 느끼게 되었다.

학생들은 자신들만의 자유로운 소통 시간인 이 시간을 매우 소중하게 생각하고 어떤 이야기가 나와도 판단하거나 수군거리지 않고 다 수용하는 분위기를 스스로 조성하는 능력을 보인다. 한번은 한 학생이 "어제 우리 엄마가 우리 집에 놀러 와서 기분이 좋았습니다."라는 말을 했다. 엄마가 재혼하셔서 엄마랑 살지 못하고 할머니랑 사는 학생이었다. 그런 말을 듣고도 그 말 그대로를 자연스럽게 들어주며 누구도 수군거리지 않는 학생들이 참 대견스러웠다. "이제 엄마 아빠가 싸우는 것이 지겹습니다."라고 말하는 친구에게 "그래, 나도 이해해.", "나도 그런 생각을 할 때가 있어."라는 무언의 눈짓을 줄 때 서로 마음을 열고 나눌 수 있는 분위기가 조성되었구나라는 생각이 들어 마음이 따뜻해지기도 했다.

또 이 시간을 통해 서로의 사소한 갈등이 해결되는 경우도 있었다. 한 학생이 친구들이 자기 집에 놀러 와서 정리를 제대로 하지 않아 기분이 안 좋다는 이야기를 했다. 그 이야기를 들은 관련 학생이 미안하다고 하면서 다음부터는 꼭 정리를 하겠다고 약속하는 사례도 있었다. 이렇게 소통의 장을 활용하여 하고 싶은 이야기들을 자유롭게 함으로써 서로를 이해하고 배려하는 기회를 갖는다. 한 학생은 "아침 마당은 참 기발한 생각이다. 우리의 기분과 상황을 잘 알아볼 수 있어서 참 좋다."라고 이 활동을 평가하기도 한다. 또 다른 학생은 친구들이 집에 가서 무슨 일을 하는지 알 수 있어 좋다고 말하기도 한다.

이 활동을 하면서 학생들이 달라진 모습은 다음과 같다.

- 사회자, 기자, 시간 알림이 활동을 하며 자신 있게 발표하는 능력이 향상되었다.
- 특히 사회자는 친구들이 한 말을 요약하여 다시 말하다 보니 요약하는 능력이 생겼다.
- 친구들의 말을 경청하고 어떤 말이든지 수용하는 태도가 형성되었다.
- 기자는 친구들이 말하는 내용을 간략하게 메모했다가 기록을 함으로써 중요한 내용을 메모하는 능력이 향상되었다.
- 의사소통 능력이 향상되었다.
- 학급 내의 긴장감이 해소되었다.
- 가정에서 있었던 일을 스스럼없이 발표함으로써 서로에 대해 더 잘 알 수 있게 되었다.
- 어떠한 이야기든지 서로 나누고 수용하는 열린 분위기가 조성되었다.
- 친구들의 관심사에 대해 자연스럽게 알게 되었다.

'이야기 꽃나무' 실천 사례(1학년)

알림이 : 지금은 '이야기 꽃나무'를 시작할 시간입니다.

사회자 : (교실 앞으로 나와서) 지금부터 '이야기 꽃나무'를 시작
 하겠습니다. 할 이야기가 있는 사람은 이야기해주시기
 바랍니다.

은　빈 : 오늘 늦게 일어나서 학교로 늦게 출발해서 기분이 좋
 습니다.

하　연 : 왜 기분이 좋습니까?

은　빈 : 어제는 엄마가 '녹색 어머니'를 해서 일찍 일어났는데
 오늘은 늦게 일어나서 그렇습니다.

하　연 : 알겠습니다.

사회자 : 은태 친구 발표해 주세요.

은　태 : 내일 태권도에서 공개 수업을 해서 힘듭니다.

사회자 : 은태 친구는 태권도 공개 수업을 해서 힘들다고 합니다.

사회자 : 혜신이 친구 발표해 주세요.

혜　신 : 오늘 아침 독서를 성공해서 기쁩니다.

사회자 : 혜신이 친구는 아침 독서를 성공해서 기쁘다고 합니다.

사회자 : 재혁이 친구 발표해 주세요.

재　혁 : 오늘 받아쓰기를 하는지 궁금합니다.

사회자 : 재혁이 친구는 오늘 받아쓰기를 하는지 궁금하다고 합
 니다.

사회자 : 수민이 친구 발표해주세요.

수　민 : 어제 집에 갈 때 살구나무에게 인사를 했습니다.

사회자 : 수민이 친구는 집에 갈 때 살구나무에게 인사를 했다고 합니다.

사회자 : 수혁이 친구 발표해주세요.

수　혁 : 저는 어제 형이 잠을 못 자게 해서 짜증납니다.

사회자 : 잘 못 들었습니다. 다시 한번 말해주시기 바랍니다.

수　혁 : 어제 우리 형이 나를 잠을 못 자게 해서 짜증이 납니다.

사회자 : 수혁이 친구는 형이 잠을 못 자게 해서 짜증이 났다고 합니다.

사회자 : 보람이 친구 발표해주세요.

보　람 : 어제 엄마랑 애견 카페에 갔습니다.

사회자 : 보람이 친구는 엄마랑 애견 카페에 갔다고 합니다.

사회자 : 나영이 친구 발표해주세요.

나　영 : 저는 우리 엄마가 아파서 걱정입니다.

사회자 : 나영이 친구는 엄마가 아파서 걱정이라고 합니다.

사회자 : 준서 친구 발표해주세요.

준　서 : 놀이터에 눈이 많아 눈사람을 만들었습니다.

사회자 : 준서 친구는 놀이터에서 눈사람을 만들었다고 합니다.

사회자 : 온유 친구 발표해주세요.

온　유 : 엄마한테 전화가 왔는데……. 아이, 잘 생각이 안 납니다.

사회자 : 종훈이 친구 발표해주세요

종　훈 : 저는 오늘 피부과에 가야 합니다.

사회자 : 종훈이 친구는 오늘 피부과에 간다고 합니다.

사회자 : (교사가 손을 든 것을 보고) 선생님 질문해 주세요.

선생님 : 종훈이 친구는 왜 피부과에 갑니까?

종 훈 : 발에 사마귀가 나서 토요일 날 갔는데 오늘도 오라고
          해서입니다.

(중략)

알림이 : 지금은 '이야기 꽃나무'를 끝마칠 시간입니다.

사회자 : 기자는 친구들이 말한 것을 읽어주시기 바랍니다.

기 자 : 은빈이는 아침에 늦게 일어나서 기분이 좋다고 하고 수
          민이는 살구나무에게 인사를 했다고 합니다.

사회자 : 이상으로 '이야기 꽃나무'를 마치겠습니다.

5. 도움을 주고받는 '나눔 천사'

"아, 난 다했다."

수학 학습지를 배부한지 얼마 되지도 않아 한 학생이 자랑스럽
게 으스대며 큰 소리로 말했다. 계산이 느리거나 수학에 좀 자신
이 없는 친구들은 몇 문제 풀지도 못하고 있는데 자기는 다했다
고 보란 듯이 말하는 것이다. 문제를 다 푼 친구가 그런 식으로 이
야기하는 것에 대해 다른 학생들의 의견을 들어보았다. '잘난 척
하는 것 같아 그 아이가 미워진다.', '자신은 몇 문제밖에 풀지 못

했는데 그런 말을 들으면 갑자기 불안해진다.', '크게 말하는 바람에 방해가 된다.', '괜히 기분이 나빠진다.', '나만 빨리 풀지 못하는 것 같아 자신감이 없어진다.', '그 아이가 부럽다.' 등의 의견이 나왔다. 자신의 말 한마디가 반 친구들에게 어떤 영향을 주는지 모르고 있었던 학생은 그제야 미안하다는 표정이었다. 그 일이 있은 후 습관적으로 그렇게 말하려던 학생들은 "아, 난 ……" 하다가도 얼른 입을 손으로 막고 조용히 자신의 일에 몰두하는 모습을 볼 수 있었다.

학생들은 흔히 자신의 행동이 다른 사람에게 어떤 영향을 미치는지 잘 모르고 행동하는 경우가 많다. 이럴 경우 교사가 주의를 주기보다는 영향을 받는 구성원들이 그들의 느낌이나 생각을 말해주면 효과적이다.

수학을 잘한다고 그저 자랑할 것이 아니라 그 잘하는 능력을 어떤 방법으로 나누면 좋을까를 생각해보게 하면 어떨까? 사람들은 누구나 부족한 분야와 잘하는 분야가 있기 마련이다. 따라서 주어진 학습 과제를 마치는 데 걸리는 시간도 다를 수밖에 없다. 좀 잘하는 학생이 부족한 친구를 친절하게 가르쳐주면서 서로 재능을 나눈다면 '가르치는 보람' 과 '배우는 즐거움'을 동시에 느낄 수 있을 거라 생각한다. 이렇게 하기 위해서는 배우는 사람이 부끄럽게 생각하지 않고 가르치는 사람이 잘난 척하지 않는 분위기가 조성되어야 한다. 경우에 따라 내가 가르치는 사람이 될 수도 있고 또한 배우는 입장이 되기도 하는 경우를 모두 경험하게 되면서 서로의 입장을 이해하고 배려하는 습관을 기를 수 있다.

거의 모든 교과에서 이미 목표를 달성한 학생들이 도움을 신청하는 친구들에게 가서 가르쳐준다. 이때 겸손하고 친절하게 해야 한다는 것을 강조해야 한다. 또한 배우는 사람도 감사한 마음으로 배워야 한다.

수학 나눗셈 단원을 공부하는데 유난히 여학생 몇 명이 이해를 잘하지 못했다. 무엇을 잘 모르는 것은 절대 부끄러운 것이 아니고 도움을 요청해서 배워나가는 것이 진정한 용기라고 강조했다. 도움을 받고 싶은 학생은 공개적으로 도움을 요청할 수 있다.

"저는 나눗셈을 잘 못합니다. 저를 도와줄 친구 있습니까?"

도움 요청이 있자마자 많은 학생들이 손을 든다. 이럴 경우 누구를 선택할지는 순전히 도움을 요청한 학생에게 권한이 있다. 학생들은 누구를 선택할까? 당연히 겸손하고 친절하며 평상시에 잘난 척을 잘 하지 않는 친구를 선택한다. 선택하는 과정에서 선택받지 못한 학생들은 스스로를 돌아보게 된다. 무조건 공부만 잘한다고 친구들의 선택을 받는 것이 아니라는 것을 스스로 깨닫게 되는 것이다.

"유림이 친구 저를 도와주시기 바랍니다."

선택받은 학생은 자연히 스스로를 자랑스럽게 생각하며 최선을 다해 도와주게 된다. 지원한 여러 친구들 중에서 뽑혔다는 점과 그래서 더 책임감을 가지고 해야 되겠다는 생각이 작용하는 것이다.

컴퓨터실에 가서 문서를 작성하던 시간이었다. 꼭 갖춰야 할 기준 몇 가지를 충족시켜 시간표를 만드는 것이 미션이었다. 아나나 다를까 항상 불평불만이 많고 짜증을 잘 내는 남학생이 또 불만을 터뜨렸다.

"이거 왜 해요?"

다른 학생들은 서로 모르는 것을 자연스럽게 물어가며 하고 있는데 그 학생은 절대로 친구들에게 도움을 요청하지 않는다. 자신의 부족한 점을 드러내 보이고 싶지 않다는 생각이 아주 강했다. 자신의 그런 속마음을 꽁꽁 숨기고 도리어 누군가에게 불만을 표현하며 투정을 부리고 있는 것이다.

"애들아, 우리 이런 것 왜 할까?"

묻자마자 많은 학생들이 그 이유를 말하기 시작했다. '문서 작성하는 방법을 연습하기 위해서', '그림이나 특수 문자, 선 등 여러 가지 기능을 익히기 위해서' 등.

"이제 알겠니? 왜 이런 활동을 하는지."

그 학생은 대답 대신 집에 가서 자기 누나한테 물어서 하겠다고 여전히 고집을 피웠다. 이런 경향의 학생은 누군가에게 도움을 청한다는 것은 곧 자신의 부족함을 드러내는 것이고 그것은 무척 부끄러운 일이라고 생각한다. 친구들에게 부족한 모습을 보이고 싶지 않아 계속 시비를 거는 것이고 부족함을 보였을 때 친구들이 자신을 어떻게 볼 것인가가 두려운 것이다. 따라서 모든 사람은 부족한 것이 있고 그럴 경우 용기 있게 도움을 청하는 것이 마땅히 해야 할 일이라는 것을 알 수 있도록 해야 한다. 위와 같은 학생들은 자신의 부정적 고정관념으로 인해 무엇인가를 잘 못하는 친구를 보면 바로 놀리거나 업신여길 수 있다. 자신이 그런 생각을 하고 있기 때문에 자신이 누군가에게 도움을 청했을 때의 반응이 두려워 절대로 도움을 청하지 못하는 것이기도 하다. 사람은 자신이 생각하는 방식과 같이 다른 사람도 그렇게 생각할 거라고 믿는 경우가 많다. 그래서 서로 돕는 분위기 조성이 꼭 필요하고, 서로 도움을 주고받는 경험을 통해 자신의 생각이 잘못되었음을 느끼는 경험이 중요한 것이다.

1학년을 담임할 때다. 찰흙을 가지고 집을 만드는 시간이었다. 한 학생이 말했다. 잘하는 친구에게 도움을 좀 받고 싶다고. 그래서 반 친구들 앞에서 정식으로 도움을 요청해보라고 했더니 "저는 그림 그리고 꾸미는 것은 잘할 수 있는데, 찰흙은 잘 못합니다. 그래서 잘하는 친구 나연이에게 도움을 받고 싶습니다."라고 당당하게 말했다. 이 일로 도움을 준 나연이는 많은 친구들 앞에서 인정받는 좋은 기회가 되었다. 친구가 자신을 선택해준 것이 고마워 더욱더 친절하게 도움을 주었음은 두말할 필요가 없다. 또한 용기 있게 도움을 청한 윤아도 자신의 부족한 부분을 인정하고 당당하게 도움을 청하는 적극적인 행동으로 인해 친구들의 인정을 받았다. 이렇듯 학급 구성원 모두가 도움이 필요할 때 언제든지 도움을 부탁하고 흔쾌히 도와줄 수 있는 분위기 조성이 반드시 필요하다.

또래 도우미 활동이 끝난 후 도움을 받은 학생들에게 정말 친절하게 잘 도와준 친구를 발표하게 하고, 또 도움을 준 학생들에게는 열심히 배우고 고맙다고 예의 바르게 인사하는 친구가 누구였는지 발표하게 하면 더욱 좋다. 이 활동을 통해 대강 가르쳐주거나 예의를 지키지 않는 학생들이 본인들 스스로 자신의 행동을 되돌아볼 수 있는 기회가 된다.

문서 작성하기, 수학 문제 풀기, 종이접기, 리코더 연주하기, 줄넘기, 지휘하기, 사전 찾기 등에서 많은 학생들이 도움을 요청한다. 모르는 것이 있으면 공개적으로 도우미를 요청한다. 요청한 사람은 도우미 지원자 중에서 한 사람을 선택한다. 그리고 그 활동이 끝나면 '나눔 천사'라는 활동지에 도움의 내용과 소감 등을 기록한다. 또한 너무 의존적이 되지 않도록 도움을 받지 않고 혼자 해내는 학생들은 그 나름대로 칭찬을 하여 혼자 할 수 있는 힘도 기르게 하는 것이 좋다.

학교생활을 하는 데 있어서 무엇인가를 잘 못해서 부끄럽고 정서적으로 불안감을 느낀다는 것은 바람직하지 않다. 그런 불안 요소는 당연히 제거되어야 하고 모르는 것을 배우는 것이 결코 부끄럽지 않다는 인식을 심어주어야 한다. 무엇인가를 모르면 당당하게 도움을 요청할 수 있고 그 도움에 대한 고마움을 예의 바르게 표현하면 된다. 이렇게 함으로써 도우미들은 부지런히 돌아다니며 도와주고, 도와주는 활동 자체를 무척 자랑스럽게 생각하게 된다. 또 도움을 받는 학생들도 전혀 부끄럽게 생각하지 않고 자연

스럽게 배울 수 있으며 떳떳하게 도움을 요청한다. 또 항상 같은
학생이 도우미가 되는 것이 아니기 때문에 서로의 입장을 자연스
럽게 이해하게 된다. 서로를 이해하고 배려하며 소통하면서 나눔
을 실천하는 체험을 할 수 있는 것이다.

긍정적인 상호 의존은 결국 적극적인 상생이다. 이런 분위기가
되면 도움을 주는 기쁨과 도움을 받았을 때의 감사함을 느끼는 기
회가 많아져 서로 돕는 것이 자연스러운 일이 된다. 그럴 때 학생
과 학생의 관계도 서로 돌보며 성장하는 건강한 공동체로 발전할
수 있다.

나눔 천사 활동을 마치고

서울(　　)초등학교　　학년　　반　이름(　　　　)

도움을 요청한 친구		
도움의 내용		
도와준 방법(언제, 어떻게)		
도움을 준 결과		
도움을 주고받은 후 느낌이나 생각	도움을 준 친구 (　　　)	
	도움을 받은 친구 (　　　)	

4장

아이들을 위해 함께 손잡는,
학부모 상담

1. 첫 만남을 위해 소중한 시간, '학부모 총회'

교사로서 '내 아이의 선생님이 이 정도만 해주어도 난 만족한
다.'라는 수준이 각자 있을 것이다. 그 이상으로 하면 더할 나위 없
이 좋겠지만 최소한 그 정도만 해도 학부모와의 관계 맺기에 도움
이 되지 않을까 생각한다. 담임을 하면서 학부모를 직접 만나 볼
수 있는 경우는 그리 많지 않다. 물론 지역이나 학부모의 열의에
따라 사정이 다소 달라지겠지만 말이다. 학부모 총회가 있다고 해
도 그 날 여러 가지 학부모 위원회 조직에 대한 부담 때문에 일부
러 오지 않는다는 말이 공공연히 나돌기도 한다. 그 날 학교에 온
다고 해도 교사와 이야기할 수 있는 시간은 그리 길지 않다. 또 여
러 학부모 앞에서 한 학생에 대한 이야기를 하는 것도 바람직하지
않기 때문에 그 날 개인 상담을 하기엔 좀 무리가 없지 않다. 따라

서 그 날은 그저 학급 전체에 대한 일반적인 이야기를 하게 되는 경우가 많다. 그래도 어쨌든 총회에 참석한 학부모는 자녀 교육에 관심을 가지고 바쁜 시간을 내어 온 것임에 틀림없다. 학부모와의 바람직한 관계를 맺기 위해 학부모 총회 날을 최대한 활용해야 한다. 먼저 서로에 대해 알아야 하기 때문에 돌아가며 간단한 소개를 하도록 한다. 즉 간단한 '쿠아 드 뇌프' 시간을 갖는 것이다. 누구 어머니냐고 일일이 물어볼 필요 없이 각자가 자신을 소개하면 좋다. 소개를 하라고 하면 보통 당황하면서 멈칫거리는 경우가 많다. "어느 분부터 할까요?"라고 하면서 지원자를 받는다. 절대로 지명하지 말아야 한다. 어른도 학생들과 마찬가지로 스스로 하도록 하는 것이 훨씬 바람직하다. 지원자가 나서면 그 사람부터 차례대로 자기소개를 하면 된다.

"저는 ○○엄마입니다."

보통 첫 번째 하는 분은 떨리기도 하고 어색하기도 하여 짧게 한다. 그러나 그 다음부터는 분위기도 좀 풀리고 해서 점점 살이 붙여진다.

"저는 소연이 할머니인데 오늘 소연이가 수업 시간에 활발하게 참여하는 것을 보고 정말 기뻤어요. 선생님 감사해요."

학부모 공개 수업 후 총회를 하는 학교도 있어 수업에 관한 이야기를 하는 경우도 있다. 이어서 그 할머니는 손녀가 부모와 떨어져 살아야 되는 딱한 사정을 솔직하게 털어놓으셨다. 처음 만나는 자리에서 솔직하게 이야기를 털어놓으며 마음을 여니까 그 다음 학부모부터는 누가 시키지도 않았는데 이런저런 사정 이야기를 주저 없이 꺼내놓으며 어려운 형편 이야기를 했다. 갑자기 분위기는 집단상담 모드로 바뀌었다. 아무튼 학부모님들의 소개가 끝나고 담임 소개를 할 때도 질문으로 시작한다.

"아이들이 담임에 대해 어떤 이야기를 전했는지 말씀해주세요."

이러면 자녀와 이야기를 많이 하는 어머니들은 여러 가지 이야기를 전한다. 3월 2일 담임 소개 활동이 끝나고 난 후 그 날 과제가 '부모님께 담임 선생님 소개하기'였기 때문에 숙제를 제대로 했는지도 점검할 수 있다. 그러나 무엇보다도 학생과 부모가 얼마나 잘 소통하고 있는지를 파악할 수 있다는 장점이 있다. 교사는 아이들을 통해 전달된 내용을 정리하여 다시 한번 이야기하고 담임에 대한 정보 중 빠진 것을 덧붙여 소개하면 된다. 담임교사가 자신의 이름부터 전부 혼자 말하는 것보다 훨씬 효과가 있다. 관계를 맺는다는 것은 곧 이렇게 상호작용을 하는 것이다.

그 다음 학급운영관이나 아동관 등에 대하여 말한다. 나의 경우 '맑고 밝게'라는 말을 아주 좋아한다. 아이들은 아이들답게 맑고 밝아야 한다고 늘 생각한다. 그래서 '맑은 마음, 밝은 미소'라는 타이틀을 늘 교실 앞쪽에 게시하고 있다. 여기에 대해서도 학부모에게 질문한다.

'맑은'의 반대되는 말은 무엇인지에 대해 질문하면서 아이들의 마음이 여러 가지 이유로 침울하거나 어둡고 그늘이 지게 해서는 안 되도록 학교에서나 가정에서 그런 환경을 같이 만들어가자고 말하기도 한다. 또한 부모나 교사의 언행이 학생들에게 미치는 영향에 대해서도 강조한다. 가정과 학교가 함께 가야 한다는 점을 확실하게 인식시킨다. 짧은 시간이지만 담임교사가 어떤 방식으로 수업을 하고 어떤 아동관을 가지고 있는지 어느 정도 파악할 수 있는 시간이 된다. 적어도 이때 참가한 학부모와는 확실한 신뢰를 쌓을 수 있도록 한다.

문제는 담임교사에 대해 잘 모르고 자녀의 말만 믿고 오해하는 학부모이다. 우리 반에서는 어떤 사안이 발생했을 때 학급 구성원이 다 참여하여 해결한 다음 당사자들은 '평화롭고 행복한 교실 만들기'라는 것에 사실관계를 쓴다. 그런 다음 집에 가져가 부모님과 이야기하고 확인을 받아오라고 한다. 이때 어떤 어머니들은 "경연이랑 이야기 많이 했습니다. 이제 친구들과 배려하며 지내기로 약속했습니다."라는 등의 내용을 써 보낸다. 그러나 어떤 어머니는 그 종이를 보는 순간 또 자녀를 혼내야 하는 일이 발생했다고 생각하고 그 종이를 보낸 담임교사에 대해 아주 예민하게 반응하는 경우도 있다. '이 정도 일을 왜 가정에까지 알리나' 또는 '우리 애는 잘못이 없는 것 아닌가'라는 생각을 하면서 담임교사에 대해 불만을 갖는 경우도 있다. 이런 학부모들은 대부분 자녀가 어떤 일을 잘못했을 때 대화하면서 문제를 해결하기보다는 처벌을 하는 경우가 많다. 따라서 아이는 그 처벌이 두려워 학교에서 있었던 일을 절대로 사실대로 알리지 않는다. 자신에게 유리한 쪽으로 이야기하는 것은 지극히 당연한 것이다. 학교에서 적은 내용을 고치는 경우도 많다. 자녀 말만 곧이곧대로 믿고 학교에 대해 불만을 갖게 되어 오해를 하는 경우도 종종 발생한다.

한번은 한 엄마가 자녀가 가져간 종이에 사인을 하지 않고 화가 나서 바로 학교를 찾아온 적이 있다. 종이를 보니 학교에서 친구들과 서로 확인하며 적은 내용을 고쳐 쓴 흔적이 있었다. 왜 자녀가 고쳤을까에 대해 생각해보시라고 하면서 자녀가 잘못했을 때 어떤 식으로 해결하느냐고 질문했다. 좀 부족한 동생에게 많은 신경을 쓰느라 형한테는 엄격하고 빡빡하게 대했던 것 같다고 하면서 눈물을 글썽였다. 잠시나마 선생님을 오해해서 죄송하다는 말도 덧붙였다. 이런 학부모의 특징은 교사도 자신의 방식대로 학생들을 대할 거라는 생각을 한다는 것이다. 대부분의 사람들은 다른 사람도 자신의 방식대로 행동할 거라는 생각을 하기 쉽다. 따라서 자신이 화를 참지 못하고 자녀에게 심하게 꾸짖는 것처럼 교사도 그렇게 자기 자녀를 대할지도 모른다는 생각을 할 수 있다. 그래서 더 화가 나고 불만이 생기는 것이다. 이런 오해를 풀기 위해서는 필히 직접 만나 이야기 나누는 것이 최선의 방법이다. 만나서 관계를 회복하는 것이 우선이다.

2. 아이의 생활을 학부모와 최대한 공유하는 상담

학교에서 어떤 사안이 발생하여 가정에 연락하게 되는 경우는 대부분 전화로 하는 경우가 많다. 이때 학부모가 교사를 신뢰하고 같이 대책을 상의하는 경우도 있지만 예민하게 반응하고 심지어는 불쾌하게 생각하는 경우도 없지 않다. 그 전에도 자녀의 잘못된 행동으로 인해 담임교사로부터 그런 류의 전화를 받아본 적이 있는 경우가 많기 때문에 일단 기분이 상하는 것은 당연할 수 있다. 이런 경우 두드러지게 나타나는 현상은 '별일도 아닌데 왜 전화까지 하느냐?', '우리 아이에게만 잘못이 있는 것은 아니다.' 등 일단 방어 태세로 들어간다. 이럴 때는 계속 전화로 이야기하다가는 서로 오해만 생기기 쉽다. 학부모와의 관계가 어긋나게 된다. 서로 얼굴을 보고 이야기하는 것이 아니라 목소리의 톤이나 말투에 서로 상처를 입을 수도 있다. 따라서 학교에 잠깐 나와 달라고 부탁하고 직접 만나 상담을 하는 것이 좋다. 만나서 이야기할 때도 학생의 단점만을 이야기하면 학부모가 더 방어적이게 되고 상처를 입기 쉽다. 작은 장점이라도 찾아 말해주며 학생의 올바른 성장을 위해 같이 협력해야 된다는 것을 강조해야 한다.

여학생들 사이에서 한창 깻잎머리가 유행할 때였다. 깻잎머리란 앞머리를 눈이 거의 보이지 않을 정도의 길이로 빗어 내리는 스타일이다. 여학생 몇 명이 몰려다니며 계속 빗을 꺼내 머리를 빗고 수업 시간에도 거울을 보며 집중을 하지 않았다. 물론 다른 친구들에게도 불편을 주고 있었다. 뾰족하고 긴 빗의 손잡이가 위험하기도 해서 주의를 주었다. 학부모의 협조가 필요해 전화를 했더니 집에서도 여러 가지로 자녀와 갈등이 있어 힘든 상태에 있었던 모양이었다. 그러던 차에 담임교사의 전화를 받게 되니 모든 게 귀찮다는 듯 짜증을 내며 선생님이 알아서 하라고 했다. 물론 그 학부모는 직접 한 번도 만나본 적이 없는 분이었다. 이렇게 마음을 닫고 대화 자체를 꺼리게 되면 일단 한 걸음 물러설 수밖에 없다. 여기에서 서로 이야기하다 보면 서로 감정만 상할 수 있기 때문이다. 이미 그 어머니는 자녀의 여러 가지 문제로 지쳐있었던 차였는데 학교에서 전화가 오니까 뻔히 문제를 알면서도 자신의 감정을 자제하지 못했던 것이다. 집에서 힘드니까 학교에서 다 알아서 척척 지도해주었으면 하는 바람도 없지 않아 있었던 것이다. 학부모가 문제에 직면하기를 꺼려하는 것이다. 가정과 학교, 학생이 함께 가야 하는데 이렇게 되면 문제 해결이 당연히 어렵고 더딜 수밖에 없다.

상담 주간에 학부모가 학교에 와서 제일 먼저 하는 말은 "우리 애 학교생활 어때요?"라는 말이다. 밑도 끝도 없이 물어본다. 교사가 그 질문에 대한 내용을 조목조목 답변하기를 바라면서 말이다. 그 질문에 "정환이가 학교생활에 대해 주로 어떤 점을 집에 가서 이야기하던가요?"라고 물어보면 대부분 아이가 별로 학교 이야기를 하지 않는다고 답한다. 물론 개중에는 정말 학교생활에 대해 시시콜콜 이야기하는 아이도 있지만 대부분의 경우가 그렇다는 말이다. 학부모가 자녀의 학교생활에 대해 매우 궁금하듯이 교사도 학생이 가정에서 어떻게 생활하고 있는지 무척 궁금하고 또 당연히 서로 알아야 한다. 그래서 학부모에게 먼저 자녀가 가정에서 어떻게 생활하고 있는지, 그리고 학부모가 어떤 방식으로 가정교육을 하고 있는지, 또 학교생활에 대해 어느 정도 자녀와 소통하고 있는지에 대해 이야기해달라고 말한다. 이렇게 하면 교사와 학부모가 서로 가정에서의 생활과 학교생활에 대해 자연스럽게 나눌 수 있게 된다. 그렇게 하면서 서로 학생에 대한 이해를 넓혀갈 수 있다.

모든 행동에는 원인이 있다. 학생들의 가정환경, 부모의 양육 태도나 방식은 당연히 자녀의 행동에 영향을 미친다. 이럴 경우 솔직하게 자신의 양육 방식이나 가정교육에 대해 이야기하는 학부모도 있지만 전혀 다르게 이야기하는 경우도 있다. 부끄러워서인지 아니면 밝히고 싶지 않아서인지는 잘 모르지만 실제 학생들과 상담한 것과는 전혀 다르게 말하는 경우도 가끔 있다. 반면 자신의 양육 태도나 방식을 솔직하게 나누는 경우 학생의 문제 해결은 훨씬 빠르다.

2학년을 담임할 때다. 즐거운생활 시간에 만들기나 꾸미기 활동을 하게 되는 경우 미리 과제로 어떻게 할 것인가를 생각해오게 했다. 그러면 한 학생은 꼭 미리 완성까지 해오는 경우가 많았다. 그래서 그 시간에 다시 스스로 만들라고 하면 그 학생은 당황하고 쩔쩔매면서 결국 완성하지 못하는 경우가 많았다. 한번은 A4 용지를 한 장씩 주고 간단한 표를 그리라고 했다. 다른 학생들은 자를 사용하든지 아니면 접어서 하든지 여러 가지 방법을 모두 동원하여 뚝딱뚝딱 해결하는 데 비해 그 학생은 선을 긋다가 지우고 또 긋고를 수십 번 반복하다가 결국 종이를 구겨서 버리며 힘들어했다. 비뚤어지든 말든 스스로 해보아야 하는데 집에서 모든 것을 엄마가 대신해주었던 것이 결국 그런 결과를 낳게 된 것이다. 그 엄마와 상담하면서 학교에서 아주 작은 일 하나에도 두려움을 가지고 스스로 해결하지 못하는 원인이 어디에 있을 것 같은지에 대해 질문했다. 그 어머니는 막내다 보니 혼자 하는 것이 안쓰러워 엄마가 다 해주게 되었다며 이제부터라도 조금씩 손을 떼야겠다고 했다. 학교에서 그 정도일 줄 몰랐다고 하면서. 이 학생의 경우 엄마가 솔직하게 자신의 잘못된 양육 방식을 인정하고 교사와 협력하여 자녀의 행동을 수정할 수 있었다. 요즈음 학부모들의 심각한 대신해주기 현상이 많이 일어난다고 한다. 그렇게 되면 결국 학생은 스스로 할 수 있는 힘을 기를 수 없게 되어 좀 어려운 일만 당해도 바로 낙심하고 좌절하게 되는 것이다.

어느 학급이나 학급 친구들을 불편하게 하고 피해를 주는 학생이 있기 마련이다. 물론 그 경중은 다르겠지만 말이다. 그럴 경우 그 학생 부모님이 그것을 어떤 태도로 받아들이느냐에 따라 학생의 행동은 달라진다. 엄마가 자녀의 행동을 인정하고 양육 방법이나 환경에 문제가 있다는 것을 인지하면서 부모 자신이 먼저 노력하려는 시도를 보이면 문제 해결은 이미 시작된 것이다. 하지만 인정은커녕 왜 자기 자식의 안 좋은 점만 이야기 하느냐고 하면서 도리어 서운하게 생각하는 경우는 참 난감하기만 하다. 게다가 가정에서 학생이 어떻게 행동하는지 솔직하게 이야기하지 않고 거짓으로 꾸며 이야기하는 경우도 있다. 아무런 문제도 없다는 식으로 말이다. 학생의 말로는 부모가 매우 심하게 처벌한다고 하는데 부모는 그런 일 없다고 말하는 경우도 있다. 또 이런 부류의 학부모들은 피해 의식을 가지고 있어 자기 자녀의 행실이 여기저기 다른 사람에게 알려지는 것을 무척 두려워하는 나머지 예민하게 반응하기도 한다. 담임교사한테도 자기 자녀의 행동에 대해 인정하기보다는 다른 학생을 끌어들이면서 구실과 핑계를 대기도 한다. 담임과 학급 친구들이 아무리 노력한다 해도 가정에서의 협력이 없으면 결과는 뻔하다. 가정에서 먼저 가족끼리 상호 존중하는 가운데 누구한테도 피해를 주어서는 안 된다는 것을 확실히 가르쳐야 하는데 이미 가정에서 '상호 존중'이 이루어지지 않고 폭력이 행사되면 아이들은 문제가 발생했을 때 본 대로 행동할 수밖에 없다.

한번은 국어 시간에 꾸며주는 말을 배우고 나서 '집과 학교, 부모님, 선생님을 꾸며주는 말 생각해오기'라는 숙제를 내주었다. 한 남학생이 알림장에 쓰면서 '나쁜 집'이라고 중얼거렸다. 이유를 물으니 엄마는 자기를 때리고 아빠는 자기와 잘 놀아주지 않는다고 했다.

긍정적인 학부모가 긍정적인 학생을 만든다. 대화보다는 처벌을 주로 하는 부모 밑에서 자라는 아이는 늘 위축되고 자기 자신을 잘 수용하지 못한다. 부모로부터 긍정과 사랑을 받는 아이는 스스로를 좋아하게 되고 다른 친구들을 괴롭히지 않는다. 부모의 생각과 태도가 학생에게 미치는 영향은 두말하면 잔소리이다. 아이를 변화로 이끄는 힘은 부모의 실천에 있다. 부모와 자녀의 관계를 먼저 생각해보게 하는 것이 중요하다. 즉 관계 회복이 먼저인 것이다. 부모의 잘못된 가치관과 방법은 아이들을 잘못된 방향으로 이끌 수밖에 없다. 그럴 경우 학교에서 아무리 노력을 해도 행동 수정이 힘들다. 그러므로 부모가 자신의 양육 태도나 가정환경을 살펴보고 학교와 협력하여 자녀를 지도할 수 있도록 해야 한다. 이와 같은 이유로 교사도 학부모와 함께 지도해야 되는 것이다. 대부분의 문제행동의 뿌리는 가정에 있기 때문에 학교에서 아무리 노력한다 해도 제대로 해결할 수 없다. 반드시 학부모에게 알리고 함께 노력해줄 것을 요청한다. 그러나 학부모가 인정하지 않고 도리어 빙어적이 된다면 학교에서 할 수 있는 범위 안에서밖에 할 수 없다.

요즈음 '마을이 학교다'라는 말을 많이 한다. 가정에서는 물론 지역사회가 모두 부모의 마음이 되어 같이 돌보자는 뜻이다. 한 아이를 키우려면 온 마을의 노력이 필요하다. 그러므로 학교, 가정, 지역사회가 같이 교육에 동참해야 된다.

3. 아이들에게 내주는 숙제도 학부모 입장에서

1학기를 학습 연구년으로 보내고 2학기에 교과 담당 교사로 복귀했을 때였다. 9월 초라 학생들 이름도 다 외우지 못하고 관계도 제대로 맺지 못한 상태라 마음이 답답할 때였다. 한 학급에 들어가서 수업을 막 시작하려고 할 때 어떤 학생이 물었다.

"숙제 검사 안 해요?"

"숙제 검사를 지금 꼭 해야 될까?"

학생들에게 물어보니 그 전에 가르쳤던 선생님은 수업을 시작하기 전에 숙제 검사를 하고 도장을 다 찍어준 다음에 수업에 들어갔다는 것이다. 교사가 숙제를 내주고 검사를 하고 또 안 해온 학생들을 어떻게 해야 하는가는 곧 교사의 숙제가 된다. 모든 학생이 주어진 숙제를 잘해오면 더할 나위 없이 좋겠지만 나름대로 사정이 있을 수 있다. 모든 학생이 숙제를 다 해와야 한다는 강박관념에서 일단 벗어나야 한다. 100% 숙제를 다 해오게 하는 것이 교사의 능력은 아니라는 것이다. 만약 숙제를 안 해왔으면 학생 스스로 해결 방법을 생각해보게 하면 된다.

"숙제 혹시 안 해온 사람 있나요?"라고 부드럽게 말했더니 5~6명이 일어섰다. 두세 명은 별로 개의치 않는다는 표정으로 일어서고 나머지는 조금은 미안한 듯한 표정으로 일어났다. 여기에서 '혹시'라는 말을 사용한 이유는 어떤 사정이 생겨서 부득이하게 못 해온 사람이 있느냐라는 뜻을 전달하기 위해서였다. 분명히 나름대로 이유가 있을 것 같아 이유를 들어보았다. 꾸중을 할 줄 알았는데 부드럽게 이유를 대라고 하니 학생들은 약간은 당황한 듯 말했다. '깜박해서', '학원 숙제가 많아서', '했는데 집에 놓고 와서', '공책이 없어서', '그냥' 등의 다양한 이유를 말했다. 이유를 다 듣고 나서 그 학생들에게 자신이 그 문제를 해결하기 위해 어떻게 할 것인가에 대해 잠시 생각해보고 이야기하라고 했다. 선생님께 꾸중을 들을 줄 알았는데 이유를 다 들어주니까 좀 미안한 마음이 들었는지 진지하게 해결 방법을 생각하고 있었다.

한 남학생이 "오늘 집에 가기 전에 다 해서 교과실로 가져갈게요."라고 했다.

"응, 좋은 생각이네."

다음 학생은 "이 시간 끝나기 전까지 할게요."

"와, 그러면 더 좋지."

"전 공책부터 살게요."

"그래? 공책이 없으면 공책부터 준비하는 것이 우선이지. 선생님이 영어 공책 많이 가지고 있으니까 한 권 줄게."

이런 식으로 스스로 선택한 해결 방법을 이야기하니까 '그냥' 이라는 이유를 대며 습관적으로 숙제를 안 해오던 학생도 집에 가기 전까지 하겠다는 약속을 했다.

선택을 하게 했을 때 존중받는 느낌을 갖게 된다. 또 자신이 선택한 것에 대해 책임감을 느낀다. 누구를 위한 숙제인지를 알고 스스로 해결할 수 있는 방법을 생각할 수 있게 할 필요가 있다. 가정에서 부모님이 일일이 체크하는 것도 쉽지 않다. 가정에서나 학교에서 스스로 점검하는 자기 주도적 습관을 정착시키는 것이 중요하다. 또 저학년일 경우 서툴면 서툰 대로 스스로 할 수 있도록 해야 한다. 엄마가 거의 다 해주는 경우 학생은 계속 의지하게 되고 학부모는 점점 숙제에 대한 부담감이 커질 수밖에 없다. 그러다가 결국 숙제가 어렵다느니 아니면 숙제가 많다느니 하는 불만이 나오는 것이다.

숙제를 제시할 때는 먼저 숙제의 분량이나 난이도를 생각해보아야 한다. 학원 숙제에다 가정에서 하는 학습지까지 해야 하는 학생들은 학교 숙제가 큰 부담이 될 수밖에 없다. 학교 숙제는 신경도 안 쓰면서 학원 숙제를 학교에서 버젓이 풀고 있는 학생도 쉽게 볼 수 있다. 개인차가 있기 때문에 숙제를 해결하는 데 걸리는 시간은 학생들마다 다를 수밖에 없다. 보통 정도의 학생을 기준으로 숙제의 수준을 맞추면 무리가 없을 것이다.

한번은 낱말 4개를 제시해주고 그 낱말 앞에 꾸며주는 말을 생각해오는 것을 숙제로 내주었다. 그때 한 학생이 "더 해도 되요?"라고 질문했다. "와, 역시! 물론이지. 자기가 하고 싶으면 얼마든지 더 해도 돼요." 그 전날 책상을 새로 샀는데 그 책상이란 낱말 앞에 꾸며주는 말을 붙이고 싶다는 것이다. 이런 분위기가 되면 그 학생과 라이벌인 학생들이 좀 술렁이기 시작한다. 역시 다른 몇 명이 "나도 더 해야지."하며 자발적으로 숙제의 양을 결정했다. 이런 분위기가 되면 더할 나위 없이 좋은 것이다.

또 교사가 숙제를 내줄 때 내가 학부모라고 입장을 바꿔 생각해보고 내주면 무리가 없을 것이다. 학부모의 입장이 되었을 때 자녀의 숙제에 관련하여 힘들었던 경험을 떠올리면 과제 제시에 대해 어느 정도 기준이 설 것이다. 학부모의 경험이 없는 교사라면 학부모라고 가정하고 생각해보면 되지 않을까. 일단 학부모의 도움이 전적으로 필요한 숙제는 바람직하지 않다. 도움을 줄 수 있는 경우도 있지만 그렇지 못한 경우도 많기 때문이기도 하지만 설령 도움을 주었다고 해도 과제에 대한 부담으로 불만의 소지가 크다. 또 금요일에는 아주 특별한 일이 없는 한 숙제를 내주지 않는 것이 좋다. 주말에 가족과 시간을 보내는 데 집중하라는 뜻이다. 부득이하게 그런 형편이 못되는 경우가 있더라도 주말만이라도 충분한 휴식을 취하고 오라는 것이다. 우리 반에서는 '주말 보람 있게 보내기'라는 금요일 알림장의 내용을 알고 미리 써 놓는 학생들도 많다.

숙제가 필요할 경우 생각해오는 숙제를 내주는 것도 좋은 방법 중의 하나이다. 그렇게 하면 학생들이나 학부모에게도 별로 부담이 없다. 분명 생각해오라고만 했는데 몇몇 학생들은 스스로의 필요에 의해 메모를 하거나 공책에 정리를 해오는 경우가 많다. 또 정말 생각을 해왔는지 그렇지 않은지는 그 다음날 발표할 때 다 표시가 난다. 진지하게 생각해온 학생은 벌써 표정부터 다르다. 자신 있게 손을 들고 자신의 의견을 발표한다. 당연히 좋은 아이디어가 나온다. 안 해온 학생은 그런 친구들의 모습을 보고 긍정적인 자극을 받게 된다. 안 해오고도 해 왔다고 할 수도 있지만 의견 발표에서 벌써 그 차이가 확연하게 드러난다. 언젠가 '남은 특별급식 처리 방법 생각해오기' 숙제가 있었을 때 한 학생이 엄마와 같이 생각해보았다며 '푸드 뱅크'라는 말을 자랑스럽게 말한 적이 있었다. 그 학생은 그것을 발표하기 위해 그 날 아침부터 회의 시간을 엄청 기다리고 있었다. 또 한번은 리코더 지도에 탁월한 능력을 가진 후배 교사에게 특강을 부탁한 적이 있다. 후배가 1학년을 담임하고 있던 때라 우리 반 5교시에 시간을 낼 수 있었다. 고맙게도 선뜻 응해줘서 우리 반 학생들에게 아주 귀한 시간을 선물할 수 있었다. 그때도 그 후배한테 어떤 질문을 하고 싶은지 미리 생각해오라는 숙제를 내준 적이 있다. 그 다음 날 리코더 특강을 듣고 난 후 학생들은 미리 준비해온 질문을 하며 아주 흐뭇해하던 일이 생각난다.

생각하는 숙제는 가정학습에 부담되지 않고 사고력도 신장시킬 수 있어 좋다. 그동안에 제시했던 '생각하는 숙제'의 예에는 다음과 같은 것들이 있다.

- 평화롭고 행복한 교실을 만들기 위해 꼭 지켜야 할 일 2가지 이상 생각해오기
- 생활 공책 이름 생각해오기
- 자기 별칭 생각해오기
- 지구를 구하는 방법 2가지 이상 생각해오기
- 준비체조 2가지 이상 생각해오기

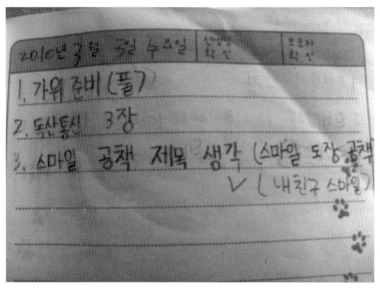

공책 제목 생각해오기 숙제

- 미술 시간에 만들 것의 모양 미리 생각해오기
- 짝 장점 2가지 이상 생각해오기
- 우리 학교 자랑 2가지 이상 생각해오기
- 월드컵 공원에서 알아보고 싶은 점 2가지 이상 생각해오기
- 남은 특별급식 처리 방법 생각해오기
- 미션 활동에서 모둠의 문제점 생각해오기
- 특강 선생님께 할 질문 한 가지 이상 생각해오기

5장

모든 문제를 해결하는
학급회의

1. '우리 반 일은 우리 스스로 해결해요!'

학생들은 학급 구성원이 모두 참여하는 학급회의의 절차를 통해 민주적 의사결정 방식을 경험하게 된다. 학급회의의 목적은 학생들이 학교생활에 대한 자신의 의견을 제시하고 그들의 바람이나 요구를 제안함으로써 학교생활의 개선을 목적으로 한다. 또 중요한 사안이나 문제에 대해 같이 의논하는 시간을 가짐으로써 학급에서 생길 수 있는 분쟁이나 사건을 미리 예방할 있는 중요한 시간이기도 하다.

학급 규칙을 정하는 것에서부터 시작하여 공책 제목 정하기, 갈등 해결, 어떤 제안에 대한 협의 등 학급에서 일어나는 모든 사항에 대한 결정을 학생들이 주체가 되어 한다. 어떤 결정이 잘못 되었다고 생각되거나 규칙이 계속해서 지켜지지 않을 경우 결국 불편한 것은 학생들 자신임을 알고 그것을 스스로 해결하려는 시도를 자발적으로 할 수 있도록 한다. 학급회의 동안 학생들은 구두로 표현하면서 자신들의 생각을 정리하고 남을 설득하는 발표력과 표현력을 기를 수 있다.

또 학교생활을 하면서 느끼는 불편함이나 친구들에게 부탁하고 싶은 말, 협의가 필요한 일 또는 칭찬해주고 싶은 일이 있으면 언제든지 벽면의 게시판에 실명으로 써 붙일 수 있게 한다. 거기에 적힌 내용을 바탕으로 토의 주제를 정하고 학급회의를 개최한다. 만장일치가 가장 이상적이지만 때로는 다수결의 원칙을 따르기도 한다. 이렇게 함으로써 학급에서 일어나는 여러 가지 일들에 대해 서로 이야기를 나누고 개선할 수 있게 된다. 학생들은 어떤 의견이든지 자유롭게 발표하고 서로의 의견에 대해 비난이나 평가보다는 근거가 있는 이의를 표현하는 법을 배운다. 이러한 활동을 통해 학생들은 학급의 주체로서 자부심을 갖게 되며 모든 결정은 학생들 스스로 할 수 있다는 확신도 갖는다. 이러한 활동은 학습에도 이어져 자발적이고 책임감 있는 학생으로서 성장하게 된다.

시간이 오래 걸려도 결정은 학생들의 힘으로 해야 된다. 학급회의를 하는 데 드는 시간은 학생들의 삶에 아주 중요한 투자라고 할 수 있다. 충분히 투자할 가치가 있다. 어떤 문제가 발생했을 때 교사가 벌칙을 주거나 지시하기보다는 학생들이 그 문제에 대해 더 깊이 의식하는 것이 중요하다. 3월 초 이런저런 회의를 많이 하게 되니까 한 남학생이 일기장에 "최악의 한 주였다."라고 쓴 적이 있다. 모든 것을 교사가 다 정해주고 그저 거기에 따라가는 것에 익숙했던 학생이 학급의 주체가 되어 생각하고 협의하며 결정하는 과정을 겪다 보니 엄청 힘이 들었었나 보다. 평소에 게임을 즐겨하고 혼자 만화책을 자주 보던 학생이었는데 친구들과 함께 서로 소통하며 자신의 의견을 나누는 것 자체가 무척 부담스럽고 하기 귀찮은 것이라고 생각되었던 것이다. 학년 초 많이 힘들어하고 짜증내던 그 학생도 나중에는 분위기에 익숙해져 잘 적응해나가는 모습을 볼 수 있어 다행이었다.

학생들이 '제안해요'와 '칭찬해요'라는 학급 게시판에 쓴 글의 예를 들어보면 다음과 같다.

- 저는 준수가 자꾸 저의 일에 참견을 하여 불편합니다. (송하나)
- 저는 걸레 당번인데 우리 반 친구들이 걸레를 다 말린 다음 걸레 바구니에 넣어 주었으면 합니다. (김민수)
- 2분단 친구들을 칭찬합니다. 모두를 존중하며 미션을 해결하는 모습이 참 훌륭합니다. (선생님)
- 저는 영찬이를 칭찬합니다. 왜냐하면 제가 휴대폰을 걷지 않아도 스스로 내기 때문입니다. (서준영)
- 저는 우리 반 친구들을 칭찬합니다. 이제 걸레 바구니에 걸레를 잘 넣기 때문입니다. (박준서)

학생들은 학교생활을 하면서 협의가 필요한 일이 있으면 언제든지 제안하여 회의를 할 수 있다. 학생들이 그동안 협의했던 의제 몇 가지를 들어보면 다음과 같다.

- 현장학습 갈 때 차에서 누구랑 앉을 것인가?
- 현장학습 갈 때 학급별로 차량 1대가 배정되지 않을 경우 어떻게 나눠 타야 하나?
- 다른 선생님들이 우리 반 수업을 참관하러 오시는 것에 대해 어떻게 생각하나?
- 모둠에서 다른 친구들이 이끔이에게 협조를 하지 않을 때 어떻게 할 것인가?
- 특별급식이 남았을 경우 어떻게 처리할 것인가?
- 사물함을 제대로 정리하지 않는 사람이 많은데 그 대책은?
- 공부 시간에 모둠 친구들과 떠들어 다른 사람을 방해하는 친구들을 어떻게 할 것인가?
- 아침 축구를 하고 싶은데 어떻게 할 것인가?
- 지각하는 친구들을 어떻게 하면 좋을까?
- 2월 학급 마무리 행사로 어떤 활동을 할 것인가?
- 복도에 토해놓은 오물을 어떻게 처리할 것인가?

2. '급식에 남은 돈가스를 어떻게 하지?'

급식에 관련하여 했던 학급회의가 생각난다. 그러니까 4학년

'칭찬해요' 게시판과 '제안해요' 게시판

담임을 맡았던 해의 3월 첫째 주로 기억된다. 그날 점심시간 배식
이 끝나자 한 아이가 남은 돈가스 하나를 가져왔다. 선생님 드시
라면서 자연스럽게 내밀었다. 난 바로 먹지 않겠다는 의사를 밝혔
다. 하나로 충분하다고 말했다. 그 아이는 머리를 갸우뚱거리면서
아이들 중 누구를 뽑아서 주라고 했다.

"선생님은 뽑을 수 없는데 어떡하지?"

내 말을 들은 학생이 난감해했다. 그러더니 '규칙을 잘 지키는
아이', '오늘 칭찬을 들은 아이' 등 나름대로 기준을 대며 그런 친구
들한테 주라고 했다. 내가 계속 그럴 수 없다고 하자 결국 어이없
다는 표정을 지으며 어쩔 줄 몰라 했다.

"어떻게 처리할 것인지 회의를 해보는 것이 어때?"

나의 제안에 따라 장장 4시간에 걸친 학급회의가 시작되었다.
안건은 '남은 특별급식 처리 방법'이었다. 여기서 '특별급식'이란

아이들이 직접 만든 단어로서 국이나 밥, 나물 등이 아닌 아이들이 좋아하는 돈가스, 핫도그, 만두 등을 지칭한다. 이렇게 시작한 학급회의는 4주에 걸친 창체 시간을 모두 사용해야 했다. 그만큼 아이들에게 아주 예민하고 중요한 사안이었기 때문이다. 처음엔 의결 방법으로 만장일치를 사용하기로 하였지만 도저히 결정이 나지 않자 결국 다수결로 결정하자는 의견을 만장일치로 통과시켰다. 역시 학생들의 생활과 직접 연관이 있는 안건이라 그런지 얼마나 의견이 팽팽하게 대립되던지…….

'출석 번호 순으로 먹자'라는 의견에서부터 심지어는 '스마일을 경매하자'라는 비장한 의견까지 다양한 의견이 나왔다. 여기서 '스마일'이란 우리 학급에서 시행하는 아이들만의 자기 보상 방법이다. 스스로 목표를 달성하였다거나 봉사를 했을 때 자신이 스마일 도장을 찍고 왜 찍었는지 사유를 적으면서 자기 자신을 칭찬하는 제도이다. 이렇게 받은 스마일을 다시 반납하고서라도 돈가스 하나를 먹겠다는 것이다. 경매라는 말에 깜짝 놀란 나도 발언권을 얻어 의견을 냈다. 스스로를 칭찬해서 받은 스마일을 다시 반납하는 것은 다시 한번 생각해보는 것이 어떻겠느냐는 의견을 내었더니 다행히 많은 학생들이 공감하는 분위기였다.

두 번째 회의가 끝나던 날 숙제는 '특별급식 처리 방법 생각해오기'였다. 그 다음 회의 시간에 한 학생이 자신 있게 의견을 발표했다. 엄마랑 이야기해보았는데 '푸드 뱅크'라는 곳에 보내면 된다고 말했다. 그 학생의 말이 끝나기가 무섭게 학생들의 이의가 쏟아졌다. 돈가스 하나 가져가라고 차 부르냐고 하면서……. 그날도 회의록에 '약속된 시간이 다 되어 결론을 못 내림.'이라고 기록할 수밖에 없었다.

세 번째 회의가 있던 날 결국 한 아이가 이런저런 과정을 참기 힘들었던지 짜증을 내면서 말했다.

"저는 이렇게 시간 낭비하지 말고 그냥 다 버렸으면 좋겠습니다."

이 말에 학생들은 그 아까운 것을 왜 버리느냐고 하면서 반론이 대단하다.

결국 장장 4시간에 걸친 회의 끝에 구체적인 결론이 나왔다. 특별급식이 남았을 경우 지원자가 손을 들고, 남은 음식의 개수보다 지원자가 많을 경우엔 어떻게 한다는 등 아주 세세한 원칙을 세워 결정했다. 지원자가 많을 경우엔 대기자 명단까지 등장했다. 그 이후 '남은 특별급식'은 학생들이 스스로 정한 그 세세한 규칙에 따라 잘 처리되었다.

이러한 사례에서 보듯이 학급 구성원이 모두 참여하는 학급회의를 통해 학생들은 민주적 의사결정 방식을 경험할 수 있다. 학생들이 학교생활에 대해 자신의 바람이나 요구를 제안하고 그런 사안들을 민주적으로 결정하는 경험도 갖게 되는 것이다.

남은 급식을 어떻게 처리해야 하는지에 대한 회의는 학생들이 스스로 주인이 되어 그들의 문제를 해결해보는 정말 귀중한 경험이었다. 그 4시간은 어떤 수업보다도 진지하고 의미 있었으며 아이들이 성장하는 계기도 되었다.

그 시간 이후 우리 반에서는 아주 작은 사안이라도 학급회의를 통해 아이들이 직접 결정하고 그것에 대한 책임을 지게 되었다. 아이들을 믿고 그들의 문제를 그들 스스로 해결할 수 있도록 시간을 주는 것은 결코 시간 낭비가 아니다. 물론 시간은 많이 소요되나 교사가 생각하는 것 이상으로 좋은 결론들을 내리곤 한다. 다양한 협의 활동을 통하여 민주적으로 학급 문제를 해결하는 과정을 통하여 활발한 소통이 이루어지고 자연적으로 평화로운 학급이 될 수 있다. 어떤 사안이 발생했을 때에도 학생들이 우리 반 일이라고 생각하여 적극적으로 협의하여 해결하게 되기 때문에 교사와 학생 간의 불필요한 언쟁도 없다. 교사는 그저 학생들을 신뢰하고 촉진자로서의 역할만 하면 되는 것이다. 학급에서 일어나는 모든 일에 대해 주인이 되어 다양한 의견을 내고 합리적인 방법으로 문제를 해결해나가는 아이들 덕분에 교사는 정말 자유로울 수 있다. 학생들은 스스로 주인이 될 때 진지하게 고민하게 된다. '우리 반의 이 일을 어떻게 하면 좋을까?' 라고.

거의 4차례에 걸친 열띤 협의 끝에 겨우 다수결로 결정을 내렸던 '남은 특별급식 처리 방법' 에 관한 협의 내용을 소개하면 다음과 같다.

남은 특별급식 처리 방법

협의 주제	남은 특별급식 (돈가스, 핫도그, 파인애플, 만두 등) 처리 방법
학생들의 의견	- 선생님 드리기 - 출석 번호대로 돌아가며 먹기 - 그 날 반찬 배식 당번이 먹기 - 가위바위보로 정하기 - 선생님이 모범생을 뽑아 그 학생에게 주기 - 급식실에 말하여 남는 것 없이 달라고 하기 - 아침 자습을 잘한 사람 친구들이 뽑아서 주기 - 급식 시간에 잘한 학생 투표해서 주기 - 복지관에 가져다 주기 - 아침 독서 시간에 잘 한 사람 회장이 뽑아서 주기 - 퀴즈를 내서 맞힌 사람에게 주기 - 다른 반에 주기 - 스마일을 경매하기 - 규칙 잘 지킨 사람 주기 - 그냥 버리기 - 푸드뱅크에 보내기 - 옆 반 선생님 냉장고에 보관했다가 나눠 먹기 - 봉사 지원자를 뽑아서 주기
결정된 내용	학급 봉사를 희망하는 사람이 그 음식을 먹고 남은 음식 개수보다 희망자가 많을 경우 출석 번호 순으로 먹는다. 그 날 먹지 못한 나머지는 대기자로 칠판 옆에 써 놓는다. 다음번에 음식이 남을 경우 그 대기자가 우선적으로 먹고 봉사를 하면 된다.

3. '아침 축구를 하고 싶어요!'

4학년을 담임할 때다. 남학생 2명이 말했다.

"선생님, 아침 축구 해도 돼요?"

"그래? 친구들에게 한번 물어봐."

여기서 친구들이란 학급 구성원 모두를 의미한다. 아침 자습 시간에 축구를 하는 것은 나머지 학생들에게 영향을 끼칠 수 있는 일이기 때문에 당연히 학급 친구들의 의견을 물어야 되는 것이다. 곧바로 학급회의가 진행되었다. 학생들 대부분의 의견은 아침 독서 시간에 늦지 않게 들어올 수만 있다면 크게 문제 삼지 않겠다는 것이었다. 그 당시 우리 반에서는 8시 50분부터 9시까지 아침 독서를 하고 있었다. 반 친구들의 동의를 얻은 후 바로 다음 날부터 '아침 축구'는 시작되었다.

고정 멤버 4~5명이 정말 꾸준하게 아침 축구를 했다. 남자 아이들 거의 다 뛰어나갈 것 같지만 그렇지 않다. 아침 일찍 그만한 시간을 투자할 만한 노력과 의지가 없으면 안 되는 일이기 때문이다. 그러므로 많은 학생이 참여하면 어쩌나 하는 걱정을 미리 할 필요는 없다. 참가한 학생은 최대 10명을 넘지 못했다.

아침 축구를 시작한지 한 달 정도 되었을 때다. 교실에 들어오는 시각이 점점 늦춰지기 시작했다. 게다가 숨을 헉헉 몰아쉬며 땀까지 뻘뻘 흘리면서 들어왔다. 심지어는 자기네들 덥다고 선풍기까지 트는 상황이 발생하였다. 다른 친구들은 모두 조용히 아침 독서를 하고 있는데 문 열고 들어오는 소리, 숨 몰아쉬는 소리, 선풍기 바람 소리 등 여러 가지로 불편을 끼치고 있는 것이다. 아니나 다를까 바로 제안이 들어왔다. 아침 축구 하는 것을 다시 한번 생각해보아야겠다는 것이다. 다시 회의를 했다.

"아침 축구 하는 아이들 때문에 너무 불편합니다. 아침 축구를 계속 하게 해야 할지에 대하여 의견 주세요."

아침 축구를 하는 학생들은 모두 긴장하는 눈치였다. 혹시 못하게 되면 어쩌나 하며 걱정하는 눈빛이 역력했다. 그러나 아침 축구하는 친구들의 축구 사랑에 대해 충분히 알고 있기에 많은 학생들은 한 번만 더 기회를 줘 보자는 의견이었다. 혹시라도 친구들의 반대로 아주 못하게 될까봐 걱정하던 아침 축구 멤버들은 안도의 숨을 쉬었다. 또 학급 친구들의 넉넉한 마음에 매우 감동한 눈치였다. 다음부터는 절대로 불편을 끼치지 않겠다고 진심을 다해 약속을 했다.

그 이후 아침 축구 멤버들은 확 달라진 모습을 보여주었다. 화장실에서 숨을 일단 고르고 난 후 문도 살살 열고 들어왔다. 발걸음 소리도 최대한 줄이는 노력을 보였으며 더 기특한 것은 땀을 흘리면서도 선풍기를 안 틀고 자신들의 옷소매로 쓰윽 닦아내는 것이었다. 친구들의 의견을 존중하고 학급에서 결정된 사항을 자발적으로 실천하는 모습이 예뻤다. 그 해 가장 추웠던 영하 14도까지 내려가던 날도 어김없이 아침 축구는 계속되었다. 아침 축구 멤버 중 한 학생은 조부모와 함께 살면서 이런저런 스트레스가 많았던 학생이었는데 축구를 통해서 그 스트레스가 분명 많이 해소되었을 것이라 확신한다.

4. '복도에 토해 놓은 오물을 어떻게 처리할까?'

1996년 3학년을 담임할 때의 일이다.

"선생님, 우리 반 복도에 누가 토해놨어요."

엄청난 일이라도 벌어진 것처럼 황급히 알린다. 복도에 나가보니 누군가 급히 화장실을 가다가 못 참고 토해버린 모양이었다. 토한 오물에서 역한 냄새가 진동을 하고 있었다. 순간 생각했다. '어떻게 치울까? 그냥 내가 혼자 치워? 그럼 학생들은 이 일은 당연히 선생님이 처리해야 할 일이라고 생각하지 않을까?'

이럴 땐 고민하지 말고 일단 학생들에게 묻는 것이 최선의 방법이다.

"저것을 어떻게 하면 좋을까?"

제일 먼저 나온 의견은 망설임 없이 반장이 치워야 된다는 것이었다.

"모두 그렇게 생각하나요?"라는 질문에 좀 더 곰곰이 생각하더니 '임원', '그 날 당번', '복도 1인 1역' 등이 치워야 한다는 의견이 나왔고 급기야는 토해놓은 아이를 찾아서 그 아이에게 치우게 해야 한다는 말도 나왔다. 여러 가지 의견을 주고받는 중에도 머릿속에는 복도에 그냥 방치되어 있는 오물이 계속 신경 쓰였다. 그래도 수업 시간이라 복도로 통행하는 사람이 없다는 것 자체가 그나마 다행이었다.

반 친구들이 오물을 치울 의무가 있다고 말한 임원이나 그 날 당번, 복도 1인 1역 담당자들은 그 의견에 대해 전적으로 동의하지 않는 눈치였다. 어떤 결정이 이루어질까 고민하던 중 다행히도 한 학생이 용기 있게 자신이 치워보겠다고 자청을 했다. 그때 그 학생의 자발적인 신청이 없었다면 어떻게 되었을까? 항상 느끼는 것이지만 다행히도 결정적인 순간에 꼭 누군가가 나온다는 것이다. 뜻밖의 자발적인 지원에 학생들의 얼굴은 갑자기 놀라움과 함께 용기 있는 친구에 대한 고마움으로 가득 찼다.

"와, 정말 용기 있는데. 선생님도 도와줄게요."

용기 있는 한 학생의 자발성에 교사가 같이 참여하겠다는 의사를 밝히자마자 갑자기 여기저기서 자기들도 돕겠다고 신청이 쇄도했다. 오물 치우는 일에 참여를 안 하면 왠지 우리 반 소속이 아닌 것 같은 생각이 들 정도의 분위기가 조성된 것이다. 한 명의 용기 있는 발언이 이렇게 많은 학생들의 마음을 움직일 줄이야……. 학생들이 그 일을 한 개인의 일이 아니고 학급의 일이고 모두가 의논해서 해결해야 할 일이라고 생각하게 된 것이 다행스럽고 기뻤다.

"그럼 어떤 방법으로 치울까?"

머릿속엔 '어휴, 휴지 엄청 사용하겠네.'라는 생각이 가득했지만 그래도 학생들의 의견을 묻는 것이 좋을 것 같아 별 기대도 하지 않고 물었다. 이때 한 학생이 말했다.

"빗자루로 쓸어 담아요."

순간 '그럼 그 오물 묻은 빗자루와 쓰레받기는 또 어떻게 처리해?'라는 생각이 들었다. 하지만 일단 좋은 아이디어라고 칭찬을 해주면서 그 의견을 수용했다.

"좋은 생각이네요. 그럼 그 쓰레받기와 빗자루를 닦아야 할 텐데……."

이때 또 다른 학생이 손을 번쩍 들었다. 평소에 학습능력이 그렇게 뛰어나지 않고 학급 일에 별로 나서지 않던 학생이었다.

"비닐봉지를 빗자루와 쓰레받기에 씌우면 돼요."

와! 정말 기발한 생각이었다. 빗자루와 쓰레받기에 봉지를 씌우고 처리한 뒤 그 봉지를 뒤집어서 버리면 된다는 것이었다. 그 학생의 말에 반 학생들은 모두 "와!" 하며 아이디어가 놀랍다는 기색이었다. 그런 생각을 어떻게 했느냐고 물었더니 떡볶이 집에서 접시에 비닐을 씌워 사용하는 것을 보았다는 것이었다.

학생들과 이런저런 협의를 하면서 항상 느끼는 것은 학생들은 생각보다 훨씬 아이디어가 풍부하고 나름대로 놀라운 해결 방법을 제시한다는 것이다. 따라서 교사가 혼자 고민할 필요가 없는 것이다.

"와, 아이디어 진짜 멋진데요. 그런데 비닐이 없는데 어떡하지?"

이 말이 끝나기 무섭게 여러 학생들이 사물함에 넣어두었던 것이 있다고 하며 잽싸게 가져왔다. 이제 모든 준비가 다 끝났다. 복도에 나가 그 오물을 치우기만 하면 되는 것이다. 모두 복도에 나가 결정된 방법대로 오물을 치우고 있는데 누군가가 시키지도 않았는데 화장실에서 대걸레를 가져다 마지막 정리까지 하고 있었다. 누구 하나 오물의 악취에 얼굴을 찡그리지 않는 것이 신기할 정도였다.

복도에 토해 놓은 오물 치우는 일이 냄새 나서 피해야 하는 일, 임원이나 당번 아니면 선생님이 치워야 될 일이 아니라 학급에서 의견을 모아 모두가 함께 해결해야 할 일로 생각하는 순간 표정이 바뀌고 행동이 바뀌는 것을 직접 체험할 수 있었다.

"너희들 정말 멋져!"라는 칭찬에 모두 흐뭇해하던 모습이 생생하다.

학생들은 항상 그들 나름대로 문제에 대해 멋진 해결책을 가지고 있다. 그래서 교사는 늘 학생들에게 스스로 해결할 수 있도록 협의의 장만 마련해주면 된다. 그렇게 함으로써 서로 소통할 수 있는 기회를 갖고 해결의 기쁨을 경험할 수 있다. 그것이 곧 배움이고 성장인 것이다.

5. '다른 반 선생님이 우리 교실에 수업 보러 오셔도 될까?'

"부장님, 수업 보러 가도 돼요?"

발령받은지 3개월 정도 된 남자 후배 교사가 조심스럽게 물었다. 후배들에게 수업을 참관하게 하는 것이 어떻겠느냐는 교감 선생님의 말씀도 있었고 그렇게 함으로써 나 또한 성장하는 기회가 될 듯싶어 흔쾌히 승낙했다.

대부분의 학생들은 누가 교실에 참관하러 오는 것을 은근히 자랑스러워하고 뿌듯해한다. 하지만 분명 그것을 부담스러워하는 학생도 있을 수 있기 때문에 학생들의 의견을 묻는 것이 당연하다는 생각을 했다. 그것이 그들을 전적으로 존중해주는 것이기도 하기 때문이다.

"6학년 도덕 선생님이 너희들 공부하는 것 보러 오신다는데 어떻게 생각해?"

그 전에 교육청 주관으로 하는 수업 공개를 할 때 몇 십 명의 손님이 우리 반 수업을 참관한 적이 있었다. 그래서 그런지 학생들은 누가 뒤에서 수업 보는 것을 그렇게 신경 쓰지 않는 듯했다. 도리어 스스로를 자랑스러워하고 수업이 끝난 후 참관 선생님들의 칭찬을 즐기기까지 하는 듯했다. 그런데 한 남학생이 손을 번쩍 들었다.

"저는 다른 반 선생님이 우리 반에 오는 것이 싫습니다."

모두 다 찬성할 거라고 기대를 했던 학생들은 처음에는 놀라는 표정을 짓더니 바로 질문을 던지기 시작했다.

"진현이 친구는 왜 싫습니까?"

"저는 다른 반 선생님이 오시는 것이 피곤합니다."

3학년 학생들이 쉽게 사용하지 않는 '피곤하다'라는 단어를 사용하며 무표정하게 대답했다. 이 학생은 보통 때 혼자 책 읽는 것을 즐겨서 상식은 매우 풍부한데 친구들과 자주 충돌하고 자기중심적인 경향이 강한 학생이었다. 유리를 닦다가 화가 난다고 유리

세정제를 친구에게 뿌리는 등 감정 조절을 잘하지 못하고 늘 욕구 불만이 가득했다. 위험한 일인 줄 몰랐느냐고 했더니 '너~무 짜증이 나고 화가 나서 그랬다.'라고 하면서 물결표까지 써가며 자신의 화를 강조했던 학생이다. 그러다 보니 학급 일까지 신경 쓸 여유가 없는 것이다.

"무엇이 피곤합니까?"

"자세를 바르게 하는 것이 피곤합니다."

이 대답이 끝나자마자 다른 학생들은 어이없다는 표정을 살짝 짓는 듯하다가 얼른 부드러운 말투로 말했다. 그 이유가 핑계가 아니냐는 뜻이 포함되어 있는 듯했다.

"진현이 친구는 보통 때도 바른 자세를 잘하지 못하지 않습니까?"

그 학생이 항상 무엇인가를 손에 가지고 꼼지락꼼지락거리며 수업 시간에 집중하지 않았던 모습을 익히 알고 있었던 터라 하는 말이었다. 친구들의 부드러운 지적에 진현이는 인정한다는 듯 피식 웃었다. 일단 인정을 했으니까 그 다음부터는 설득 작전에 돌입했다. 너무 신경 쓰지 말고 그냥 보통 때처럼 하면 되니까 굳이 반대까지는 하지 말아달라는 뜻을 전하려는 의도가 엿보였다. 어느 정도 학생들끼리 의견이 오고 간 후 물었다.

"진현아, 도덕 선생님 우리 반 오셔도 될까?"

"네. 오셔도 돼요."

드디어 동의를 얻어냈다. 이제 겨우 만장일치의 합의를 보았나 하고 안도의 숨을 쉬려고 하던 차에 또 한 학생이 손을 번쩍 들었다.

"우리 형이 6학년인데 도덕 선생님이 엄청 무섭다고 합니다. 그래서 저도 그 선생님이 오시는 것이 싫습니다."

이 말을 들은 다른 학생들의 표정이 살짝 굳는 듯했다. 다행히도 학생들은 6학년 언니 오빠들에게는 엄하지만 우리 교실에 오셔서는 그렇지 않을 거라면서 긍정적인 방향으로 의견을 끌고 나갔다. 결국 무서워서 싫다는 의견을 발표했던 학생의 동의도 받아냈다.

"그래, 너희들 말이 맞아. 무서운 분이 아니야. 뒤에서 너희들 공부하는 모습만 살짝 보고 가실 거야. 걱정하지 마."

소수의 의견이라고 무시하거나 묵살하면 절대로 안 된다. 충분히 존중되었을 때 뒤탈이 없다. 반대 의견을 냈을 때는 일단 그 의견 자체를 수용해주어야 한다. 그런 다음 부드럽게 설득을 하든지 아니면 자발적인 양보를 얻어내든지 혹은 서로 한 발씩 양보하든 지간에 그 의견도 다른 의견 못지않게 소중한 것이라는 인식을 심어주어야 한다. 처음엔 반대 의견을 냈다가 흔쾌히 찬성하는 학생은 자신의 의견이 존중받았다는 생각에 반 친구들에게 불만이 없다. 도리어 자신의 의견을 들어주고 비난하지 않으며 부드럽게 동의를 구한 것에 대해 고맙게 생각한다. 어떠한 의견이든 간에 솔직하게 자신의 생각을 표현할 수 있는 학급 분위기가 굉장히 중요하다. 마음 놓고 자신의 의견을 내놓는 순간 벌써 그들의 불만 요소는 많이 줄어들 수 있다. 이러한 과정을 통하여 합의에 이르면 누구도 불만이 없을뿐더러 모두가 공동체의 중요한 일원이라는 소속감을 갖게 되고 그 결정에 책임을 느끼게 된다.

회의가 끝나자마자 후배에게 메시지를 보냈다. 학생들의 허락이 드디어 떨어졌다고, 또 학생들이 6학년 선생님이라고 무서워하니까 무서운 표정 짓지 말고 부드럽게 미소 지으며 수업 참관해 달라고.

6. '지각하는 친구를 어떻게 할까?'

4학년을 담임할 때의 일이다. 교실 안에서는 한참 아침 독서 중인데 몇 명의 학생들이 아무렇지도 않게 크게 이야기까지 하며 교실로 들어왔다. 그 당시 학급 규칙 중 한 가지는 '8시 45분까지 등교하기'였다. 8시 45분까지 등교하여 50분부터는 아침 독서를 하는 것이 학생들이 정한 규칙이었다. 그런데 서너 명의 학생들이 그 규칙을 지키지 않고 계속 지각하며 다른 학생들에게 불편을 주고 있는 것이었다.

"지각하는 애들 때문에 정말 불편해요."

문제 해결을 위해 협의 시간을 가졌다. 여러 가지 의견 중에 지각하는 친구들이 어떤 이유로 지각을 하는지 들어보자는 제안이 있었다. 그러나 대부분의 학생들은 지각하는 학생들이 계속 지각을 하니까 더 강력한 해결책을 쓰자는 방향으로 의견을 모아갔다.

다른 좋은 의견도 있었지만 결국 8시 45분에 뒷문을 잠그고 복도에 서 있도록 하자는 결정을 내렸다. 학생들은 주로 자신들이 본 대로 들은 대로 행동하고 결정한다. 가정에서 집에 늦게 들어오는 행동을 수정하기 위해 일부 부모님들이 쉽게 사용하는 '집 밖으로 쫓아내기', '문 밖에 세워 두기'라는 방법을 많이 보았을 것이다. 그래서 그 방법이 떠올랐고 그 방법을 써보자고 하는 것이다.

'아, 저런 방법이 최선은 아닌데'라는 생각이 들었으나 잘못된 결정이라도 나름대로 또 하나의 배움의 기회가 될 것이라는 생각에 그들의 선택을 존중해주었다.

다음 날 아침 8시 30분쯤 되었을 때부터 학생들의 눈은 뒷문에 가 있었다. 빨리 문을 걸어 잠그고 싶은 것이었다. 드디어 정확히 8시 45분이 되자 누군가가 재빨리 뒷문을 잠갔다. 그 시각까지 늘 지각하던 3~4명은 여전히 오지 않은 상태였다. 8시 50분이 되어 아침 독서가 시작되었지만 학생들은 눈만 건성으로 책을 향하고 있지 생각은 계속 복도에 가 있었다. 자신들이 결정한 일이 직접 실행되는 순간을 보게 되어 신나는 모양이었다. 8시 55분쯤 되자 지각하던 학생들의 목소리가 복도에서 들리기 시작했다. 그 순간 교실이 술렁대기 시작했다. 문이 잠겨 있어 교실에 들어오지 못하는 것에는 별로 아랑곳하지 않고 여전히 이야기 삼매경에 빠져 있었다. 어쩌면 일부러 더 태연한 척하고 있었는지도 모른다. 교실에 있는 학생들이 어떻게 반응할까 궁금해하며 일단 기다리고 있었다. 지각한 학생들이 뒷문 앞에 도착한지 채 1분도 되지 않아 누군가가 황급히 제안했다.

"쟤네들이 떠들면 우리 반 망신이에요. 일단 빨리 교실에 들어오게 해야 될 것 같아요."

"어 그래? 다른 친구들 생각은 어때?"

모두 아무런 이의 없이 만장일치로 찬성했다. 자신들이 선택한 일이라서 온 신경을 쓰고 있었던 모양이었다.

"반대하는 사람 없나요?"

다시 한번 반대 의견이 있나 확인해본 후 합의한 대로 지각생들을 일단 교실에 들어오게 했다. 그리곤 바로 회의를 했다. 그제야 지난 번 회의 때 한 여학생이 제안했던 '왜 지각하는지 이유를 들어보자'라는 의견에 뜻을 모았다. 학생들이 지각하는 이유는 '집이 가까워 늑장 부려서', '친구랑 운동장에서 만나기로 했는데 만나서 오다 보니 늦어서' 등 아주 평범한 내용이었다. 지각을 함으로써 반 친구들에게 어떤 불편을 끼치는지 서로 나누는 시간을 갖고 지각한 학생들에게 각자의 해결 방법을 물었다.

지각한 학생들은 "좀 일찍 서두르겠다.", "친구랑 만나지 않고 일단 교실로 먼저 오겠다." 등 스스로 지킬 수 있는 해결 방안을 내놓았다. 교실에 들어오지 못하도록 문을 걸어 잠그는 대신 사정 이야기를 경청하고 본인들 스스로 해결 방법을 선택하게 한 것이다. 불편을 끼치는 친구들을 비판하고 탓하고 손가락질하는 대신 학급 구성원 모두가 함께 문제를 해결한 것이다. 그렇게 함으로써 지각한 학생들은 자신들의 이야기를 들어준 반 친구들에게 고

마음을 느끼고 기꺼이 그들이 선택한 것에 책임을 지게 되는 것이다. 이런 과정을 거치게 되면 친구들과의 관계가 틀어지지도 않으면서 서로를 보살피는 관계가 유지될 수 있게 된다.

7. '현장체험학습 버스에 어떻게 나눠 탈까?'

현장체험학습 갈 때 버스로 이동하는 경우 학급 수보다 차량을 적게 빌리는 경우가 많다. 보통 학급 수가 7개 반이면 5대 정도를 대절한다. 학급당 학생 수가 25명 안팎이다 보니 한 학급당 1대를 빌릴 경우 남는 좌석이 많다. 자기 반 친구들끼리 오붓하게 가면이야 좋겠지만 차량 대절비도 좀 줄일 겸 학급 수보다 적게 빌리게 된다. 그러나 이런 경우 각 학급의 학생을 5대의 차량으로 나눠서 태우거나 아니면 한 학급의 학생을 여러 대에 나눠서 보내야 하는 어려움이 발생한다. 한 학급의 학생을 나눠서 보내게 되는 경우 왜 그 학급만 나누어 보내느냐라는 불만도 가끔 나오기 때문에 모든 학급의 학생을 차량 수대로 나눠서 각각 보내는 경우가 많다.

3학년을 담임할 때 있었던 일이다. 그때도 7개 학급인데 5대만 빌렸기 때문에 학생들을 5대의 차량에 나눠서 보내야 했다. 잠깐 고민에 빠졌다. 어떤 식으로 보내야 불만을 최소화할지 이 방법 저 방법 생각해보았다. 학생들에게 있어서 현장체험학습 가는 날 누구랑 같이 타느냐는 매우 민감한 사안이다. 이것저것 생각해보 았지만 딱 떨어지는 좋은 방법이 떠오르지 않았다.

'모둠은 6개 모둠인데 차는 5대, 어떡하지? 한 모둠을 또 나눠?' 이때 갑자기 이런 생각이 들었다. '아니, 왜 내가 이런 걱정을 하고 있지? 아이들한테 맡기면 될 것을.'

가끔 혼자 고민하다가 이렇게 뒤늦게 맡기는 경우가 많다. 학생 들에게 이런저런 이유로 버스가 5대라고 사정을 이야기했다. 그 래서 우리 반이 5대에 나눠서 탈 수밖에 없다고 이야기했다.

바로 긴급 학급회의가 시작되었다. 학생들 모두 어떤 좋은 방법 이 없을까 하며 해결 방법을 생각하고 있을 때 한 학생이 자신 있 게 말했다. "줄줄이 가면 되잖아요." 각 분단 첫째 줄은 1호차, 둘 째 줄은 2호차 이런 식으로 가자는 뜻이다. 그리고 보니 각 분단이 다섯 째 줄까지 있으니까 딱 떨어지는 방법이었다. 그 학생의 의 견에 다른 학생들은 아무런 이의도 없이 모두 만장일치로 찬성 의 사를 표시했다. 남자 여자가 같이 짝으로 앉아 있어 좀 반대 의사 가 나올 법도 한데 학생들은 그런 것은 전혀 개의치 않는 듯했다. 그것 또한 교사의 공연한 걱정이었던 것이다. 교사가 생각하는 만 큼 그렇게 복잡하게 생각할 문제가 아니라는 표정들이었다. 아무 튼 결정하는 데 1분도 안 걸린 역대 가장 짧은 시간에 합의를 이룬 회의가 되었다.

이렇게 간단하게 해결되는 것을 잠시나마 바보처럼 혼자 걱정 했던 것이다. 학생들은 간단하면서도 쉬운 방법을 명쾌하게 내놓았다. 항상 느끼는 것이지만 학생들은 생각이 유연하고 창의적일 때가 많다. 자신들의 일이기 때문에 더 진지하게 생각하고 선택한다. 그리고 그 선택에 기꺼이 책임을 진다.

현장학습 가는 날 학생들은 결정한 방법대로 5대의 차량에 나눠 탔다. 해맑은 표정으로 "이따 봐!" 인사까지 하면서 잠시 헤어지는 모습이 정말 귀여웠다. 나중에 다른 반 선생님들이 한마디씩 했다.

"아니, 그 반 애들은 어쩌면 그렇게 남자 여자가 사이좋게 앉아 이야기를 잘해?"

남학생과 여학생이 짝끼리 앉아 오순도순 이야기하는 모습을 보고 하는 말이었다.

"아, 그거 우리 반 아이들이 그런 식으로 나눠 타자고 해서 그렇게 한 거예요."

본인들이 직접 결정한 방법이니 어떤 불만도 없다. 또 그런 결정을 스스로 했다는 것에 대해 아주 뿌듯하게 생각한다. 그러면서 또 한번 주인으로서 학급의 일을 결정하는 귀한 경험을 하게 되는 것이다.

8. '짝을 어떻게 정할까?'

짝이 누구이고 어떤 친구들과 같은 모둠이 되느냐라는 것은 학생들에게 매우 민감한 사안이다. 짝 바꾸기 전 학생들은 늘 기대가 크다. 그러나 바꾸고 난 후 만족해하는 학생보다는 늘 아쉬움을 표현하는 학생들이 더 많다. 어떤 방법으로 하든지 모두를 만족시키기는 어렵다는 것을 알 수 있다.

평소에 키 순서대로 남자 여자가 짝을 하다가 학생들의 간절한 제안이 들어와 자리 바꾸기에 대한 회의를 하게 되었다. 학생들은 기대에 부풀어 자신들의 의견을 활발하게 발표하였다. 학생들이 내놓은 의견들은 이렇다.

- 제비뽑기를 하자.
- 키 순서대로 앉자.
- 출석 번호 순으로 앉자.
- 모둠별로 의견을 모아 그것을 투표하자.
- 앉고 싶은 사람과 앉자.
- 여자가 먼저 앉고 남자가 자리를 선택하자.

여러 가지 방법 중 절대적인 지지를 얻은 의견은 '앉고 싶은 사람과 앉고 싶은 자리에 앉자.'였다. 미리 그 방법에 대한 문제점을 알고 키 순서대로 앉자는 의견을 낸 학생도 3명이나 있었다. 소수의 의견에 대해 충분한 협의 시간을 갖지 않은 점이 아쉬웠다. 앉고 싶은 사람과 앉아볼 수 있다는 기대감에 부풀어 성급하게 결정을 내리는 것 같았다. 그러나 한번 해봐야 그런 방법의 문제점을 직접 느껴볼 수 있을 것 같아 결정된 대로 하도록 했다.

드디어 짝을 바꾸는 날 아침, 교실은 무척 소란스러웠다. 짝 찾으랴, 같이 할 모둠 친구 찾으랴 엄청 바빴다. 누구 한 명이라도 이 활동으로 인해 상처를 받으면 어떡하나 하는 걱정도 살짝 생겼다. 1~2명 정도 친구들과 자주 충돌하는 학생이 있는데 그 학생들이 과연 짝을 잘 선택할지 신경이 좀 쓰였다.

학생들이 거의 다 짝을 찾아 앉았을 때 교실 뒤에 남학생 2명이 아직 결정을 못하고 그대로 서 있었다. 그 안에 내가 걱정하던 학생이 1명 끼어 있었다. 학생들이 그 상황을 어떻게 해결할까 살펴보며 아무렇지도 않은 듯 기다렸다. 이미 자리를 정한 학생들 중 일부는 앉고 싶은 친구와 앉았다는 만족감에 들떠 마냥 좋아하는 표정이었다. 그러나 다행히도 몇 명은 뒤에 서 있는 친구들이 마음에 걸리는 눈치였다. 그래도 이렇게 다른 사람의 처지를 생각할 줄 알고 공감해보려고 노력하는 학생들이 있어서 항상 좋은 방법을 찾을 수 있는 것이다.

"모든 친구들이 다 자리를 정해야 수업을 시작할 텐데 어떻게 해결해야 할지 다 같이 고민해보세요. 선생님은 그때까지 기다릴게요."

그냥 아무렇지도 않게 말했지만 사실은 빨리 좋은 방법으로 마무리되길 간절히 바라는 마음뿐이었다. 시간이 좀 지나자 신나서 떠들던 학생들도 서로의 눈치를 살피기 시작했다. 뒤에 서 있는 학생들은 남아 있는 자리에는 별로 가고 싶지 않다는 의사를 정확히 밝히며 계속 버티고 있었다. 몇 분이 흘렀을까? 갑자기 광호가 벌떡 일어나더니 주변 친구들에게 무엇인가를 이야기했다. 그리곤 뒤에 있는 친구들에게 가서도 뭔가를 말했다. 그러더니 자신이 원래 앉았던 자리에 남아 있던 친구를 앉히고 자신은 또 다른 학생과 짝이 되어 모둠을 만들었다. 자신의 욕구를 좀 참고 다른 친구들을 배려한 것이었다. 그런 광호의 용기 있는 행동을 보고 다른 학생들은 고맙다는 눈치였다. 드디어 모든 문제가 해결되었다.

"와, 광호 진짜 멋지다. 스스로 나서서 이렇게 평화적으로 잘 해결하다니 훌륭해."

그 일 이후 광호는 친구들의 신임을 듬뿍 받는 멋진 리더로 인정받았다.

자리 바꾸기 활동을 마치고 나서 며칠 후 그 활동의 문제점, 소감 등을 나눠보는 시간을 가졌다. 다음은 그때 학생들이 말한 내용이다.

문제점
- 시간이 많이 걸린다.
- 같이 앉고 싶은 친구가 벌써 다른 짝과 앉아 있어서 못 앉았다.
- 짝을 못 찾는 친구들이 있었다.
- 시끄럽고 집중이 잘 안된다.
- 불만이 있는 친구들이 생긴다.
- 어떤 모둠에만 친구들이 몰리고 어느 모둠은 비어 있다.

- 수업 시간에 좀 떠든다.
- 끼리끼리 앉게 되어 남은 친구들에게 미안하고 일이 커졌다.

활동 소감

- 앉고 싶은 친구와 같이 앉아서 좋았지만 남는 친구가 생겨 미안했다.
- 괜히 이 방법을 뽑았다는 생각이 들었다.
- 다음부터는 문제점이 없는 의견을 내야 되겠다는 생각이 들었다.
- 좋아하는 친구와 함께 앉는다는 기대감에 너무 섣불리 선택한 것 같다.
- 문제점을 미처 생각하지 못했다.
- 처음으로 앉고 싶은 사람과 앉을 수 있어서 기분이 좋았지만 불만이 있는 친구가 있어서 아쉬웠다.
- 다음부터는 신중하게 선택을 잘 해야겠다는 생각이 들었다.
- 좋은 점도 있지만 문제점이 많이 생긴다는 것을 알았다.
- 너무 큰 기대감과 친한 친구와 앉으려는 마음이 급해서 막 뽑았는데 다음부터는 앞일을 생각하며 뽑아야겠다.
- 문제점이 없는 결정을 하도록 노력하겠다.
- 그래도 배려하는 친구들이 생겨 다행이었다.
- 기분이 좋았다가 문제점이 있어서 기분이 좀 나빠졌다.
- 난 많이 좋았는데 짝을 못 찾은 친구들에게 미안한 느낌이 들

었다.

● 다음부터는 다시 키 순서대로 해야겠다고 생각했다.

학생들은 원하는 짝과 앉을 수 있다는 기대감에 별생각 없이 결정을 하고 그 후 드러난 문제점을 직접 경험하며 다시 한번 생각해보는 계기가 되었다. 신중한 결정이 왜 필요한지, 문제점에 대해 미리 생각해보는 것이 왜 중요한지에 대해 배울 수 있었다. 또이 일을 계기로 자신만 좋으면 된다고 생각했던 학생들이 다른 친구들을 좀 더 배려하게 되었다.

6장

마음을 되살리는
'회복적 생활지도'

1. 평화롭고 건강한 공동체 만들기

"선생님, 명석이 울어요."

"왜?"

"여준이가 얼굴에 유리 닦는 거 뿌렸대요."

1인 1역을 한다고 하면서 유리 세정제를 가지고 장난을 친 모양이었다. '다른 곳도 아닌 얼굴에 뿌리다니…….' 여준이에게 자초지종을 물어보니 비키라고 했는데도 안 비켜서 화가 나서 뿌렸다고 했다. 친구가 거치적거리는 것이 '너~무 짜증' 나서 그렇게 했다면서 '너무'라는 글자에 ~ 표시까지 해가며 자신의 감정만을 강조하고 있었다.

'화가 나서'라는 말은 이런저런 일로 학생들 사이에 다툼이 생겼을 경우 거의 대부분이 쉽게 하는 말이다. 화가 나면 더 이상 생각해볼 필요도 없이 욕하고 때리고 심지어는 위험한 행동도 서슴지 않고 해댄다. 상대방의 감정이나 안전 등은 안중에도 없다. '말로 하면 안 될까?' 했더니 화가 나면 참을 수가 없단다. 게다가 자신의 잘못을 인정하기는커녕 상대방에게 원인을 돌리며 항상 하는 말이 그 애가 먼저 이러저러해서 그렇다며 핑계 대기에 바쁘다. 부드럽게 자신의 의견을 말하면서 해결하려는 시도는 해보지도 않고 다짜고짜 화부터 낸다. 대화보다 처벌을 주로 사용하는 부모 밑에 자란 학생들은 어떻게 해서든 자신의 잘못을 합리화하려 들고 다른 친구들에게 책임을 떠넘기려고 안간힘을 쓰는 경향이 많다. 아마도 처벌에 대처하는 방법으로 변명하기, 거짓말하기, 합리화시키기 등과 같은 방법을 많이 써본 경험이 있는 것이다. 또 이런 경향을 가진 학생들의 특징은 늘 억울함과 분노에 갇혀있다는 것이다. 그러다 보니 다른 사람의 감정이나 불편함, 고통을 이해하고 공감할 여유나 힘이 없는 것이다. 어찌 보면 그 학생들 자신이 누구한테 충분히 이해받고 싶어 하는 욕구가 충족되지 못한 것일 수도 있다.

모둠별 해결 과제를 주었을 때도 서로의 의견을 존중하며 문제를 해결하기보다는 서로 비난하고 남 탓을 하며 의견을 좀처럼 좁히지 못하는 경우도 많다. 이러다 보니 과제 해결은 고사하고 시간만 낭비되고 서로 관계만 안 좋아지게 되는 것이다.

또 자신이 다른 친구들을 괴롭히거나 피해를 주었음에도 불구하고 친구들이 왜 그러느냐고 물어보는 말에 예외 없이 '어쩌라고'

하면서 도리어 버럭 화를 내는 경우가 많다. 미안해하며 정중하게 사과를 한다거나 혹은 실수를 인정하는 말은 전혀 없다. 자신의 잘못이 다 드러나게 되어도 절대로 인정하지 않는다. 그러나 그렇게 당당하게 자신을 방어하다가도 스스로 삐지고 쉽게 울어버리는 경향이 있다. 그럴 때마다 이해가 잘 가지 않았다. 그렇게 친구를 힘들게 하고 거친 말도 서슴없이 하는 학생이 왜 저렇게 쉽게 울까?

그런 의문을 가지면서 그런 학생들의 공격성은 어디서 올까에 대해서 곰곰이 생각해보았다. 자신이 누군가에 의해 폭력을 당하게 될 때 느꼈던 무력감, 굴욕, 분노 등이 결국 타인에게 그대로 행사된다고 한다. 그렇다면 그런 학생들도 폭력을 당했던 경험이 있었던 걸까? 우리 반에서는 어떤 사안이 발생하면 반 전체 학생들이 모여 같이 서로 대화를 해가며 문제를 해결해간다. 그런데 위에서 언급했던 경향의 학생이 사건을 일으킬 때마다 학생들이 힘들어한다. 묵비권을 행사한다거나 자꾸 핑계를 대기도 하고 어떤 때는 거짓말을 너무도 태연하게 하기 때문이다. 긴 시간 동안의 대화 끝에 겨우 피해를 당한 아이가 얼마나 아팠는지, 왜 그런 행동을 했는지, 앞으로 어떻게 책임을 질 것인지에 대한 의견을 듣고 모임을 마무리했다.

한번은 사건을 일으킨 학생이 이런 얘기를 한 적이 있다. 안 때리려고 해도 자꾸 때리게 된다고. 그 이야기를 들으며 그 학생도 스스로를 어떻게 통제하지 못해 속상해한다는 것을 알았다. 그 전에는 친구를 때리고도 전혀 감정이 없는 줄 알았었기 때문이다. 그렇다면 그 학생도 또 다른 피해자가 아닌가? 스스로 통제가 안 된다는 것은 얼마나 위험하고 안타까운 일인가? 누구보다도 도움이 필요한 학생은 그 학생이라는 생각이 들었다.

요즈음 학교 현장에서는 체벌 없는 생활지도를 위해 다양한 제도들을 운영하며 새로운 생활지도의 대안을 찾으려고 계속 노력하고 있다. 잘못을 저지른 학생들로 하여금 자신의 행동이 다른 사람에게 미친 피해, 그 사람에 대해 느끼는 미안한 감정, 그 일에 대하여 느껴야 할 책임감을 충분히 느끼게 했는지 생각해보게 하는 일은 매우 중요하다. 그런데 대개의 경우 해당 학생들은 부당하게 처벌을 받았다고 생각하고 심지어는 자신이 도리어 피해자라고 하며 억울해하는 일도 있다. 또 피해를 입은 학생들의 치유와 관계 회복에까지는 관심을 갖지 못하는 경우도 많다.

이러한 관점에서 학교에서 문제가 생기면 그 문제로 영향을 받는 당사자들이 함께 모여 어떻게 하면 최선의 방법을 찾을 수 있을지를 고민하고 토의하여 해결하는 '회복적 생활지도'가 필요하다. 여기서 '회복적 생활지도'란 잘못한 사람을 바로잡기 위해 처벌을 기초로 이루어지는 응보적 생활지도가 아니고 잘못된 행동으로 발생한 피해를 회복하고 깨어진 관계를 다시 복원하는 것에 초점을 맞추는 것을 일컫는다. 즉 어떤 잘못된 행동으로 인해 발생한 피해를 회복하고 깨어진 관계를 다시 복원하는 것에 우선적으로 초점을 맞춘다는 것이다. 관계와 피해를 회복하기 위해 갈등

당사자들이 만나 함께 해결 방안을 모색하는 것이다. 영향을 받는 관계자들이 공동으로 참여하는 상호 협력적 문제해결 과정이라고 할 수 있다.

친구와의 다툼으로 피해를 입힌 학생에게 교사가 처벌을 했을 경우 피해를 입은 학생은 어떤 심정일까? 혹시 상대방으로부터 어떤 응징이라도 당할까봐 두렵고 겁이 날 수 있을 것이다. 또 형식적인 사과와 화해 역시 진정한 관계 회복이라고 할 수 없다. 피해를 입힌 학생을 처벌하여 수치심을 준다거나 비난하는 분위기가 되면 자존심이 상하게 되어 더욱 자기 방어적으로 행동하게 되고 상대방이나 처벌권자를 원망하기까지 한다. 피해 학생이 가장 원하는 것이 무엇인지도 알아봐야 한다. 그것은 진심 어린 사과와 어떤 두려움도 없는 안전한 공간에서 서로 다시 잘 지내는 것일 것이다. 또 잘못을 한 학생의 목소리를 편견 없이 들어주는 것도 매우 중요하다. 피해를 준 학생도 다른 친구들에게 "쟤는 날마다 말썽부리는 아이야"라고 낙인찍히는 것이 두려울 것이다. 피해를 입힌 학생이 피해를 이해하고 공감하며 진정한 뉘우침과 자발적인 화해가 이루어질 수 있도록 공동체가 함께 참여해야 한다. 즉 자신의 행동에 대해 책임을 지고 공동체의 가치 있는 구성원으로 다시 받아들여질 수 있는 문제해결 과정이 필요한 것이다.

회복적 생활지도의 목표는 다음과 같다.

- 피해 사실을 바로 이해하고 피해를 입은 쪽과 입힌 쪽 모두

가 공감하게 하기

● 피해를 입은 쪽과 입힌 쪽 모두의 필요를 듣고 응답하기

● 공동으로 문제해결 과정을 계획하고 진행하면서 얻은 개인
  적 성찰을 통해 책임감과 의무감 키우기

● 피해를 입힌 사람을 공동체에 쓸모 있고 가치 있는 구성원으
  로 다시 받아주기

● 서로 돌보고 배려하는 분위기를 조성하여 공동체를 보다 건
  강하게 세우기

● 발생한 피해를 해결하는 방향으로 시스템 정비하기

(로레인 수투츠만 암스투츠, 쥬디 H. 뮬렛 저, 이재영 · 정용진 역,

『회복적 학생생활지도』, KAP, 2011, pp. 28~29)

어느 학급이나 늘 크고 작은 사건이 생기게 마련이다. 이때 교
사가 그 학생과 일대일로 처리하는 것이 아니라 공동체의 일이라
는 것을 확실히 하여 그 안에서 해결해야 한다. 학급에서 사안이
발생했을 때 그 문제는 담임교사와 문제행동을 한 학생과의 문제
가 아니고 그 학급 구성원 전체가 해결해야 할 문제라는 것을 인
식하는 것이 우선이다. 그러면 교사와 학생과의 관계도 깨지지 않
는다. 또 학생들 간에도 자신의 잘못된 행동에 대해 스스로 반성
하고 더 나은 생활을 할 수 있도록 서로 돕는 관계가 성립된다. 그
러면 자연스럽게 평화로운 학급 분위기를 만들 수 있다.

'회복적 생활지도'와 '처벌'의 비교

회복적 생활지도	처벌
●잘못을 저지른 사람이 응당한 대가를 받았는가보다는 그들의 필요와 잘못된 행동의 결과로 야기된 책임과 의무에 초점을 맞춤.	●학생들의 행동을 일시적으로 억제하는 데 효과가 있음(효과가 빠르고 처리하기 편함).
●문제해결 과정에 영향 받는 구성원 모두가 참여해 협력하는 방식을 취함.	●학생들에게 직접적으로 자기 훈련하는 법을 가르칠 수는 없음.
●잘못을 저지른 학생들에게 반성하는 마음과 손해를 바로잡는 의미에서의 책임감을 고양시킴.	●처벌받는 학생은 자신이 저지른 행동보다는 자신에게 고통스러운 처벌을 가한 사람에게 집중하며 원망하고 분노하는 마음을 갖게 됨.
●관계자들의 협력과 공동체가 주도하는 문제해결 과정을 가짐.	●처벌의 본래 목적에 대해 의문을 품으며 처벌권자를 비난함.
●상호 협력적 문제해결 과정임.	●처벌권자와 당사자가 문제 해결에 참여함.
●잘못된 행동으로 피해를 입은 학생의 요구뿐만 아니라 잘못을 저지른 학생 이면에 존재하는 요구와 이유까지 인식함.	●교사를 비난하고 친구들에게 화풀이를 하며 주어진 일을 거부하는 식으로 반항하기도 함.

로레인 수투츠만 암스투츠, 쥬디 H. 뮬렛 저, 이재영 · 정용진 역,
『회복적 학생생활지도』, 2011, KAP, pp. 30~32

어떤 사안이 발생하면 교사는 전혀 언성을 높이지 않고 당사자들에게 일의 경위를 친구들 앞에 나와서 이야기하라고 한다. 피해를 입힌 학생과 피해를 당한 학생에게 학급 구성원들은 적절한 질문을 한다. 대화를 통해 당사자들이 충분한 책임을 느끼고 깨어진 관계가 서로 회복되도록 한다. 이렇게 하면서부터 어떤 일이 발생하면 친구들 앞에서 스스로 잘못을 인정하고 고치려고 노력하게 된다. 또 다른 사람의 일이 아니라 우리 반 일이라는 것을 인식하고 적극적으로 질문하면서 그 사안을 해결하게 된다. 해결하

는 과정에서 친구를 비난하거나 무관심하게 대하지 않고 서로 소통하면서 자연스럽게 일을 해결하게 되다 보니 어떤 분노나 노여움이 생기지 않는다. 또 서로에게 상처가 되지 않아 학생들이 자유로움을 느낀다. 교사와 일대일로 일을 해결하지 않고 학급 전체가 참여하다 보니 교사와의 관계도 좋아지고 자발적으로 자신을 되돌아보게 되는 이점도 있다. 또한 서로 질문을 주고받는 시간을 통하여 경청과 성찰, 문제해결 방식을 공유하게 되고 서로 신뢰하며, 공동체가 하나가 되는 좋은 기회가 될 수 있다. 이 과정에서 반드시 지켜야 할 점은 다음과 같다.

- 처벌보다는 '관계 회복'에 초점을 둔다.
- 구성원들의 상호 협력적 문제해결 과정을 중시한다.
- 어떠한 경우에든지 서로 존중하는 태도를 갖는다.
- 저학년의 경우에도 담임교사의 지도 아래 아주 사소한 사안에서부터 시작한다.

회복적 생활지도에 관련하여 도움을 받을 수 있는 단체

- 평화를만드는여성회 갈등해결센터
  : (http://www.peacecr.org/)
- 비폭력평화물결 : (http://peacewave.net/)
- 한국비폭력대화센터 : (http://www.krnvc.org/)
- 한국평화교육훈련원 : (http://www.kopi.or.kr/)
- 좋은교사운동 회복적 생활교육 연구회
  : (http://www.goodteacher.org)

2. '간지럼이 제일 싫어요!'

　1교시 쉬는 시간이 거의 끝나갈 무렵 급한 알림이 들어왔다.
　"상민이가 지호를 빗자루로 때렸어요."
　"그래! 다 같이 이야기해봐야겠네."
　이래서 이야기는 시작되었다. 먼저 당사자 2명이 교실 앞으로 나와 어떤 일이 있었는지 반 친구들에게 말했다.
　"1인 1역을 끝내고 들어오는데 지호가 갑자기 간지럼을 태워서 화가 나서 빗자루로 때렸습니다."
　"상민이를 웃겨주려고 간지럼을 태웠는데 갑자기 빗자루로 저를 때렸습니다."
　이야기를 들은 학생들은 여러 가지 질문을 했다. 간지럼을 태웠는데 왜 갑자기 때렸느냐는 질문에 상민이는 자신이 이 세상에서 제일 싫어하는 것이 간지럼이라고 답했다. 이 말은 들은 학생들은 '어, 그럴 수도 있나?' 하며 의외라는 듯 고개를 갸우뚱했다. 간지럼을 왜 태웠느냐는 질문에 지호는 진지하게 말했다. 상민이가 좀 우울해 보여서 간지럼을 태워 웃겨주고 싶었다는 것이다. 좋은 의도를 가지고 한 행동이 도리어 친구를 엄청 화나게 만든 결과를 가져온 것에 대해 무척 당황스러워했다. 모든 사람이 간지럼을 태우면 웃을 거라는 생각이 항상 맞지 않을 수도 있다는 사실을 알게 된 계기도 되었다.
　다른 학생들은 '화가 난다고 무조건 때려야 하느냐?', '다른 방법은 없었겠느냐?', '화가 난다고 손에 있는 것을 가지고 무조건 때리면 되느냐?' 등의 질문을 했다. 특히 '손에 빗자루보다 더 위험한 것을 들었었다면 어떻게 되었겠느냐?'라는 질문을 던지자 때린 학생은 앞으로는 진짜 조심하겠다는 약속을 했다. 한참 이야기를 하는 도중 "얼마나 아팠나요?"라는 질문이 나오자 빗자루로 맞은 학생은 눈물이 핑 돌아 "그렇게 아프지는 않았습니다."라고 하며 자신의 아픈 정도를 물어봐 준 친구들에게 무척 고마워했다. '간지럼을 태우면 모든 사람이 웃을 거라고 생각했다. 그런데 간지럼을 정말 싫어하는 사람도 있구나 하는 사실을 새롭게 알게 되었다.', '화가 나도 좀 참고 다시 한번 생각해보고 행동하겠다.' 등 이 일로 새롭게 깨달은 것이 무엇인지에 대해서도 서로 이야기했다. 또 앞으로 이런 일이 일어나지 않도록 노력할 점, 사과하고 싶은 말 등을 이야기하고 마무리를 했다.

이 사건에서 간지럼을 태운 학생은 친구를 웃게 하려고 한 자신의 행동이 도리어 화를 불러일으킨 것이 무척 당황스럽다고 이야기했다. 특히 모든 사람이 간지럼을 태우면 웃을 거라는 자신의 생각이 틀렸다는 것을 새롭게 알게 되었다고 말했다. 빗자루로 때린 학생이 제일 싫어하는 것이 누군가가 자신을 간지럼을 태우는 것이라는 사실을 몰랐기 때문에 생긴 일이라는 것을 서로 알게 되어 사건은 잘 마무리되었다. 이 일로 두 학생은 서로에 대해 이해하는 계기가 되었고 관계는 깨지지 않았다. 도리어 자신을 웃겨주려고 한 친구의 마음을 알게 되어 고마워하는 마음을 표시하기도 했다.

공동체 대화 모임을 통한 회복적 생활지도

절차	① 사건 당사자들의 이야기 듣기 : 사건 관련 당사자들의 이야기를 차례로 듣는다. ② 사건 당사자들과 학급 구성원과의 공동체 대화 진행 : 사건 발생으로 인한 피해, 피해로 인해 발생한 책임과 의무, 잘못된 행동의 원인, 피해자의 요구, 문제를 바로 잡을 수 있는 방안 등을 생각하며 적절한 질문을 하며 서로 대화하는 시간을 갖는다.
대화 내용	① 왜 빗자루로 친구를 때렸나? ② 화가 나면 무조건 때리는 것이 해결 방법인가? ③ 때리는 것 말고 다른 방법은 생각해보지 않았나? ④ 이 일을 어떻게 책임질 것인가? ⑤ 간지럼은 왜 태웠나? ⑥ 맞을 때 어느 정도 아팠나? ⑦ 때린 친구가 어떻게 해 주었으면 좋은가? ⑧ 앞으로 이런 일이 일어나지 않도록 하기 위해 어떻게 할 것인가? ⑨ 친구들에게 하고 싶은 말은 무엇인가?
화해 정리	① 모든 사람들이 간지럼을 태우면 웃을 거라는 생각이 간지럼을 가장 싫어하는 친구로 하여금 엄청난 화를 불러일으킬 수 있다는 것을 알게 됨. ② 화를 낸 학생도 자신의 감정 조절에 문제가 있다는 것을 인식하고 서로 진심으로 사과하며 서로에 대해 더 잘 알게 되는 계기가 되었음.

3. '신주머니를 밀어 넣었어요!'

3학년을 담임할 때 있었던 일이다. 체육 시간이 끝나고 교실에 들어가서 신발을 벗으려 하는데 내 앞에 가던 한 남학생이 신발장 맨 윗부분에 자신의 신주머니를 밀어 넣고 있었다. 그 칸에는 이미 4개의 신발주머니가 놓여있었는데 말이다. 결국 반대편의 맨 끝 부분에 놓여있던 신발주머니는 밀려서 바닥에 떨어질 수밖에 없었다.

그해 시업식 날 학생들이 번호도 안 붙여진 신발장에 신발주머니를 가지런히 잘 정리했기에 그 비결을 물었었다. 대답은 간단했다. 그냥 알아서 4개씩 넣으면 된다고 했다. "와, 역시 훌륭해, 그럼 우리 반은 이렇게 가는 거야."라고 하며 번호를 붙이지 않은 채 신주머니를 자율적으로 넣기로 합의했다. 사실 신발장에 번호를 붙이다 보면 해마다 점점 사이즈가 커지게 된다. 그 전 해에 붙였던 것이 잘 안 떨어지니까 그것을 가리려고 점점 더 큰 사이즈로 붙이게 되기 때문이다. 학생들이 알아서 잘 넣을 수 있다고 하니까 잘되었다 싶어 그렇게 하고 있었던 것이다. 이미 4개의 신발주머니가 놓여 있는 곳에 밀어 넣는 것을 들킨 학생은 좀 민망한 표정을 지었다.

"반 친구들과 이야기 해보자."라는 말에 자연스럽게 교탁 앞으로 나가 자신이 한 일을 알렸다. 다음은 그 당시의 대화 내용이다.

동민 : 저는 체육 시간이 끝나고 들어와서 제 신주머니를 이미 4개가 다 차 있는 곳에 밀어 넣었습니다. (참고로 당시에 우리 학급에서는 신발장에 신주머니를 넣을 때 자율적으로 4개씩 정리하고 있었다.)

현서 : 거기는 몇 층이었습니까? (학생들은 신발장의 선반을 이렇게 표현했다.)

동민 : 4층이었습니다.

유정 : 왜 그곳에 넣었나요?

동민 : 아래에 놓으려면 무릎을 구부려야 해서 불편해서 그랬습니다.

정석 : 그러면 동민이 친구가 밀어 넣는 바람에 다른 친구 신발주머니가 떨어질 것 아닙니까? 그러면 그 신발주머니를 아이들이 발로 차고 다니고 해서 잃어버릴 수도 있습니다.

민혁 : 저번에도 복도에 신발주머니가 떨어져 있었는데 혹시 그것도 동민이 친구가 그렇게 한 것입니까?

동민 : (망설이다가) 음……. 제가 가끔 그렇게 했습니다.

수빈 : 저는 친구들이 거의 위에 넣으려고 해서 일부러 아래쪽에 넣는데 동민이 친구는 왜 그렇게 했습니까? (이 질문이 나오는 순간 교실은 갑자기 정적이 흘렀다. 나도 감동이 되어 눈물이 핑 도는 바람에 학생들이 '선생님 눈 빨개졌어요' 라고 말하기도 했다.)

동민 : 저는 그런 생각을 못했습니다. 다음부터는 4개가 있을 때는 절대로 그 쪽에 넣지 않겠습니다.

연희 : 약속할 수 있나요?

동민 : 네.

주현 : 동민이 친구가 약속을 꼭 지켰으면 좋겠습니다.

학생들의 첫 번째 질문은 '몇 층이었나?'이었다. 학생들에게 '몇 층'은 왜 중요할까? 학생들은 이미 4층이었을 것이라는 것을 누구보다도 잘 알고 있는 것이다. 자신들의 경험 상 아래층에는 일부러 밀어 넣지 않는다는 것을 이미 알고 있다. 다만 '4층'이라는 것을 밀어 넣은 그 친구에게 다시 한번 확인받고 싶었던 것이다. 이 사건을 해결하는 과정에서 다른 친구들을 배려해서 일부러 아래층에 넣는다고 한 여학생의 말은 감동 그 자체였다. 모두 감동되어 잠시 흐른 정적은 지금도 잊을 수가 없다. 아마 신발주머니를 밀어 넣은 학생도 이 여학생의 말에 '저렇게 남을 배려하는 친구도 있는데 난 일부러 밀어 넣었다니!' 하며 스스로를 돌아보지 않았을까 생각된다. 또 전에 이런 행동을 했지만 누구한테 들키지는 않았던 학생들도 이런 과정을 통하여 자신을 되돌아보는 기회가 되었을 것이다.

4. '자꾸 책상을 흔들어요!'

"동현이가 자꾸 책상을 흔들어요."

수업이 한창 진행되고 있는데 갑자기 민준이가 짜증 섞인 말투로 말했다. 순간 나를 포함해 모든 학생들이 민준이를 쳐다보았다. 얼마나 급한 일이기에 그렇게 큰 소리로 당당하게 알리는지 모두 궁금해 하는 눈치였다.

"무슨 일인지 친구들에게 자세히 이야기해봐요."

진행 중이던 수업을 잠깐 멈추고 바로 이야기 나누는 시간을 가졌다. 사정은 이랬다. 민준이의 뒷자리에 앉아 있던 동현이가 다리를 떨며 책상을 앞뒤로 흔들흔들 움직이게 했다. 그 책상의 움직임은 앞의 친구 걸상에 바로 전달되었고 그것이 신경 쓰였던 민준이가 수업 시간이고 뭐고 상관하지 않고 바로 화를 내며 말했던 것이다.

"아, 동현이가 책상을 흔들어 불편했구나. 그럼 이럴 때는 어떻게 하면 좋을까?"

바로 학생들에게 의견을 물었다. 민준이의 이야기를 듣고 사태 파악을 한 학생들은 나름대로 자신들만의 해결 방법을 생각해냈다.

"걸상을 앞으로 조금 빼면 돼요."

"동현이의 책상이 민준이의 걸상에 닿지 않게 좀 떨어져서 앉으면 돼요."

"저도 그렇게 생각해요."

학생들이 제시한 해결 방법은 정말 쉽고 단순했다. 또 책상을 흔들거리게 한 학생보다 화를 낸 학생 쪽에 초점을 맞춰 문제를 해결하려고 했다. 물론 수업 시간이라는 점을 감안해 그렇게 하면 수업에 방해가 되지 않을 거라는 생각을 하는 것 같았다. 그렇게 쉽고 단순한 방법이 있었는데도 불구하고 민준이는 일단 화부터 내며 상대방을 탓하고 있었던 것이었다. 학생들은 자신이 어떻게 하면 문제를 해결할까 생각하기보다는 모든 책임을 상대방에게 전가하며 그들이 문제를 해결해주기만을 바라며 화를 내는 경향이 많다.

이 일로 민준이는 자신의 태도에 대해 다시 한번 생각해보는 시간이 되었음에 틀림없다. 그렇게 쉬운 방법이 있었는데 왜 수업 시간에 큰 소리로 화까지 내며 수업을 중단시켰는지 생각해보았을 것이다. 또한 자신이 미처 생각하지 못한 새로운 해결 방법이 있음을 알게 되는 좋은 계기가 되었다. 물론 동현이도 자신의 행동이 학급에 어떤 영향을 미쳤는지 생각해보며 자기 성찰의 시간을 갖게 되었다. 이 사건 덕분에 학생들은 또 하나의 평화적인 문제해결 방법을 배울 수 있었다.

여기저기에서 쏟아내는 짜증 섞인 말투와 찌푸린 얼굴들은 교실 현장에서 흔히 볼 수 있는 모습일 것이다. 교사가 모든 일을 척척 해결해줄 수 있는 해결사라도 된 것처럼 스스로 해결할 수 있는 사소한 일마저도 학생들은 쉬지 않고 열심히 알린다. 이럴 경우 그 사안에 대해 학급 구성원 모두가 지혜롭게 해결해나가는 시간이 필요함은 두말할 필요가 없다. 해결 과정이 학급 구성원 모두에게 소중한 배움의 기회가 되기 때문이다. 또 이렇게 함으로써 학생들 스스로 주인 의식을 가지고 서로 소통하며 문제를 해결해 나가는 귀한 경험을 할 수 있게 된다. 학급 구성원이 모두 참여하여 대화를 하며 문제를 해결함으로써 교사와 문제행동 학생과의 관계도 깨어지지 않고 당사자들도 자기 행동에 대해 책임을 지게 된다. 또한 대화를 하는 과정을 통해 다른 사람들의 마음을 이해함으로써 그와 같은 손해를 입히지 않을 동기가 생기게 된다. 교사들은 문제 해결이 교사의 몫이라는 스트레스에서 어느 정도

벗어날 수 있고 구성원 모두가 영향을 받는 일이라는 것을 확실히 깨닫게 되어 학생들 스스로 주인 의식을 가지고 문제를 해결하려는 태도를 갖게 되기도 한다.

5. '내 김이 다 날아갔단 말이에요!'

학생들이 제일 좋아하는 점심시간. 특별히 좋아하는 반찬이라도 나오는 날이면 몇몇 학생들은 배식에 대해 아주 예민해지는 시간이기도 하다. 그날 반찬 중엔 김이 포함되어 있었다. 한참 밥을 먹고 있는데 느닷없이 승규가 화가 잔뜩 난 목소리로 울먹이면서 말했다.

"에이, 내 김 다 날아갔어요."

말을 마무리하기도 전에 승규는 책상에 엎드려 울기까지 했다. 순간 나와 다른 학생들의 눈이 마주쳤다. 참 어이없다는 생각에 모두 말문이 막혔다.

"왜, 무슨 일인데?"

"선풍기 때문에 내 김이 다 날아갔단 말이에요."

선생님이고 뭐고 예의를 차려 말할 분위기가 아니었나 보다. 누가 일부러 자기 김만 날아가게 만들기라도 한 것처럼 앙칼지게 내뱉었다. '겨우 김 몇 장 날아간 것인데…….' 전후 사정 볼 것 없이 그저 자신의 김이 날아가 먹지 못하게 된 것만이 억울하고 속상한 모양이었다. 그리고 그 책임을 모두 반 친구들에게 돌리고 있는 것이다.

"그래! 얘들아, 그럼 선풍기 바람에 김이 날아가지 않게 하려면 어떻게 하면 좋을까?"

승규가 계속 엎드려 훌쩍이고 있는 가운데 우린 긴급 협의 시간을 가졌다. 물론 밥을 먹어가면서 자연스럽게 이야기를 나누었다.

"김을 밥으로 눌러 놓으면 되요."

"난 김을 밥 밑에다 숨겨 놓았는데요."

"제 것도 한 장 날아갔어요. 그래서 나머지 김을 젓가락으로 얼른 눌러 놓았어요."

학생들은 자신들만의 기발한 노하우를 제시했다. 선풍기 바람 때문에 김이 날아갈 것 같으니까 이미 다른 학생들은 나름대로의 방법으로 김을 잘 챙기고 있었고, 이미 한 장을 날려 보낸 학생은 그때부터라도 나머지 김을 보호하기 위해 자신만의 방법을 잘 활용했던 것이다.

"와, 좋은 아이디어네."

나의 칭찬에 학생들은 매우 흐뭇해하면서 엎드려 있는 친구에게 마음과 물질까지 기꺼이 나누는 센스를 보여주었다.

"승규야, 울지 마. 내가 내 김 한 장 줄게."

"내 것도 한 장 줄게. 빨리 밥 먹어."

"나도 줄게."

"여기 있어."

주변 친구들이 건네준 김이 승규의 급식 판에 한 장 두 장 수북이 쌓여가자 승규는 못 이기는 척 일어나서 밥을 먹기 시작했다. 밥을 먹으면서 승규는 무슨 생각을 했을까? 똑같은 상황에서 자신과는 다르게 대처하는 친구들의 모습을 보고 분명 무엇인가를 깨달았을 것이다. 자기감정 조절을 못하여 씩씩대며 엎드려 있는 친구를 여유 있게 위로하며 자신의 김까지 선뜻 건네주는 다른 학생들이 얼마나 대견스럽던지…….

6. '내 물길을 다 망가뜨렸어요!'

"선생님, 정빈이가 안 한대요."

모둠 활동을 할 때 제일 많이 하는 하소연이다. 다른 사람의 말을 경청하고 혹시 자신의 의견과 다를 경우 합리적으로 설득을 하거나 아니면 서로 조금씩 양보하기보다는 일단 자기 뜻대로 안된다고 삐지는 경우가 많다. 그렇게 함으로써 열심히 하고 싶은 다른 친구들에게도 피해를 줄 뿐더러 학급의 분위기까지 흐려놓게 된다.

한참 오던 비가 잠깐 멈추고 운동장 곳곳엔 작은 물웅덩이가 생겼다. 아무도 나오지 않은 운동장은 우리 반만의 멋진 놀이터가 되었다. 분단별로 미션을 수행하기 위해 바쁘게 움직였다. 첨벙첨벙 물장난을 치면서 여기저기 물길을 만들기도 하며 작품 만들기에 여념이 없었다. 항상 그렇듯 친구들과 자주 충돌이 있는 재혁이와 나윤이가 서로를 탓하기 시작했다.

"얘가 내가 만든 물길을 다 망가뜨려 놓았어요."

"얘가 내 물길을 발로 밟아버렸어요."

얼굴과 옷 여기저기에 흙탕물이 튀는 것도 아랑곳하지 않고 자신들만의 작품을 만드느라 몰입하는 학생들과는 정말 대조적인 모습이었다. '태양의 물길'이라는 제목까지 붙여가며 시간 가는 줄 모르고 열심히 활동하는 학생들의 얼굴은 즐거움 그 자체였다. 학생들의 노는 모습이 무척 신나게 보였던지 학교 보안관님도 멀리서 흐뭇하게 쳐다보고 계셨다.

활동이 끝나고 교실로 들어와 소감 나누는 시간을 가졌다. 좋았던 점이나 불편했던 점 등에 대해 이야기를 나누었다. 재혁이가 물길을 망가뜨려 불편했다는 의견이 많이 나왔다. 모둠 친구들과 협력해서 작품을 만들기는커녕 아마 여기저기 돌아다니며 친구들의 물길에 방해를 했던 모양이었다. 그런데 유독 나윤이하고만 충돌이 생긴 것이었다.

"재혁이가 다른 친구들 물길도 망가뜨린 것 같은데 다른 친구들은 어떻게 이 문제를 해결했는지 궁금하네. 혹시 그 얘기를 나눠 줄 수 있나요?"

"저는 재혁이한테 하지 말라고 말하고 나서 그냥 신경 쓰지 않고 다른 물길을 계속 만들었어요."

"제 물길도 재혁이가 한 번 밟았는데 하지 말라고 말하고 다시 만들었어요."

재혁이와 충돌이 없었던 아이들의 공통점은 일단 하지 말라고 의사 표현을 하고 자기 일에 집중했던 점이었다. 친구랑 싸우느라 그 시간을 만끽하지도 못하고 서로의 탓만 하며 얼굴을 찌푸렸던 재혁이와 나윤이는 다른 친구들의 말을 들으며 자신의 행동에 대해 되돌아보는 눈치였다.

한번은 반 친구들을 힘들게 하는 학생들이 어떤 공통된 특징을 가지고 있나 알아보는 시간을 가졌다. 그때 학생들이 말한 내용을 보면 이렇다. '잘 삐진다', '시비를 잘 건다', '쉽게 흥분한다', '화를 잘 낸다', '남의 탓을 잘하고 자기 잘못은 절대 인정하지 않는다', '항상 억울해한다', '자기 의견을 제시하기보다는 무조건 울어버린다', '불평불만이 많다', '매사 부정적이다', '금방 웃다가 금방 화내는 등 감정 변화가 아주 심하다', '말로 해결하기보다는 폭력을 자주 쓴다', '선생님한테 이야기하면, 이야기했다고 하면서 협박한다', '잘 우긴다' 등의 이야기가 나왔다. 모두들 "맞다, 맞아." 하며 고개를 끄덕였다. 이제 이만하면 그런 학생들의 특징이 어느 정도 다 나왔겠다 싶어 해결 방법에 대해 의논해보려고 하는데 한 여학생이 손을 번쩍 들었다. 또 한 가지 덧붙일 것이 있다는 것이다. 어서 말해보라고 하니 "그런 특징을 가진 친구들은 우리가 이렇게 회의를 하고 있는 데도 전혀 집중하지 않고 지금도 떠들거나 다른 행동을 하고 있습니다."라고 했다. 그 학생의 정확한 지적에 모두들 다시 한번 "맞다, 맞아."라고 하면서 웃은 적이 있다.

이처럼 친구들을 힘들게 하는 학생들이 문제행동을 했을 때 공동체가 다 같이 그 문제를 평화적으로 해결하는 것이 필요하다. 그렇게 함으로써 해당 학생들도 자신의 행동이 어떤 영향력을 미치는지 깨닫고 책임을 질 수 있다.

7. '뽀로로 색연필을 가져왔어요!'

"8살이 뽀로로 색연필 가져 왔다고 놀려요."

남자 아이가 눈물까지 글썽이며 말했다. 같은 모둠 여자 아이가 뽀로로 색연필을 가져왔다고 한마디 했나 보다. 학년 초에 학교에서 준 색연필을 분실해서 집에 있는 것을 가져왔는데 그 색연필이 바로 뽀로로 색연필이었던 것이다. 1학년 학생들에게 뽀로로가 그려져 있는 물건은 아마 유치원 아이들만 사용할 수 있는 거라 생각하게 하는 모양이다. 유치원과 1학년이 엄청 차이라도 나는 것처럼 말이다.

"그래? 그럼 다른 친구들도 그렇게 생각하나 물어보자." 하며 그 남학생에게 반 친구들의 의견을 들어보라고 했다.

"저는 우리 집에 뽀로로 색연필이 많아서 그걸 가져왔는데 나정이가 8살이 뽀로로 가져왔다고 놀렸습니다."

그랬더니 여기저기서 '나도 우리 집에 뽀로로 물건 많이 있다.', '8살도 뽀로로 물건 써도 된다.', '색연필이 중요하지 뽀로로가 그려져 있는 것은 중요하지 않다.' 등의 의견이 나왔다. 놀렸던 아이와 같은 생각을 가진 아이도 분명 있었을 텐데 이런 의견들이 나오는 분위기가 되니 모두 자신들도 같은 생각이라고 했다. 놀렸던 여자 아이는 그 분위기에 어쩔 줄 몰라 했다. 어떻게 생각하느냐고 나정이에게 물었다. "인준이가 집에 뽀로로 물건이 많아서 가져온지 몰랐다. 놀린 것 미안하다."라며 바로 사과했다.

그 이후 우리 반에서는 어떤 뽀로로 물건이라도 마음 놓고 사용할 수 있게 되었다.

공동체 생활을 하다 보면 크고 작은 사안들이 항상 일어나게 마련이다. 학생들 사이에 발생하는 갈등은 서로 관계를 맺고 생활하는 그들 삶의 한 부분이다. 따라서 갈등은 자연스런 일인 것이다. 이때 그런 것들을 교사가 일일이 판단하고 해결하기보다는 아이들 스스로 의견을 나누면서 잘못을 바로잡고 동시에 서로에게 배움의 기회가 되도록 하는 것이 좋다. 즉 잘못이나 실수를 바로잡는 과정에서 늘 배움에 초점을 두고 소통하는 것이 중요하다는 것이다. 화를 낸다거나 우는 아이, 바로 주먹이 나가는 아이들은 문제해결에 대해 그 방법밖에 경험하지 못한 결과이다. 따라서 한 가지 문제에 대해 항상 다양한 문제해결 방법이 있음을 깨닫고 직접 경험을 통해 배워나갈 수 있도록 그 장을 마련해주어야 한다.

'화가 났을 때 난 이렇게 해결한다.'라는 내용으로 아이들의 의견을 들은 적이 있다. 그때 자신은 미처 생각하지 못한 좋은 방법을 활용하는 친구들을 보면서 도움이 많이 되었다고 말하는 학생들이 많았다. 사안이 발생했을 때 그것을 살아있는 생생한 소재로 삼아 학급 구성원 모두가 해결해나가는 시간이 반드시 필요하다. 소리를 지르거나 화를 내면서 남의 탓으로만 돌리는 친구들과 충돌하기보다는 그들과 함께 자신들의 지혜로운 해결 방법을 나눌 수 있는 학급문화가 만들어질 때 모두가 평화롭고 행복한 교실이 되지 않을까?

다음 표는 친구들과 다투거나 문제가 발생했을 때 책임을 지기 위해 스스로 봉사활동을 선택한 후 실천한 결과를 적는데 활용한 것이다.

봉사활동 기록표

서울 (　　　)초 (　　　)학년 (　　　)반 이름 (　　　)

봉사활동을 하게 된 이유	(언제 어떤 일로 하게 된 것인지 자세히 쓸 것)		
날짜	**시작 시각**	**끝낸 시각**	**활동 내용**
봉사활동을 마치고 나서			

7장

도전과 협력의
모험 상담

1. '모험 상담'Adventure Based Counseling이란 무엇인가?

요즈음 학생들의 모습을 살펴보면, 자신의 의사를 똑바로 표현하지 못하고 무조건 고집을 부리거나 아예 울어버리는 경우, 일방적인 말로 자신의 감정만을 내뱉어버리고 그에 대한 알맞은 이유를 대며 설득하지 못하는 경우, 피해 의식에 사로잡혀 조금만 뭐라고 해도 예민하게 반응하며 억울해하는 모습들을 쉽게 볼 수 있다. 상대방을 배려하고 칭찬해주기보다는 자신이 인정받는 것에 급급하며 늘 안정되지 못한 상태로 사소한 일에도 쉽게 화를 낸다. 또 어떤 일이 발생했을 때 자신의 책임을 회피한 채 무조건 상대방 탓으로 돌리는 경향이 비일비재하다.

'어쩌라고', '내 맘이야', '니가 뭔데', '니나 잘해'라는 말은 다른 친구들을 힘들게 하는 학생이 자주 사용하는 말이다. 친구들이 자신의 행동에 대해 충고나 부탁이라도 하면 앙칼진 목소리로 즉각 반응한다. 미안해하면서 자신의 행동을 수정하려는 생각은 추호도 없고 도리어 화를 내며 자신을 방어한다. 이러다 보면 충고를 했던 학생도 감정이 상하여 반응하게 되고 결국 싸움으로 발전하게 되는 악순환이 반복된다.

이러한 학생들에게 자신을 자연스럽게 열고 더불어 바르게 성장할 수 있는 적절한 기회가 주어져야 함은 두말할 필요가 없다. 따라서 그들이 집단 내에서 서로 존중하고 배려하며 자신의 의견을 자연스럽게 표현할 수 있는 기회를 제공해줄 필요가 절실하다. 학생들에게 스스로를 가치 있게 여기고 서로가 협력하는 가운데 자연스럽게 문제를 해결할 수 있는 기회를 제공한다면 위에서 언급된 여러 가지 부정적인 행동들은 분명 변화할 것이다.

그렇다면 학생들이 함께 웃으며 소통하고 배려하는 가운데 문제를 해결하면서 성취감을 느껴볼 수 있는 방법은 없을까? 이런 질문에 대해 여러 가지 대답이 있겠지만 그 중의 하나로서 모험 상담 도전 활동을 제안한다. 이것은 협동, 배려, 존중, 소통뿐만 아니라 거기에 '재미'라는 요소까지 포함되어 있는 집단상담 활동이다. 학생과 교사가 책상에 마주앉아 조용히 이야기하는 식의 전통적 상담이 아니다. 이것은 학생들이 함께 목표를 설정하고, 주어진 문제 상황을 원활한 의사소통을 통하여 창의적이고도 효과적인 방법으로 풀어나가는 활동이다. 즉 도전적이고 모험적인 역동성을 보여주는 집단상담 기법이라고 할 수 있다. 모험 상담 도전 활동은 단순히 언어로만 상담하는 것을 넘어 모험적인 긴장과 인지된 위험 요소를 도전적으로 받아들이는 가운데 재미와 즐거움, 신뢰와 협력, 지지, 창의력, 소통 및 인내력 등을 동원하여 집단에게 부과된 과제를 해결해 나아가는 집단상담 기법이다.

이 활동은 비경쟁·협력 놀이와 활동 등을 통하여 자신감을 얻고 집단 내에 협력과 존중, 지지를 증가시킬 수 있다. 여기에서 '모험'이란 번지점프나 암벽 등반 등과 같은 특별한 활동을 말하는 것이 아니다. 평소에 시도해보지 않았던 것을 시도해보려고 노력하는 것도 하나의 '모험'이라고 할 수 있다. 선뜻 나서지 못했던 것, 좀 꺼려지던 것들을 용기 내어 해보고 자신감을 갖는 것들이 다 모험이라고 할 수 있다. 예를 들면 새로운 사람을 만났을 때 먼저 말을 거는 것, 그 사람과 자연스럽게 이야기 나누는 것, 어떤 활동을 하기 위해 스스럼없이 손을 잡는 것 등도 다 '모험'이 될 수 있는 것이다. 팀의 분위기를 부드럽게 하기 위하여 용기 있게 웃기는 표정을 지어 다른 사람들에게 큰 웃음을 줄 수 있는 것도 아주 큰 모험이라고 할 수 있는 것이다.

선생님들도 연수에 참가할 때 웬만하면 동료와 같이 가려고 한다. 옆에 같이 앉고 점심 같이 먹을 사람이 꼭 필요하다고 생각하기 때문이다. 이러한 경우 혼자 참석하여 처음 만나는 사람에게 먼저 말을 걸어보고 같이 점심도 먹으려고 시도하는 것은 큰 도전이 되고 모험이 될 수 있다. 그래서 모험 상담 활동 중에는 섞기 (mixing) 활동이 많이 들어가 있다. 사람들은 보통 자신이 잘 알고 있거나 친한 사람과 같이 앉거나 가까이 서는 경향이 있다. 그러므로 여러 가지 섞기 활동을 통하여 이 사람 저 사람과 자연스럽게 이야기 나누고 손도 잡고 하며 구성원 전체가 낯설다는 느낌이 들지 않도록 하는 것이다. 그렇게 함으로써 집단의 목표를 달성하기 위해 협력할 수 있는 분위기를 만들 수 있는 것이다.

다양한 활동을 하면서 재미도 느끼고 서로 소통하며 협력, 존중, 배려, 리더십, 인내 등을 배울 수 있다. 또 활동 중에 자주 모여 발생한 문제점을 살피고 그 문제의 원인이 무엇인가를 함께 생각하면서 해결해나간다. 특히 문제해결 방법을 팀원들과 서로 나누며 배려나 격려, 기다려주기, 인정하기, 협력 등의 긍정적인 행동을 하지 않으면 문제를 해결할 수 없음을 직접 체험으로 느낄 수 있다. 그렇게 함으로써 학생들은 스스로 말과 행동이 일치하도록 하는 것을 경험하고 성취감을 느낄 수 있어 그 경험이 생활 현장에도 연계되어 적용될 수 있다.

활동을 하는 과정에서 자연스럽게 의사소통이 이루어지고 서로 협력하는 가운데 목표를 달성하게 된다. 활동 초반에 원활한 의사소통이 이루어지지 않으면 충분한 협의 시간을 가져 드러난 부정적 문제점에 대해 다 같이 토의하는 시간을 갖도록 한다. 학생들은 민주적인 의사결정 과정을 직접 체험하고 갈등을 해결하는 가운데 공동의 목표를 달성하는 성취감을 충분히 느끼게 된다. 규칙이나 팀의 목표는 학생들이 스스로 정하도록 하면 더욱 효과적이다.

활동 후 도전에 성공한 비결, 포기하고 싶었던 순간, 재도전하게 된 계기 등 여러 가지 의견을 서로 나누는 시간을 갖는 것이 중요하다. 이런 '나눔'(Sharing) 시간을 통해 서로에게 배움이 되고 그러한 경험이 또 다른 도전의 동기부여가 되기 때문이다.

이제 모험 상담 도전 활동의 단계를 살펴보면 다음과 같다.

첫째, 상호 인식 단계이다. 이 단계의 목표는 집단 구성원끼리 서로의 이름이나 별칭, 기타 서로에 대해 알아가는 것을 돕는 것이다. 서로 알아가는 과정에서 많은 공통점이 있다는 것을 느끼고 친밀감을 느끼게 된다.

둘째, 분위기 조성 단계이다. 집단 구성원들이 서로 불편함을 느끼지 않고 재미를 느끼는 가운데 몸과 마음을 열 수 있는 활동들을 주로 한다. 빠르게 걷거나 뛰는 활동을 통해 몸을 풀 수 있다. 즐거움과 재미가 우선되며 친근하고 우호적인 감정이 고조되고 상호 배려하게 된다. 상호 인식 단계도 넓게는 이 단계에 넣을 수 있다.

셋째, 신뢰 형성 단계이다. 친밀감을 느끼기 시작하고 서로 지지하는 관계가 되며 즐거운 분위기가 고조되면 서로 신뢰감이 형성된다. 신뢰를 측정해보고 신뢰를 경험하는 활동들이 이루어지는 것이다.

넷째, 문제해결 활동 단계이다. 집단 구성원들이 서로 협력하며 주어진 문제 상황을 해결하는 것이다. 여러 번의 시도를 통하여 인내를 배우고 성취감을 느껴볼 수 있다. 다양한 아이디어를 주고

받으며 함께 팀의 목표를 달성해가면서 서로 지지하고 격려한다. 그러한 과정에서 서로의 강점들을 발견하고 자신의 소중함을 느끼며 협력과 도전 정신을 배우게 된다.

다섯째, 되짚어보기 단계이다. 활동 중의 경험을 되짚고 재검토하며 피드백을 주고받는 단계를 말한다. 실질적으로 학습과 성장이 이루어지도록 안내하고 촉진하는 단계로서 경험적 학습이 발생하는 의미 있는 시간이다.

학년 초에는 주로 상호 인식 활동을 실시하고 그 다음부터는 서로에 대해 잘 알고 있기 때문에 분위기 조성 활동으로 몸과 마음을 열게 한 다음 문제해결 활동을 실시하면 효과적이다. '회전문' 등과 같은 '문제해결 활동'(Problem Solving Activities)은 모둠별로 실시하는데 주어진 문제해결을 위해 모둠원끼리 서로 소통하면서 협력을 통해 목표를 달성해나가는 것이다. 각 모둠에서 문제점을 분석하고 알맞은 해결 방법 등에 대해 충분하게 협의를 한 다음 정해진 목표를 달성하게 하면 된다. 이때 문제해결을 통해 성취감을 느낌으로써 그러한 경험이 또 다른 성공 경험으로 연결되도록 한다.

친구들과 어울려 마음껏 웃어보고 친구들로부터 인정도 받아보고, 또 다 같이 문제를 해결해가는 기쁨을 느껴본 학생들의 표정을 한번 상상해보자. '어쩌라고'라고 하면서 무조건 방어하려는 마음은 어느덧 사라지고 어느새 부드러운 말투로 변화되지 않을까? 함께 웃고 소통하는 가운데 배움과 성장은 덩달아 이루어진다. 교실에서 들리는 웃음소리, 배려, 존중, 협동, 리더십 등으로 교사와 학생이 모두 하나 되는 기쁨을 누릴 수 있게 된다.

2. 문제해결 활동 '회전문'

새 학년 초에 항상 하는 '회전문'은 문제해결 활동 중에서 가장 좋아하는 활동이다. 모험 상담이란 것을 모를 때부터 체육 시간에 이미 하고 있었던 활동이다. 그런데 나중에 관련 도서를 보니 '회전문'이라는 이름이 붙어있는 문제해결 활동 중의 하나였다. 물론 처음에는 회전문이라는 이름으로 한 것이 아니고 그냥 긴 줄넘기 미션 활동이라고 하면서 쭉 해왔었다. 나와 생각이 같은 사람이 벌써 있었구나 하는 생각이 느껴져 뿌듯했다. 이 활동은 단계별로 목표를 정해 놓고 팀원이 협력하여 그 목표를 달성해가는 것이다.

그런데 해마다 어떤 학년을 맡든지 똑같은 현상을 목격하게 된다. 자신도 잘 넘지 못 하면서 줄을 잘못 돌린다고 친구를 탓하는 아이, 넘지 못한다고 아예 뒤로 빠져버리는 아이, 누군가 어쩌다 실수라도 하면 무안할 정도로 그 친구를 구박하는 아이, 집중하지 못하고 장난치며 도리어 방해하는 아이, 친구들이 좀 뭐라고 했다면서 삐져버리거나 우는 아이 등 고학년이라고 해서 더 나을 것도 없다. 그런 와중에 어쩌다 어떤 모둠에서 잘 넘지 못 하는 친구를 격려해가면서 돌리는 방법과 뛰는 순서, 들어가는 타이밍 등의 다양한 문제해결 방법을 의논해가는 모습을 발견하게 된다. 그러면 '이때다' 하며 모든 학생들을 모이게 한 다음 그 모둠을 칭찬해준다.

'회전문' 활동

준비물	긴 줄넘기
활동 목표	단계별 목표를 정하고 모둠원이 모두 참여하여 목표 달성하기
활동 방법	- 분단별로 모둠을 구성한다. - 1단계(그냥 빠져나오기 30회) 2단계(1번씩 박자 놓치지 않고 뛰기 30회) - 줄이 사람 몸에 닿아서는 절대로 안 된다. - 모든 모둠원이 참석해야 한다. - 1단계에 줄을 돌린 사람은 2단계에서는 돌릴 수 없다. - 박자를 놓치면 1부터 다시 카운트한다.
활동 시 유의할 점	- 충분한 의사소통 과정을 거쳐 해결 방법을 찾도록 한다.
되짚어보기	- 활동하면서 가장 어려웠던 점은? - 해결의 비결은? - 성공했을 때의 기분은? - 어려움을 어떻게 극복하였나? - 활동을 하면서 칭찬해주고 싶은 친구가 있다면? 그 이유는?

활동 방법을 자세히 소개하면 이렇다. 세 모둠으로 나누어 단계별로 실시하는데 보통 3단계까지 하면 좋다. 1단계는 줄이 몸에 닿지 않게 그냥 뛰어서 빠져나가면 된다. 이 정도의 난이도에도 겁을 내고 어려워하는 학생이 많다. 교사연수에서도 많은 선생님들이 1단계에서도 줄을 무서워하는 경향이 없지 않았다. 단계별로 도달 목표를 정하는데 보통 1인당 3번 정도 뛸 수 있게 정하면 알맞다. 한 모둠원이 10명이면 2명이 줄을 돌리고 8명이 뛰어야

하니까 목표를 24회로 정하면 되는 것이다. 그런데 누군가의 몸에 줄이 닿으면 다시 1부터 카운트를 해야 하므로 목표를 달성할 때까지 개인당 뛰는 횟수는 굉장히 많을 수밖에 없다. 여기서 도달 목표는 학생들이 서로 의논하여 정하도록 한다. 목표가 너무 낮으면 도전의 의미가 없고 너무 높아도 잦은 실패에 좌절하여 포기하기 쉽다. 따라서 자신들의 능력보다 약간 높은 정도의 목표를 정하는 것이 효과적이다. 그래야 어려움을 극복하고 느끼는 성취감을 충분히 맛볼 수 있다.

목표가 정해졌다면 이제 도전을 시작할 때이다. 이때부터 평소에 나타나던 온갖 부정적인 요소들이 몽땅 드러나기 시작한다. 삐지고 울고 남을 탓하면서 비난하고 뒤로 빠져버리고 부정적인 말을 해서 사기를 떨어뜨린다. 또 까불고 장난을 치고 다른 모둠을 부러워하면서 못하는 친구를 빼고 싶다는 말도 서슴없이 한다.

그러나 이 시점에서 포기하면 절대로 안 된다. 이 고비를 잘 넘겨야 한다. 이런 요소들이 다 빠져나와 긍정적인 행동으로 바뀔 수 있는 좋은 기회라고 생각해야 된다. 여기서 중단하면 아무 소용없다. 중간에 줄에 걸렸다고 그 친구를 탓하고, 줄에 걸렸던 아이는 겁이 나서 뒤로 빠지는 등 우려했던 행동들이 예외 없이 하나 둘 나타나기 시작한다. 그동안 쌓였던 부정적인 요소들이 일단 드러나 빠져나와야 된다. 1단계를 하면서 수시로 각 모둠의 문제점을 이야기해보라고 한다. 그러면 본인들은 자신들의 어떠한 행동이 문제인지 잘 알고 있다. 그 다음엔 그 문제를 해결하기 위해 어떻게 해야 할 지에 대해 협의하는 시간을 준다. 줄에 걸린 친구를 비난하고 탓하기보다는 위로하고 격려하는 것이 팀의 목표를 달성하는 데 도움이 된다는 것을 자연스럽게 깨닫게 된다. 다른 모둠을 부러워하기보다는 그 에너지를 자신의 팀 목표 달성을 위해 사용하는 것이 더 낫다는 것도 알게 된다.

"야, 너 때문에 안되잖아."라는 말이 습관적으로 나오는 것을 꾹 참고 "괜찮아, 괜찮아." 하며 친구를 위로하는 말들이 한마디씩 들리기 시작하면 그때부터 목표 달성의 순간이 점점 다가오는 것이다. 교사연수에서 이 활동을 끝내고 소감을 나누는 기회가 있었는데 한 분이 이렇게 말씀하셨다. 본인이 줄에 걸려 다시 1부터 카운트를 해야 되는 부담감, 미안함 등으로 속상해할 때 팀 동료 선생님들이 진정으로 건네는 '괜찮아! 괜찮아!'라는 말 한마디가 눈물이 나올 정도로 위로가 되고 고마웠다고.

비난이 격려로, 방해가 협력으로, 포기가 재도전으로 바뀌면서 학생들은 점점 활동에 집중하게 된다.

"27, 28, 29, 으악! 아, 아깝다."

30회가 목표였는데 그만 마지막 순간에 걸린 것이다. 목표한 숫자에 가까워질수록 줄을 돌리는 학생이나 넘는 학생 모두가 긴장하기 마련이다. 멀리서 지켜보는 교사의 마음도 조마조마하긴 마찬가지이다. 거의 대부분 목표에 거의 다다랐을 때 꼭 실패한다. 여기서 퀴즈 하나. 그렇다면 마지막 순간에 실패한 학생들은 화를 내며 포기할까 아니면 재도전할까? 이제까지 마지막 순간까지 가서 실패했을 경우 포기하는 모둠은 전혀 본 적이 없다. 수차례의 실패를 거쳐 그 수준까지 올라오면 이미 회복 탄력성이 생겨 절대로 포기하지 않는다. 그 정도까지 올라오는 과정에서 벌써 어느 정도 팀워크가 형성된 것이다. "힘들지 않아?"라고 하면서 좀 쉬었다 하라고 하면 괜찮다고 하면서 바로 다시 시작하는 모둠을 많이 보았다. 이어 몇 차례의 재도전 끝에 드디어 목표가 달성되는 순간 느끼는 성취, 기쁨과 환호는 직접 경험해보지 않으면 알지 못할 짜릿한 쾌감이다. 실패하더라도 명랑하게 다시 시도할 수 있는 힘이 있을 때 학생들의 눈빛이 달라진다. 서로서로 하이파이브를 하며 기쁨을 만끽하는 모습은 보는 사람에게도 감동이다. 한번 이 성취감을 느껴본 학생들은 또 다른 도전을 시도할 수 있는 자신감을 얻는다.

2단계는 한 번 뛰고 나가는 것이다. 물론 다른 방법을 써도 상관은 없다. 학생들이 스스로 방법을 정하면 더욱 좋다. 이 단계에서는 1단계에서 줄을 돌렸던 사람은 다시 돌릴 수 없다. 뛰는 것이 자신 없는 학생들은 자꾸 돌리려는 경향이 있어 이 규칙을 반드시 지키도록 해야 한다. 2단계는 박자를 놓치기 쉬워 목표 달성이 생각보다 쉽지 않다. 1단계보다 난이도가 있어 목표 달성에 걸리는 시간도 꽤 오래 걸리지만 정해진 목표가 달성되기까지 수없이 많은 연습이 이루어지기 때문에 목표 달성 순간의 기쁨은 더 클 수밖에 없다. 2단계에서는 좌절을 느끼고 포기하려는 모둠이 많이 발생한다. 이때 교사는 바로 개입하지 말고 좌절의 정도가 너무 깊다고 생각할 때 살짝 개입하였다가 다시 빠지는 것이 좋다.

3단계는 학생들에게 자율적으로 만들어보라고 하면 좋다. 1, 2단계를 거쳤기 때문에 어느 정도의 난이도가 적당할지 학생들이 더 잘 안다. 당연히 2단계보다는 어려워야 한다. 기억에 남는 3단계를 소개하면 이렇다. 3학년 담임할 때의 아이들이 만든 것이다. 한 사람씩 차례대로 들어가 2번씩 뛰는 것인데 뛰고 빠져 나오는 것이 아니라 마지막 사람이 들어가 2번을 뛸 때까지 계속 뛰는 것이다. 그러니까 처음 들어간 사람은 계속 뛰어야 한다. 학생들은 이 문제해결 활동을 위해 여러 가지 전략을 세운다. 들어가는 순서를 정하는데 모둠원들의 능력을 고려하여 맞춤형 순서를 정했다. 맨 처음 들어가는 사람은 지구력도 있고 높이 점프할 수 있는 사람으로 정했다. 그 다음 점점 그 수준 아래 친구들이 들어가다가 중간 이후부터는 좀 더 높은 수준의 학생이 들어가도록 정확한 순서를 정하는 것이었다. 이 3단계 활동 방법을 생각해낸 학생은 평소에 친구들과 충돌이 있고 별로 신뢰를 받지 못하였던 학생이었다. 그러나 이 활동을 통해 친구들로부터 리더십을 인정받고 친구들과의 관계가 훨씬 부드러워지기도 했다.

1단계에서 3단계를 거치면서 서로 격려하고 협력하며 수시로 해결 방법을 의논하는 등의 소통이 이루어지면서 부정적인 요소들은 거의 다 제거된다. 칭찬해주고 싶은 친구를 추천하라고 했더니 처음에는 잘하는 친구를 지명하다가 나중에는 모둠원 전체를 칭찬한다든지 아주 못했던 친구가 노력한 덕분이라며 그 친구를 더 많이 칭찬하기도 했다.

목표가 달성되는 순간 돈으로도 살 수 없는 기쁨을 얻었다고 말하는 학생도 있을 만큼 성취감은 대단하다. 사실 이 글을 읽고 있는 독자들도 실제로 해보지 않았다면 '과연 그럴까?'라는 생각이 들 것이다. 해보는 것과 듣는 것은 천지 차이다. 일단 한번 해보면 안다.

소통, 배려, 격려, 존중, 인내, 끈기, 협력이라는 말을 교사가 한 번도 언급한 적이 없는데 학생들은 스스로 그런 것들을 배웠노라고 말한다. 이것이 문제해결 활동을 통해 얻을 수 있는 것이 많다는 것을 입증한다. "우리 모둠은 100년이 돼도 안 돼."라며 처음엔 무지막지한 부정적 표현을 썼던 학생이 모둠 친구들과 협력하며 목표를 달성하는 모습을 보며 가슴이 뭉클한 적도 있었다. 자기 팀의 목표를 달성하기 위해 누가 시키지도 않았는데 점심시간에도 함께 연습하는가 하면 부족한 친구를 위해 개인 지도까지 해가며 최선을 다하는 아름다운 모습도 볼 수 있었다. 한번은 특수반에 가는 친구가 속해있던 모둠원들이 전혀 싫은 내색 없이 땅에다 선을 그어놓고 줄넘기 연습을 단계별로 시키는 것도 보았다. 드디어 운동 기능이 잘 발달되지 않았던 그 학생이 친구들의 노력에 감동하여 그 모둠이 어려운 2단계까지 통과하는 멋진 결과를 이루었던 일도 있었다.

언젠가 2학기 현장체험학습으로 민속촌에 간 적이 있다. 가 본 사람은 알겠지만 거기에 그네와 긴 줄넘기를 할 수 있는 장소가 있다. 큰 동아줄이 있는데 한 쪽은 나무에 매어져 있어 한 쪽만 돌리면 긴 줄넘기를 할 수 있게 되어 있다. 그 줄을 보자마자 우리반 학생들이 바로 '회전문' 활동을 시작했다. 중간에 박자를 전혀 놓치지 않고 수십 번을 넘으며 신나게 논 적이 있다. 구경하는 사람들도 무척 신기해했다.

이런 문제해결 활동을 하면서 모둠원끼리 협동하지 않으면 절대로 성공할 수 없음을 깨닫게 되는 계기가 된다. 공동의 목표를 정하여 미션을 수행할 때, 처음에는 서로를 탓하던 학생들이 점차 시간이 흘러가면서 서로를 격려하고 위로하며 목표를 달성해 나가는 모습으로 변화된다. 서로 힘을 합치고 마음이 통하는 기쁨을 느끼게 되는 것이다. 또 좀 어려운 도전 과제를 해결하고 난 뒤에 성취감과 기쁨을 경험하면 다른 활동에도 적극적으로 도전해 보려는 의지를 보인다. 활동 후 칭찬하고 싶은 친구를 발표하라고 했을 때 처음에는 특정한 1~2명을 지명했었는데 차차 모둠원 전체를 칭찬하고 싶다는 학생들이 늘어난다. 모두가 힘을 모아 협력했기 때문에 성공했다고 생각해서일 것이다.

다음은 '회전문'이라는 소집단 문제해결 활동을 하면서 문제점, 해결 방법, 도전 성공의 비결, 성공했을 때의 소감, 칭찬하고 싶은 친구들에 대해 정리한 내용이다.

문제해결 활동 도전 기록표

활동	회전문
모둠	5모둠
문제점	- 줄을 무서워하는 친구들이 있다. - 노력해보지도 않고 자꾸 안 된다고 화만 낸다. - 줄을 제대로 돌리지 못한다. - 한 친구가 잘못했을 때 구박을 해서 그 친구를 속상하게 한다. - 집중하지 않고 자꾸 장난만 치는 친구들이 있다. - 박자를 자꾸 놓친다. - 잘하는 모둠만 부러워하고 노력은 하지 않는다.
해결 방법	- 줄을 무서워하는 친구들을 천천히 연습시킨다. - 줄 돌리는 연습을 한다. - 친구들이 못 넘었을 때 비난하지 않고 도리어 위로해준다. - 포기하지 않고 끝까지 도전한다. - 뛰는 순서를 바꾸어본다. - 뒤에서 살짝 밀어준다. - 장난치지 않고 집중한다.
도전 성공의 비결	서로 격려하고 협력하며 의논하면서 해결 방법을 찾았기 때문이다.
성공했을 때의 소감	정말 하늘을 날아갈 듯했다.
칭찬하고 싶은 사람	김세희

문제해결 활동 도전 기록표

활동	회전문
모둠	2 모둠
문제점	- 세영이가 자꾸 힘들다고 해서 자주 쉬곤 한다. - 연희가 자주 넘어진다. - 현아가 줄을 너무 빨리 돌리는 것 같다. - 호흡이 잘 안 맞는다.

해결 방법	- 자주 쉬려고 하는 친구에게 '우리 조금만 하다가 쉬면
	  안 될까?'라고 물어본다.
	- 연희가 자꾸 넘어지면 '괜찮아?' 하고 물어보고 '다음엔 더 잘 할 수
	  있을 거야'라고 말한다.
	- 현아가 줄을 좀 천천히 돌려야 한다.
	- 세영이가 쉬고 싶어 할 때 같이 쉰다.

도전 성공의 비결	- 힘들어도 포기하지 않고 '나 안할 거야' 하고 말하지 않고 항상 즐거운 마음으로 줄을 돌리거나 넘는다. - 넘어지면 '괜찮아? 저기에서 조금 쉬고 있어.'라고 말한다. - 힘들어도 짜증 부리지 않는다.
성공했을 때의 소감	'아 노력한 보람이 있구나.'라는 생각이 자꾸 떠오른다. 그리고 스마일 도장을 찍을 때마다 더욱 자신감이 생긴다. 너무 기쁘고 행복하다. 그리고 자랑스럽다. 두근두근거렸다.
이 활동을 통해 배운 점	'우리가 호흡을 같이 맞추면 잘 할 수 있구나'라는 것을 배웠다. 이런 기쁜 마음이 있을 줄은 몰랐다.
칭찬해 주고 싶은 친구	수연이가 줄을 무서워했는데 요즘 더 많이 노력해서 성공한 것 같다.

학생들이 말한 '회전문' 활동의 문제점

- 장난을 치는 아이가 있다.

- 양보를 안 한다.

- 한 박자를 놓치고 있다.

- 돌리려고 하는 사람이 많다.

- 포기하려는 사람이 많다.

- 협력, 배려, 격려가 부족하다.
- 연습을 잘 안 한다.
- 끈기가 없다.

학생들이 말한 '회전문' 활동의 문제 해결 방법

- 박자를 잘 맞추도록 연습을 한다.
- 무서워하는 친구들에게 '안 무서워'라고 말해준다.
- 돌리기를 잘해야 한다.
- 장난치지 말고 친구를 비난하지 않고 협동심을 기른다.
- 못하는 친구를 계속 연습시킨다.
- 용기를 내서 줄을 이겨내는 방법을 알아야 한다.
- 줄을 돌릴 때 높게 돌려야 하고 뛰는 사람은 마음을 진정시켜
  야 한다.
- 넘어져도 절대 포기하면 안 된다.
- 기쁜 마음으로 한다.
- 돌릴 때 앉았다 일어났다 하면 애들이 잘 뛴다.
- 친구들이 줄을 무서워하지 않게 도와주고 박자를 맞춘다.
- 짝과 연습을 많이 한다.
- 격려를 해주고 자신감을 갖는다.
- 집에서 돌리는 것과 들어가서 뛰는 걸 연습해야 한다.
- 아이디어 회의 할 때 장난치지 않는다.
- 넘지 못하는 사람을 배려해서 줄을 천천히 돌린다.

- 뒤에서 들어갈 때 살짝 밀어준다.
- 넘어지면 털어준다.
- 안 무섭다고 말을 하고 서로 용기를 북돋아 주어야 한다.
- 마음을 차분히 하고 침착하게 해야 한다.
- 겁이 많은 친구에게 '괜찮아. 다시 한번 해보자' 라고 한다.
- '나 하는 걸 잘 봐' 라고 하면서 실제 하는 것을 보여준다.
- 어떻게 할지 먼저 생각하고 한다.

학생들이 말한 '도전 성공의 비결'
- 끈기, 배려가 있어서 성공한 것 같다.
- 줄 높이, 빠르기를 생각했다.
- 넘을 때 높이 뛰었다.
- 모두 협력했다.
- 포기하기 않았다.
- 서로 용기를 주었다.
- 서로가 할 수 있다고 믿었다.
- 힘들어도 짜증 부리지 않았다.
- 넘어져서 다치면 '괜찮아? 저기에서 조금 쉬어.'라고 말해서 성공했다.
- 항상 기쁘고 행복한 마음으로 줄을 돌리거나 넘었다.
- 힘을 모아서 하나하나 했다.
- 포기하지 않고 격려를 하면서 열심히 하면 무조건 된다.

- 집에서 연습을 했다.

- 겁이 많은 친구에게 '괜찮아, 다시 한번 해봐.'라고 했다.

- 실패해도 실망하지 않고 계속 노력해서 성공했다.

- 한 명이 걸리거나 넘어져도 웃으면서 했다.

학생들이 말한 '성공했을 때의 소감'

- 엄청 기뻤다.

- 돈을 주고도 살 수 없는 기쁨을 얻었다.

- 마지막 29, 30을 넘어준 친구가 정말 고마웠다.

- 자랑스러웠고 말로 표현할 수 없을 정도로 기뻤다.

- '아, 노력한 보람이 있구나.'라는 생각이 들었다.

- 자신감이 생긴다.

- 행복하다.

- 이런 기쁜 마음이 있을 줄 몰랐다.

- 우주로 날아가는 느낌이다.

- 눈물이 날 것 같이 기쁘고 날아갈 것 같다.

- 용기가 생겼다.

- 포기하지 않고 해서 뿌듯하다.

- 성공하니 또 하고 싶다.

- 신이 났다.

- 보람이 있다.

- 29, 30 하기 전에 걸릴까봐 걱정했는데 너무너무 좋다.

이 활동의 또 다른 이점은 목표 달성을 위해 여러 번 연습을 하다 보니 학생들 모두 능숙하게 줄을 넘게 된다는 것이다. 3월에 실컷 한 활동인데도 전혀 싫증을 안 내고 가끔 긴 줄넘기 또 하자는 말도 제법 들어온다.

이처럼 문제해결 활동을 통하여 재미는 물론 존중, 배려, 소통, 리더십, 인내, 협력 등의 중요한 인성적 가치를 모두 배울 수 있다.

3. 문제해결 활동 '화산지대 통과'

이 활동에 필요한 준비물은 발판과 밧줄이다. 밧줄이 없으면 그냥 선을 그어도 상관없다. 발판은 요가 매트를 잘라서 사용하기도 하고 청, 홍 뒤집기 활동을 할 때 사용하는 판을 사용해도 된다. 이것저것 마땅한 것이 없을 때는 이면지를 사용한 적도 있다.

규칙은 간단하다. 발판을 이용하여 팀원 모두 도착점에 동시에 들어가는 것이다. 단 발판에 신체의 일부가 반드시 접촉되어 있어야 한다. 발판 밖 바닥에 신체의 일부가 닿으면 모두 출발점에서 다시 시작해야 된다. 또 발판 위에 발을 놓고 밀면서 가도 안 된다. 처음에는 발판을 인원수대로 다 나눠 주다가 점점 줄여 나가면서 난이도를 높이면 된다.

처음에 발판을 받은 학생들은 모여서 해결 방법을 의논할 생각은 전혀 하지 않고 각자 생각대로 해본다. 판을 멀리 던져놓고 건너뛰는 학생, 판에 발을 올려놓고 '직직' 밀어내며 가는 학생 등 규칙은 아랑곳하지 않고 자신들의 방법을 써보기에 열중한다. 그러나 그렇게 하는 것이 다 규칙에 어긋나는 것이기 때문에 발판을 회수당하면 그때서야 규칙을 챙기기 시작한다. 이때까지도 누군가가 리더로 나와 "애들아, 잠깐 모여봐."라고 하며 협의 시간을 갖는 경우는 드물다. 이때 교사가 살짝 개입하여 "같이 모여 의논해보는 것이 좋지 않을까?"라고 말하면 그때서야 모여서 문제해결 방법을 이야기하기 시작한다.

'두 팀으로 나눠서 출발해보자.', '누군가 발판을 다 들고 하나씩 놓으며 징검다리를 만들자.' 등의 의견이 나오면서 점점 활기를 띠게 된다. 깜박 방심하여 발판에 누구의 발이나 손가락이 닿아 있지 않게 되는 경우 "으악!"하며 아쉬워한다. 그런 경우를 몇 번 경험하면서 발판을 회수당하게 되면 그때부터 발판에 엄청 신경을 쓴다. 서로서로 살피면서 챙긴다. "여기, 여기! 이제 내 발 떼도 되지?" 친구의 발이 발판에 닿아 있는 것을 확인한 후에야 자신의 발을 떼는 신중함을 보인다. 남아있는 발판이 인원수보다 적다는 것은 한 발판에 1명 이상이 서 있어야 된다는 것이다. 자연히 서로 손을 잡거나 몸을 의지하게 된다.

"괜찮아? 견딜 수 있겠어?" 하며 좁은 발판에 가까스로 서 있는 친구를 걱정해주기도 한다. 그러다가도 깔깔대며 웃고 방심하며 장난치다가 누구 한 명이 발판에서 떨어지면 2가지 반응이 나온다.

"야, 제대로 해야 되잖아."라고 하면서 집중하지 못한 친구를 탓하는 학생과 "아, 아깝다! 다 왔는데. 어쩔 수 없지, 다시 하자. 다시 해." 하며 침착하게 재도전하자고 제안하는 학생이 나온다. 이 때 교사는 재도전을 자발적으로 할 수 있도록 격려해주면 된다. 한 번의 실패에 바로 포기한 팀은 하나도 없었다. 그러나 2~3번의 실패에는 분쟁이 일어나게 마련이다. 인내심이 부족한 학생은 화를 내며 안 하겠다고 하고 어떤 학생은 규칙이 너무 까다롭다면서 규칙 탓을 하기도 한다. 그래도 항상 다행인 것은 재도전하겠다는 쪽이 훨씬 우세하여 모두 재도전을 하게 된다는 것이다. 시키기 않아도 스스로 파이팅을 외치며 팀워크를 다지기도 한다.

도착 지점에 가까이 갈수록 서로를 더욱 잘 챙긴다. "조금만 참으면 돼. 다 왔어." 발판에서 발판으로 이동할 때 서로 손을 잡아 주기도 하며 힘들게 도착 지점에 가까이 오면 누군가가 리더가 되어 말한다.

"다 뛸 수 있겠어? 준비 되었지? 내가 하나, 둘, 셋 하면 뛰는 거다."

"하나, 둘, 셋!"

"와!"

몇 번의 재도전 끝에 드디어 목표를 달성한 순간 모두 환호하며 기뻐한다. 발판을 거의 회수당하고 어렵게 성공했을 때는 그 기쁨이 훨씬 더 크다. 이렇게 하고 나면 학생들은 자연스럽게 하나가 되고 또 다른 도전을 시도할 수 있는 힘이 생긴다. 리더로서 팀을 이끌었던 학생, 새로운 방법을 제안했던 학생, 순간순간 방심하지 않도록 친구들을 챙겨주었던 학생, 마지막 순서로 출발하며 끝까지 잘 기다려준 학생 등 모두 서로에게 고마워하는 마음을 갖게 된다.

서로 힘을 합해 어려운 문제를 해결한 후 자연스럽게 말한다. '협력하면 무슨 일이든지 다 할 수 있다.', '포기하지 말아야겠다.', '서로 아이디어를 이야기해야 된다는 것을 깨달았다.', '친구들을 믿고 끈기 있게 해야 된다.'라고.

'화산지대 통과' 활동

준비물	발판, 밧줄
활동 목표	규칙을 지켜 모둠원이 모두 화산지대를 동시에 통과하기

활동 방법	- 분단별로 모둠을 구성한다.
	- 안전판을 1인당 1개씩 준다
	  (난이도를 높게 하려면 발판 수를 줄인다).
	- 안전판은 항상 신체의 일부와 접촉해야 한다.
	  그렇지 않을 경우 촉진자에게 빼앗긴다.
	- 도착 지점에 모둠원 모두 동시에 도착해야 한다.
	- 한 사람이라도 바닥에 몸의 일부가 닿으면 처음부터 다시 한다.
	- 안전판 밖에 나온 한 발은 더 이상 쓰지 못한다.

활동 시 유의할 점	- 충분한 의사소통 과정을 거쳐 해결 방법을 찾도록 한다.
되짚어보기	- 활동하면서 가장 어려웠던 점은? - 도중에 포기하고 싶었던 순간은? - 누구의 아이디어가 좋았나? - 누가 리드를 했나? - 안전판을 빼앗겼을 때 어떤 생각이 들었나? - 실수로 안전판을 빼앗겼을 때 친구들의 반응은 어떠했나? 그때의 심정은? - 해결의 비결은? - 성공했을 때의 기분은? - 어려움을 어떻게 극복하였나? - 활동을 하면서 칭찬해주고 싶은 친구가 있다면? 그 이유는?

다음은 '화산지대 통과' 활동을 하고 난 후 학생들이 쓴 문제해결 활동 도전 기록 내용이다.

문제해결 활동 도전 기록표

활동명	화산지대 통과
모둠	1분단
문제점	빈 안전판에 몸을 대지 않아서 안전판을 빼앗겨 간격이 넓어져서 건너기가 어렵다. 그리고 떠들면서 집중을 제대로 안 하는 것이다.
해결 방법	한 사람이 안전판을 다 가지고 하나씩 펼쳐나가는 것이다.
도전 성공의 비결	모두 서로 믿고 협동했다.
성공했을 때의 소감	진짜 말로 할 수 없는 기쁨을 얻었다.
이 활동을 통해 배운 점	새로 짝을 바꿔서 어색했지만 더 친해지고 믿음을 가지고 힘을 모으면 성공할 수 있다는 것을 알았다.
칭찬해주고 싶은 친구	우리 분단 모두가 다 노력을 했기 때문에 칭찬을 해주고 싶다.

학생들이 발표한 '도전 성공'의 비결

● 협동을 잘 한다.

● 모두 서로 믿음을 가진다.

● 포기하지 않고 끝까지 노력한다.

● 방심하지 않고 서로 믿는다.

● 싸우지 않고 힘을 모은다.

● 천천히 차근차근 하고 친구들과 마음이 통해야 한다.

● 호흡을 맞춘다.

● 실패해도 실망하지 않고 계속 노력한다.

- 서로 격려를 해야 한다.
- 집중을 잘 해야 한다.
- 배려하고 끈기 있게 한다.
- 중심을 잘 잡고 선다.
- 이끄는 친구의 말을 잘 따른다.
- 좋은 아이디어를 낸다.

학생들이 발표한 '이 활동을 통해 배운 점'
- 서로 격려해주고 믿으면 모든 것이 다 된다.
- 포기하지 않는 것을 배웠다.
- 협동하면 다 할 수 있고 노력하면 더 잘할 수 있다는 것을 알았다.
- 아이디어를 생각해내면 된다는 것을 배웠다.
- 협동이 없으면 아무것도 안된다는 것을 알았다.
- 싸우지 말고 협동해야 한다.
- 서로서로 차례차례 해야 된다는 것을 알았다.
- 방심하지 말고 서로를 믿으면 해낼 수 있다는 것을 배웠다.
- 노력과 협동이 필요하다는 것을 알았다.
- 호흡을 잘 맞추고 친구들을 믿어야 한다는 것을 배웠다.
- 뭐든지 서로 격려를 해야 된다는 것을 알았다.

모험 상담 도전 활동을 하면서 학생들은 자신의 의견 자신 있게 말하기, 친구들의 말 귀담아 듣기, 모둠 활동 시 자기 주장만 하지 않기, 친구들과 의견이 맞지 않을 때 화내지 않고 잘 협의하기 등에서 매우 긍정적인 변화를 보였다. 또 친구들의 입장 이해하기, 친구 격려하고 칭찬하기, 부족한 친구 친절하게 도와주기, 협력하여 문제 해결하기, 팀 목표 달성하기, 어떤 일이 잘 안될 때 친구 탓 안 하기, 친구에게 욕하지 않기 등에 관련된 행동에도 많은 변화가 있어 서로의 입장을 이해하고 서로 배려하며 문제를 끝까지 해결하려는 태도가 자연스럽게 길러졌다. 학생들은 모험 상담 도전 활동을 한 후 소감을 다음과 같이 표현했다.

- 놀이를 하면서 친구들을 도와주어야겠다는 생각을 했다.
- 3학년 생활이 정말 즐겁고 신났다.
- 많은 활동을 통해 발표력과 끈기, 인내심을 배웠다.
- 미션 활동에서 협동심과 존중을 알게 되었다.
- 서로 격려하고 칭찬하게 되었다.
- 아이디어를 생각해내며 목표를 달성하는 것이 재미있다.
- 자신감이 생겼다.
- 불멸의 신 활동에서 배려를 배웠다.
- 문제해결 활동을 할 때 내가 생각하지 못한 아이디어를 친구가 알려주어 꼭 친구가 있어야 한다는 것을 알게 되었다.
- 전기게임 하면서 집중력이 생겼다.
- 문제해결 활동은 어려웠지만 정말 재미있고 협동을 해야 풀 수 있다는 것을 알았다.

- 발표를 잘하게 되었고 바나나 태그를 하면서 어려운 친구를 구해주어야겠다고 느꼈다.
- 이런 활동을 계속 하고 싶다.
- 문제해결 활동이 제일 재미있고 회전문을 하면서 점점 자신감이 생기고 협동심도 생겼다.
- 친구를 격려할 수 있는 용기가 생겼다.
- 활동을 하면서 열심히 힘을 모아 성공하고 싶은 생각이 들었다.
- 아이디어를 내니까 창의력도 길러지는 것 같다.
- 내년에도 이런 활동을 계속 하고 싶다.
- 선생님과 다시 같은 반이 되고 싶다.

8장

자기 주도와
협력의 수업 혁신

1. 학생의 당당한 발표를 위해서는
자유로운 분위기를 조성해야 한다

　자신의 생각을 말로 잘 표현할 수 있는 능력은 학교생활에서뿐만 아니라 가정·사회생활에서도 매우 중요하다. 즉 가정, 사회, 학교 등에서 원만한 생활을 하기 위해서는 원활한 언어기능이 요구되는 것이다.

　학교생활에서 이 언어능력은 교수-학습 활동의 기본 도구가 된다. 교수-학습 활동에서 학생들의 자기 주도적인 활발한 발표가 없이는 생동감 있고 활발한 수업을 이끌기 힘들다. 이런 언어 능력은 특별히 지도하지 않더라도 저절로 습득되는 것이 아니라 의도적인 훈련과 교육을 통하여 더욱 계발될 수 있다고 관련 학자들은 주장한다. 즉, 훈련과 반복 연습을 통해 얼마든지 향상시킬 수 있다는 말이다. 이러한 점에서 발표 지도는 중요한 의미를 갖는다고 할 수 있다.

사람은 누구에게나 소통 욕구가 있다. 그러므로 자유로운 표현의 기회, 소통의 기회가 당연히 주어져야 한다. 그러기 위해서는 먼저 어떤 내용이든 수용될 수 있는 허용적인 분위기, 비판이나 판단에 자유로운 분위기, 누구나 존중받고 신뢰할 수 있는 분위기를 조성해야 한다. 즉 학생들이 부담 없이 언어활동을 하고 또래들과 교사의 긍정적인 피드백을 받을 수 있는 수용적인 분위기 조성이 필요하다. 교사와 학생, 학생과 학생과의 친밀감 형성, 어떠한 의견이라도 따뜻하고 상냥하게 인정해주는 긍정적인 피드백 주고받기 등을 통하여 학생들이 부담 없이 발표하고 토의할 수 있는 학급 분위기가 필요한데 그러한 분위기 조성을 위해서는 교사의 지속적인 노력이 요구된다.

발표 지도를 할 때는 여러 가지를 고려해야 한다. 먼저 자유로운 분위기가 조성되어야 한다. 교실에서 급우들로부터 비웃음이나 핀잔을 들을 때 학생들은 발표 행동을 기피하게 된다. 친구들과 교사의 부정적인 반응이 아동들의 발표 불안을 일으키게 할 수 있다. 결국 불쾌한 결과로 인해 발표에 대한 불안은 증가되고 자기 표현력도 약화되는 것이다. 따라서 친구들과 교사의 긍정적이고 건설적인 피드백을 통해 위와 같은 원인으로 생길 수 있는 발표 불안을 감소시킬 수 있다. 응답이나 발표 내용이 틀리더라도 이를 나무라거나 핀잔을 주어 의욕을 꺾지 말아야 한다.

어떤 학생이든지 발표할 때 '혹시 틀리지는 않을까?', '이렇게 말하면 친구들이 웃지나 않을까?'라는 불안감을 갖기 쉽다. 부담 없이 질문할 수 있도록 온화한 학습 분위기를 조성하여 궁금한 점이 있으면 언제든지 질문할 수 있도록 하여 발표가 생활화되게 한다. 학생들이 즐거운 마음으로 부담감 없이 발표할 수 있어야 한다. 남의 실수나 실패를 비웃는 분위기에서는 아무도 부담 없이 발표할 수 없다. 허용적이고 온화한 분위기 조성이 필요한 것이다.

또 발표에 대한 비합리적인 생각을 제거시켜 발표에 대한 불안을 감소시키는 것이 좋다. 학생들이 갖고 있는 발표에 대한 비합리적 생각을 알아보면 다음과 같다.

- 발표할 때 갑자기 생각이 안 나게 되면 큰일이야.
- 내가 발표할 때 아이들이 놀릴 거야.
- 난 말을 더듬을 거야. 그럼 끝장이야.
- 발표할 때 친구들이나 선생님이 틀렸다고 하면 어떡하지? 아이, 안 하고 말아.
- 난 발표할 때 목소리가 떨릴 텐데…….
- 말하다 실수라도 하면 어쩌지?
- 발표할 때 아이들이 나만 쳐다보면 큰일이야.

또 학생들은 발표 대상의 크기와 발표 위치, 발표 자세에 따라서도 발표 불안의 정도가 달라지므로 점진적으로 접근해야 한다. 예를 들어 처음에는 짝끼리 둘이서 이야기하다가 두 짝이 어울려

네 사람이 이야기하게 하고 더 발전시켜 6~8명의 소집단을 이루어서 말하도록 한다. 그 다음 마지막으로 학급 전체에게 말하도록 한다. 이렇게 하여 발표 대상을 단계적으로 확대하는 것이 효과적이다.

학생들은 발표 위치에 따라서도 발표 불안의 정도가 달라진다. 자기 자리에서 앉아 발표할 때 가장 안정감을 느낀다. 그러나 앞에 나와서 발표할 때는 친구, 선생님의 시선을 받는 완전 노출 상태이기 때문에 불안감이 크다. 그러므로 앉아서 발표하는 경우, 서서 발표하는 경우, 제자리에서 일어나서 발표하는 경우, 앞으로 나와 친구들과 선생님 앞에서 발표하는 경우 등에 대해 점진적이고 단계적인 지도가 필요하다.

발표할 내용을 선정할 때도 학생들의 수준과 관심을 고려하여 화제를 택하여야 한다. 학생들의 생활 주변에서 경험할 수 있는 일들을 중심으로 발표하면 그들의 흥미를 유발할 수 있고 많은 학생들이 쉽게 참여할 수 있다. '인사하기', '자기소개하기', '별칭 짓기', '우리 반 규칙 정하기', '내가 학급 임원이 된다면', '우리 모둠 자랑', '나의 1인 1역 활동 계획' 등 학생들이 쉽게 접근할 수 있고 학년 초에 대부분 필수적으로 이루어질 수 있는 학급 활동들을 중심으로 내용을 선정하면 된다. 스무고개처럼 간단한 말놀이에서부터 시작하여 학생들이 부담 없이 접근할 수 있는 주제로 점점 더 발전시켜나가면 좋다.

학생들이 부담감을 갖지 않도록 쉽고, 짧고, 단순하며 친밀감 있는 화제로부터 시작하여 질적, 양적으로 높여가면 좋다. 예를 들어 우리 반에서는 급식 시간에 밥이나 반찬을 남길 경우 앞에 나와 "국 더 먹을 사람 있습니까?"라고 물어본다. 친구들이 없다는 표시를 하면 "그럼 버리겠습니다."라고 하면서 자신이 남긴 음식을 국 통에 버린다. 또 1학년의 경우 점심시간에 운동장에 놀러 나갈 때 "저는 운동장에서 안전하게 놀다 큰 바늘이 10 될 때까지 들어오겠습니다."라고 친구들 앞에서 크게 약속하고 나가도록 하였다. 평소에 목소리가 작은 학생들도 확실한 동기가 생겨 이때는 큰 소리로 자신 있게 말하고 나가는 모습을 볼 수 있었다.

또 학생들에게 최대한 발표 기회를 많이 제공해주는 것도 중요하다. 교실 수업 시간엔 물론 아침 자습 시간, 운동장 체육 시간 등 장소와 시간에 상관없이 자연스럽게 발표할 수 있게 하는 것이 좋다. 이때 가능한 한 모든 학생이 골고루 발표할 수 있도록 해야 하는데 이를 위해서는 소집단 활동, 효과적인 발문과 지명으로 발표하는 학생의 수를 최대한 늘릴 수 있다. 발표자가 고정되어 버려서는 안 되고 모든 학생들이 관심을 가지고 참여할 수 있도록 해야 한다.

마지막으로 학생들의 발표력 신장을 위해서 교사의 발문도 매우 중요하다고 할 수 있다. 학급당 학생 수가 비교적 많은 우리나라 현실에서 학생들이 스스로 자기 의견을 표현할 수 있는 기회를 많이 갖게 하려면 허용적인 분위기에서 발문, 응답이 활발하게 이루어져야 한다.

학생들과 교사, 학생과 학생의 따뜻하고 친근한 관계 형성을 위해서는 다양한 학급 활동을 실시하는 것이 좋다. 특히 3월 초 일주일 동안 학급 꾸리기 활동을 통하여 소속감을 확실히 느끼고 모두가 학급의 주체가 되어 결정하고 책임지는 경험을 충분히 할 수 있도록 하면 좋다. 학생들이 자유롭게 어떤 말이든지 스스럼없이 서로 할 수 있는 기회를 마련해주면 의사소통 능력도 향상될 뿐만 아니라 서로에 대하여 더 잘 알게 되고 이해하게 된다. 또한 다른 사람들이 내 이야기를 귀담아 들어주는 경험을 하게 됨으로써 서로 신뢰감도 생기고 학급내의 긴장감도 해소될 수 있다. 이런 분위기가 조성되면 어떤 수업에서든지 학생들이 역동적으로 소통할 수 있다.

학급에서 발표에 대한 불안을 감소시키고 자신 있고 자유롭게 말할 수 있는 능력을 키워주기 위해서는 다양한 학급 활동이 필요한데 1장의 학급 꾸리기 활동을 참고하면 좋다. 다양한 학급 활동을 통해 학급의 구성원으로서 자신의 의견이나 생각을 발표하는 것이 '일상'이 되도록 해야 한다.

발표가 더 이상 두려운 것이 아니라는 생각이 들면 발표하려고 일어났다가 갑자기 생각이 안 나는 경우 '생각이 잘 안 납니다. 조금 있다 다시 하겠습니다.'라고 자연스럽게 말하기도 한다. 또 친구들 말이 잘 들리지 않으면 '잘 안 들려서 불편합니다. 좀 더 크게 말해주면 좋겠습니다.'라고 제안하기도 하는 등 어떤 말이라도 스스럼없이 할 수 있게 된다.

누구나 실수를 하기 마련이고 완벽한 사람은 없다는 것을 항상 강조한다. 그리고 혹시 실수를 하더라도 교사와 친구들이 따스한 시선으로 대해줌으로써 걱정이나 불안감에서 벗어나 늘 평안하게 수업에 임할 수 있게 하는 것이 중요하다.

수업 시간의 편안한 분위기는 학생들의 상상력과 창의성의 밑바탕이 된다. 편안한 분위기에서 다양한 사고가 터져 나오고 여러 가지 질문들이 자연스럽게 나올 수 있다. 그러한 것들이 모여 배움으로 이어지고 수업은 생기 있게 되는 것이다. 창의성은 학생들이 몇 번이고 자유롭게 시행착오를 거듭해볼 수 있는 분위기, 차이를 존중해주는 환경에서 길러질 수 있다. 개성적인 의견은 수업에 활기를 불러일으킨다. 무슨 말이든지 자유롭게 할 수 있는 분위기, 모르면 모른다고 당당하게 말할 수 있는 분위기, 모르는 것이 부끄러운 것이 아니고 모르는 것을 용기 있게 말하고 도움을 청할 수 있는 분위기를 만들어주어야 한다.

다른 친구들의 판단으로부터 자유로울 수 있는 분위기, 공동체 구성원들 사이에 서로 안전하다고 느낄 수 있는 신뢰가 형성되도록 하는 것이 중요하다.

2. 학생들이 서로 돕고 격려하도록 지도해야 한다

학생들은 주변 친구를 격려해서 잘 하도록 하기보다는 자신의 욕구 채우기에 급급한 경우가 많다. 특히 학급에서 여러 가지로 능력이 뛰어난 학생이 그런 태도를 가지고 있다면 수업 시간에도 발표를 독점하게 되고 다른 학생들은 그런 학생들의 기세에 눌려 의기소침하기 쉽다. 이럴 경우 용기를 못 내고 있는 친구를 진심으로 격려하면서 도전해보게 하는 것이 모두를 위한 것이라는 점을 반드시 지도해야 한다. 그렇게 하여 한 명 한 명이 도전에 성공하는 경험을 느끼게 되고 친구를 격려하며 지지해주었던 학생들은 자신의 도움이 가져온 결과를 실제로 맛보는 체험을 해보게 된다. 이렇게 하다 보면 학생들 스스로 '이제 승찬이만 발표하면 우리 반 모두가 다 하는 거다.'라고 하면서 '다 같이 잘해보자.'라는 분위기가 자연스럽게 조성된다. 그렇게 되면 협력의 이점을 몸소 체험하는 기회도 될뿐더러 일체감도 생기게 되어 수업 시간에 더욱더 역동적인 활동 모습을 볼 수 있게 된다. 서로가 서로를 도와가며 공부하게 되면서 긍정적으로 상호의존하게 되고 그 결과 시너지 효과까지 이끌어낼 수도 있다.

물론 협력을 강조하지만 그 안에서 개별적인 학습을 보장하고, 개별적인 학습을 보장하지만 그것을 언제나 협력과 공동체의 틀 속에서 생각해보면서 공동체의 가치와 개인의 가치를 동시에 존중해야 한다.

수업 시간에 많은 학생들이 발표를 하고 싶어 손을 들었을 때 1~2명만 지명을 하고 나면 다른 학생들은 실망을 하거나 불만을 갖기 쉽다. 이럴 때도 개개인을 존중하면서 모두의 욕구를 충족시킬 수 있는 방법을 생각해야 한다. 이러한 경우에는 여러 명을 시켜 단계적으로 내용이 보충되도록 하면 좋다. 처음 발표하는 학생이 거의 단어만 짧게 말하고 그 다음 다른 학생이 계속 살을 붙여 발표하게 되면 여러 학생들에게 기회를 주어서 좋다. 이렇게 하면 언어 구사를 잘하는 학생이 거의 마지막 부분에 발표를 하면서 완전한 문장으로 최종 정리를 해주게 되어 다른 학생들에게도 도움이 된다. 같은 내용이라도 자신만의 언어로 발표하면 된다.

한번은 아이들 거의 모두 손을 들고 발표를 하고 싶어 했는데 첫 번째 지명받은 학생이 정답을 이야기하자 나머지 학생들이 거의 동시에 "어휴!" 하면서 아쉬움을 표현했다. 그래서 이럴 경우 어떻게 하면 좋겠냐고 학생들의 의견을 물었더니 같은 생각이라는 수신호를 만들자고 하여 수신호를 만들어 사용한 적도 있다. 비록 자신이 발표할 기회를 갖지 못하더라도 자신도 같은 생각이었다는 수신호를 하면서 교사에게 만족스러운 시선을 보내는 모습이 아주 보기 좋았다. 어떤 질문에 대답하기 원하는 학생 모두가 일어났다가 친구와 같은 의견일 때 앉은 방법을 활용해도 좋다. 어떤 방법을 활용하든 모두가 참여한다는 것에 초점을 맞추는 것이 중요하다.

모둠별 발표를 할 때도 여러 모둠이 먼저 발표하기 원하는 경우가 많다. 이럴 경우에도 '예약'을 하겠다고 미리 다른 모둠에게 알려 학생들이 불만을 가지지 않도록 하면 모든 모둠이 적극적으로 참여하려는 분위기가 자연스럽게 조성된다.

3. SMART한 목표를 세우도록 지도해야 한다

교사가 학습목표를 제시하면 학생들은 그 목표와 관련하여 자신만의 구체적인 목표를 세운다. 이때 SMART한 목표를 세울 수 있도록 한다. 즉, 구체적(Specific)이고, 측정 가능(Measurable)하며 행동 지향적(Action-oriented)이고 현실적(Realistic)이면서 적시성(Timely)이 있는 목표가 되도록 한다. 이렇게 함으로써 학생들은 자신의 수준에 알맞은 목표를 세우고 도전하면서 성취감을 느끼게 된다. 이때 주의할 점은 자신의 능력보다 약간 높은 목표를 세울 수 있게 하는 것이 중요하다. 쉽게 달성할 수 있는 목표를 세워버리면 그만큼 발전도 없고 성취감도 없게 된다. 너무 어려운 것도 문제고 너무 쉬운 것도 안 된다. 너무 쉬운 것보다는 좀 어려운 것이 학생들의 마음을 끌 수 있다. 그래야 그에 따른 성취감도 높다. 학생들이 영어 시간에 세운 목표 몇 개를 소개하면 아래와 같다.

- 집 소개에 나오는 단어 5개 이상 외우고 짝에게 확인받기
- 노래 가사 외워 한 번 쓰기
- 발표 3번 이상 꼭 하기
- 배운 내용 마인드맵으로 정리하기
- 배운 문장 짝에게 한 번 말하기
- 독창에 도전하기

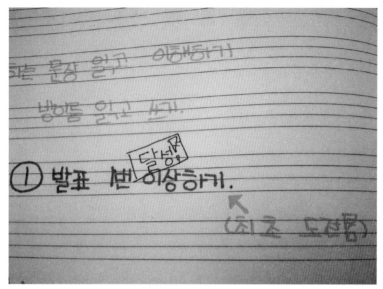

스스로 목표 세우고 확인하기(학생 공책)

　평소 발표를 전혀 하지 못하던 한 학생은 용기를 내어 '발표 한 번 하기'라는 목표를 정했다. 그리고 그 목표를 달성한 후 공책에 '최초 도전! 목표 달성!'이라고 써 놓고 스스로 축하하는 모습을 볼 수 있었다. 학생들은 스스로 자신의 수준에 맞게 목표를 세우고 목표를 달성해가면서 성취감을 느끼게 되고 다른 친구들과의 경쟁이 아닌 '어제 보다 좀 더 발전한 나'에 초점을 두게 되어 불필요한 경쟁에서 벗어날 수도 있게 된다.

　또 문제해결 활동 같은 것을 할 때 팀의 목표를 스스로 정하게 한다. 예를 들어 '회전문'이라는 문제해결 활동에서 단계별 목표를 세우고 활동을 하게 되면 문제를 해결하는 과정에서 협력이나 소통, 격려, 끈기, 배려, 리더십 등과 같은 요소들을 배울 수 있는 좋은 기회가 될 수 있다. 또 목표 달성에 따른 성취감을 느끼게 되어 또 다른 성공을 위한 디딤돌이 될 수 있다. 활동 중 실패를 경험하더라도 그 실패는 귀한 경험이며 회복 탄력성을 기를 수 있는 좋은 기회가 된다. 도리어 실패를 하지 않으려고 조심조심 목표를 낮게 세우는 것이 문제가 된다.

4. 아이들 스스로 답을 찾도록 안내해야 한다

교실의 주인공은 학생들이고 그들 스스로 계획하고 실천할 수 있도록 안내하고 도와주는 것이 교사가 할 일이다. 즉 교사의 역할은 학생들이 스스로 배우고 성장할 수 있도록 하는 촉진자인 것이다. 또한 교육환경 조성자, 학습활동의 안내자, 협력자로서 학생들의 욕구 충족을 위해 곁에 있지만 학생의 독립성에는 방해가 되지 말아야 한다. 가장 좋지 않은 것은 학생들이 할 일까지 교사가 모두 대신해주는 것이다. 예를 들어 학생이 어떤 질문을 했다고 해보자. 이때 교사가 바로 정답을 말해주기보다는 일단 나머지 학생들에게 물어보도록 한다. 그러면 거의 대부분 학급에서 1~2명이 그것에 대해 잘 알고 있을 것이다. 그 학생은 자신이 알고 있는 것을 발표할 기회를 가져서 좋고 질문한 학생은 의문이 해결되어서 서로 좋은 것이다. 가끔 그 질문에 대해 아무도 모르는 경우가 있는데 그럴 경우에는 그 문제를 어떻게 해결할 수 있을까에 대해 같이 생각해보는 시간을 가지면 된다. 그런 과정 또한 아주 귀한 학습 경험이 되는 것이다.

영어 시간에 학생들이 단어에 대해 자주 물어보는 경우가 있는데 이럴 때도 바로 단어 스펠링을 알려주기보다는 일단 주변 친구들에게 물어보아 해결하든지 일단 한글로 써 놓았다가 컴퓨터나 핸드폰 사전을 이용하여 찾아보도록 하는 것이 좋다. 의문이 나는 부분을 스스로 찾고 질문해서 해답을 얻어가는 과정을 반드시 거치게 하는 것이 좋다. 그런 과정을 통해 배우는 것들은 산지식이 되어 기억 속에 오래 저장된다. 그러한 사실을 학생들이 이해하고 직접 체험해보도록 해야 한다.

『밥 파이크의 창의적 교수법』(밥 파이크 지음, 김경섭·유제필 역, 김영사, 2011)에서도 참가자들이 강사에게 도움을 요청하기 전에 세 명의 다른 참가자에게 물어보도록 하고 있다. 이렇게 하면 다른 참가자들이 알고 있는 경험과 내용을 존중해주는 효과가 있는 동시에 학습에도 도움을 주기 때문이다. 협력하는 교실에서 이루어지는 서로 간의 가르침은 경쟁적이거나 독자적인 학습 방식보다 돕는 사람과 도움을 받는 사람 양쪽 모두에게 실제로 더욱 더 이익이 된다. 그 점을 실제 경험을 통해 터득하게 해야 하는 것이다. 학교 수업 현장에서도 이 방법을 쓰면 대답을 해주는 학생이나 도움을 받는 학생, 나머지 다른 학생들에게도 좋은 자극이 되어 학생들 상호 간의 배움이 자연스럽게 일어나게 된다.

학생들이 궁금해하는 것들이 있으면 스스로 탐구하며 해결해 나가게 한다. 학생들 스스로 학습 카드를 만들어 활용하는 방법도 있다. 자신이 궁금한 것이 있을 때 질문 카드에 적어 놓으면 누구든지 대답 카드에 답변을 쓸 수 있다. 질문은 '쿠아 드 뇌프?' 활동에서 나왔던 내용들도 많이 등장한다. 카드 디자인도 학생들이 스스로 자원해서 하고 대답 카드의 내용을 잘 정리하여 학습 카드를 만들면 된다. 학생들의 질문을 보면 어떤 것에 호기심이 있는지 혹은 관심사가 무엇인지도 알 수 있고 대답을 쓰려고 스스로 탐구하는 태도가 길러진다. 대답 카드에 답을 쓸 때는 반드시 출처를 쓴다. 엉뚱한 질문도 있을 수 있으나 학생들이 스스로 궁금한 것에 대해 묻고 답하는 활동이라 굳이 질문의 질에 대해 이렇다 저렇다 판단할 필요는 없다. 우리 반 학생들이 한 질문의 예는 다음과 같다.

- 생명수는 무엇인가요? 생명수라는 것은 진짜 있을까요?
- 서울랜드는 과천에 있는데 왜 이름이 서울랜드일까요?
- 이란성 쌍둥이와 일란성 쌍둥이의 차이는 무엇일까요?
- 세종대왕은 어떻게 한글을 만드셨을까요? 도와주는 사람은 있었나요?
- 드라마를 보면 사장님들이 목 뒷부분을 잡고 쓰러지시는데, 왜 그런 걸까요?
- 정말 최초로 만들어진 자동차가 시발자동차일까요?
- 저는 성이 제 씨인데 그 성은 어디서 따오는 걸까요?

- 버섯은 생물일까요?
- 무박여행이란 무엇인가요?
- 대통령도 세금을 내나요?

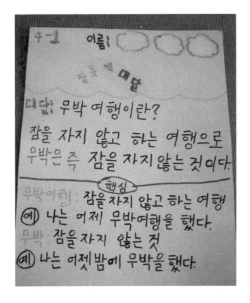

학습 카드

또 학습 정리도 각자 자신만의 노하우를 가지고 정리하게 하면 좋다. 그렇게 하면 나름대로 중요하다고 생각하는 것을 마인드맵이나 기타 다양한 방법으로 정리를 잘한다. 이때 잘된 공책을 서로 돌려볼 수 있는 기회를 주어 학생들 사이에 좀 더 잘해보려는 의욕을 갖는 학생들이 확산되도록 하는 것이 중요하다.

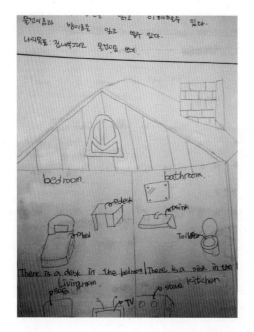

또한 수업 시간에 학생들이 발표를 할 경우 교사만 보고 말하려고 하는 경향이 있다. 이럴 경우 되도록 나머지 학생들이 잘 볼 수 있는 방향으로 서서 이야기하도록 하는 것이 좋다. 그렇게 해야 다른 학생들과의 상호 소통도 되고 질문이나 보충 등의 연관된 후속 활동도 가능하기 때문이다. 교사와 학생과의 상호작용도 중요하지만, 학생들의 상호작용이 활발하면 교사는 자연스럽게 말을 적게 하게 되고 학생이 주도적으로 수업에 임하게 된다. 또한 누군가가 소음을 일으켜 수업에 방해가 될 때도 교사가 제지하지 말고 학생들 스스로 예의 바르게 요구할 수 있는 분위기를 조성해야 한다. 예를 들면 어떤 학생이 계속 장난을 치고 수업에 방해가 된다면 '성연이 친구는 수업에 집중해주셨으면 좋겠습니다. 시끄러워서 수업에 방해가 됩니다.'라고 예의 바르게 제안을 하면 된다. 이렇게 하면 학생들은 스스로 수업의 주인임을 확실히 느끼게 되고 교사도 수업에 방해하는 학생들을 지도하느라 수업 시간을 낭비하지 않게 된다.

5. 인내심을 가지고 기다려야 한다

무슨 일이든지 억지로 시켜서는 효과가 없다. 목마르지 않은 말에게 억지로 물 마시기를 강요하기보다는 먹이를 향하여 질주하는 말이 되도록 해야 한다. 즉 배우고자 하는 것을 향해 스스로 달려가게 해야 한다. 이렇게 하기 위해서는 학생들에게 선택권을 주는 것이 좋다. 작은 예로 수업 시간에 손을 들지 않았을 때는 지명하지 말아야 한다. 예고도 없이 지명하면 학생들은 걱정, 불안을 느끼고 되고 결과적으로 수업 분위기는 자연스럽지 못하고 침체될 수밖에 없다. 예고 없이 교사 마음대로 시키는 것은 학생들에게 긴장과 불안, 심지어는 어떤 학생에게는 공포로까지 다가올 수도 있다는 것을 명심해야 한다. 물론 짝끼리 말하기나 모둠에서 말하기 같은 활동을 할 때는 특별한 이유가 없는 한 이야기를 할 수 있도록 해야 하지만 말이다.

발표를 할 때는 자신이 스스로 발표하겠다는 의지를 가지고 할 수 있게 해야 한다. 가끔 주변 친구들이 '원준이요' 하면서 밀어붙이듯 하는데 이럴 경우 반드시 본인의 의사를 존중하여 선택하게 해야 한다. 물론 부담 없이 발표하도록 계속 촉진하고 격려하며 따뜻한 시선으로 기다려주면 학생들은 한 명 한 명 자기 의지로 용기를 내어 발표하게 된다. 프레네 교육에서는 발표를 한다는 것을 '선물을 준다'라고 말한다. 이렇게 함으로써 발표를 하는 사람과 듣는 사람 모두가 비평이나 판단으로부터 자유로워지도록 하는 것이다. 비평과 판단의 두려움으로부터 벗어나 다른 사람에게 선물을 줄 때처럼 자발적으로 흔쾌히 하는 것을 강조한 것이다. '번개 활동' 같은 것을 통하여 소감이나 떠오르는 말을 다 같이 돌려가며 말할 때는 '통과'라는 장치를 두어 말하기 싫어하는 학생들이 부담 없이 참여할 수 있도록 하면 된다. 곧 선택에 의한 도전을 하는 것이다. 겨우 말 한마디 하는 것이 뭐 큰 도전이 되겠느냐고 생각할지 모르지만 학생들에게는 분명 큰 도전이 될 수도 있다는 것을 명심해야 한다.

한번은 영어 시간에 집을 만들어 소개하는 시간이었는데 평소에 발표를 전혀 하지 않던 학생이 망설임 끝에 용기 있게 지원을 했다. 손을 들까 말까 몇 번을 망설이다가 걱정 말고 한번 해보라고 격려하자 손을 들었다. 발표가 끝난 후 가장 잘한 사람 3명을 학생들이 스스로 뽑아보았는데 의외로 그 학생이 뽑혔다. 그 학생을 뽑았던 학생들에게 뽑은 이유를 물어보니 3년 동안 같은 반이었는데 발표하는 것을 한 번도 본 적이 없었단다. 그런데 그날 처음으로 발표를 해서 뽑았다고 했다. 또 다른 학생은 손등에다 발표 내용을 써가지고 노력하는 모습이 보기 좋아서 뽑았다고 하여 반 학생들이 모두 감동받았던 일이 기억난다. 이렇듯 용기를 내어 스스로 지원할 수 있는 분위기 조성이 중요하고 서로를 칭찬하며 격려하여 함께 성장하려는 태도가 필요하다.

몇 가지 수업 기술을 적용한다고 바로 멋진 수업이 되지는 않는다. 모두가 주인 의식을 가지고 다양성을 인정하면서 서로를 존중하고 배려하는 분위기가 정착된 학급과 그런 밑바탕이 제대로 이루어지지 않은 학급과는 현저한 차이가 나게 된다. 어떤 질문이든지 망설임 없이 할 수 있는 분위기, 모르는 것이 있으면 언제든지 누구에게나 물어볼 수 있는 분위기, 작은 일에도 서로 진심을 담아 칭찬해줄 수 있는 분위기, 불편함이 있으면 예의를 지켜 당당하게 제안할 수 있는 분위기 등이 선행되어야 함은 두말할 필요가 없다. 학생과 학생, 학생과 교사 사이의 관계가 잘 맺어지고 학생들이 스스로 주인이 되어 서로 협력할 때 수업에 활기가 있고 더불어 배움과 성장이 이루어지는 것이다. 공부는 학생들 스스로 자신을 위해서 하는 것이고 교사는 교실의 주인공인 학생들을 돕는 역할이기 때문에 교사가 주인공들을 획일적으로 통제하고 조종해서는 절대로 좋은 수업을 기대할 수 없다. 학생들이 주인 의식을 가지고 자발적으로 참여하며 서로 협력하는 가운데 전인교육의 장이 될 수 있도록 수업 분위기를 유도하는 것이 중요하다. 학생

들의 자발적 참여, 주인 의식을 유도하기 위한 학급문화 만들기에
초점을 두어야 한다.

9장

아이들이 주도하는
학습 활동

1. 모두가 함께 하는 아침 독서

"아침 독서를 시작할 시간입니다. 모두 조용히 책을 읽어주시기 바랍니다."

아침 독서 알림이의 발표에 따라 아침 독서는 시작된다. 미처 책을 준비하지 못한 학생들은 이때 부랴부랴 책을 꺼내러 가기도 하지만 거의 대부분의 학생들은 그 전부터 이미 책을 읽고 있는 경우가 많다. 등교한 이후 자유롭게 자신이 하고 싶은 일을 하다가 8시 50분이 되면 독서를 시작한다. 9시까지 정확히 10분을 한다. '10분 독서' 원칙은 '날마다 읽기', '모두 읽기', '그냥 읽기만 하기', '좋아하는 책 읽기'이다. 이때 알림이의 알림은 간단한 한 문장이지만 아주 큰 의미가 있다. 학생들이 스스로 활동을 주도한다는 의미가 있어 교사가 알리는 것과는 비교가 되지 않을 정도로 효과적이다.

특별히 아침에 의무적으로 해야 할 일을 부여하지 않고 자유롭게 자신이 선택한 일을 하다가 독서 시간이 되면 그 시간만큼은 반드시 독서를 해야 한다. 이때 교사도 다른 일을 하지 않고 학생들과 똑같이 독서를 해야 한다. 1학년의 경우 처음에는 10분을 참지 못하여 짝에게 이야기시키는 아이, 책을 바꾸러 가는 아이, 엎드려 있는 아이 등 집중하기 힘들어하는 경우가 많았다. 여러 가지 면에서 친구들을 힘들게 하는 한 학생은 하품을 소리 내어 크게 하고 혼잣말을 하는 등 조용한 그 시간을 매우 낯설어하며 힘들어했다. 처음엔 그런 행동에 대해 다른 친구들도 일일이 반응하며 덩달아 집중하지 못하다가 어느 정도 시간이 지남에 따라 점차 신경 쓰지 않고 자신의 책에만 집중하는 모습을 보이기 시작했다.

어떤 활동을 시작할 때 교사가 이렇게 저렇게 하라고 말하는 것보다 학생들이 스스로 알리게 되면 훨씬 효과적이다. 알리는 학생도 책임감을 가지고 알리게 되고 다른 학생들도 모두 자신들이 주인이라는 생각이 들어 적극 참여한다. 알림이를 뽑을 때도 절대로 지명하지 않고 자발적으로 지원하게 한다. 간단한 한두 문장의 말을 하는 것이라 평소에 발표를 잘 하지 않는 학생들도 쉽게 지원한다. 특히 학생들은 자신의 말을 교사와 다른 친구들이 모두 잘 들어주고 행동으로 바로 보여주는 것을 보면서 아주 뿌듯해한다. 자신이 존중받았다는 느낌과 함께 굉장한 자부심을 느끼게 되는 것이다. 우리 반에 특수학급에 가는 학생이 1명 있었는데 그 학생은 2번이나 지원하여 잘 해낸 적도 있다.

자신의 알림에 따라 교사와 친구들이 모두 책을 펴서 읽기 시작하는 모습을 경험한 학생은 그 순간의 뿌듯함을 잊지 못한다. 보통 일주일에 한 명씩 알림이 역할을 하는데 모든 학생이 1년에 2번 정도는 할 수 있다. 신기하게도 학생들은 알림 시각을 놓치는 적이 거의 없다. 담당자가 모르고 있으면 주변 친구들이라도 눈치를 주거나 알려줘서 놓치지 않는다. 어쩌다 알림이가 어떤 사정으로 그 시각에 교실에 도착하지 못하게 되면 다른 여러 명의 학생들이 대신하겠다고 지원한다.

보통 8시 50분에서 9시까지 10분간 책을 읽는데 책은 주로 학급 문고 책을 활용한다. 교사가 개인적으로 소장하고 있는 책이나 도서실에서 일정 기간 대여한 책, 학급 친구들과 나눠 읽겠다고 학생들이 가져온 책 등도 같이 활용한다. 학급에서 돌려 읽고 학년 말에 돌려보내겠다는 내용의 안내를 했더니 몇몇 학생의 어머니께서 여러 권의 책을 가져오기도 했다. 특히 마법천자문 같은 책은 학생들이 좋아하는 책이라 도서실에서 대여가 안 된다는 말을 듣고 한 어머니가 집에 있는 책 12권을 전부 가져온 경우도 있었다.

학생들은 자신이 좋아하는 책을 선택해 아무런 부담 없이 읽기만 하면 된다. 어떤 학생은 강아지 기르는 것에 관심이 많았는데 『애견도감』이라는 책을 책장이 다 닳도록 보기도 했다. 아무튼 10분 동안 누구의 방해도 받지 않고 교사와 학생이 모두 집중해서 책을 보면 되는 것이다.

"아침 독서가 끝났습니다. 모두 책을 책상 속에 넣어주시기 바랍니다."라는 알림이의 발표에 "아, 벌써! 더 읽고 싶은데……."라는 말이 들리기 시작하면 일단 성공이다. 1학년의 경우 아침 독서가 끝난 후 10분 동안 아무 말도 하지 않고 집중해서 책을 본 사람은 자기 자리에서 일어나라고 한다. 그리고 자랑스러운 자신의 이름을 큰 소리로 말하라고 하면 학생들이 매우 좋아하며 성취감도 느끼게 된다. 무심코 짝에게 말을 걸었다든가 아니면 도중에 책을 바꾸러 가는 등 집중하지 못한 학생들 몇 명은 일어나지 못하는데 어느 날 딱 한 명만 일어나지 못하게 되는 경우 학생들은 약속이나 한 듯이 말한다. "아깝다. 정석이만 성공했어도 100퍼센트인데……."라는 말을 하며 전체가 다 성공하지 못한 것을 매우 안타깝게 여기기도 한다. 어쩌다 전원이 다 일어나서 이름을 부르게 되는 날이면 모두 기뻐하며 축하할 날이라고들 하며 뿌듯해한다.

한번은 한 학부모에게 내가 읽었던 책을 추천해주었다. 그 학부모가 그 책을 집에서 보고 있었더니 우리 반 학생인 아들이 신기해하며 "어! 이 책 우리 선생님이 매일 보시는 책인데"라고 하며 관심을 보이더라고 했다.

짧은 10분이지만 매일매일 집중해서 읽는 습관을 들이다 보면 처음엔 시계를 자주 쳐다보며 엄청 길게 느끼던 학생들이 차차 10분이 너무 짧다고 하며 아쉬워하는 모습을 볼 수 있다. 아침 방송 조회나 기타 행사로 인해 독서 시간을 갖지 못하게 되면 매우 속상해하며 아침 독서 안 하느냐고 질문하는 경우도 많다. 아마도 누구의 방해도 받지 않고 자신만의 세계에 빠져 있는 시간이 매우 편안하게 느껴지기 때문일 것이다.

독서 후 특별한 독후 활동은 따로 하지 않는다. '매일 읽어요.', '좋아하는 책을 읽어요.', '모두 읽어요.', '그냥 읽기만 해요.'라는 원칙을 지키며 스스로 만드는 환경에서 학생들은 충분히 독서의 기쁨을 느끼게 된다. 계속 읽고 싶어 1교시 준비를 빨리 하지 않고 책에서 눈을 떼지 못하는 경우도 종종 보게 될 정도이다. 학교 오자마자 책을 읽다가 알림이의 알림 소리를 듣지 못할 정도로 집중하는 학생이 생기기도 한다. "알림이가 언제 알렸어요?" 하며 뒤늦게 질문하는 학생이 많아진다는 것은 그만큼 독서의 재미를 느껴집중한다는 것이기 때문에 아주 반가운 소식이다. 교사 역시 그 10분이 얼마나 평안하고 달콤한 시간인지 모른다.

2. 놀면서 자연스럽게 배우는 체육 시간

"2교시가 빨리 왔으면 좋겠다."

"내일 3교시가 기대된다."

여기서 뻔한 퀴즈 하나. 학생들은 왜 2교시나 내일 3교시를 이렇게 기대하며 애타게 기다릴까? 정답은 당연히 '체육 시간이라서'이다. 아침 소통 시간에 학생들은 그날 체육도 모자라 그 다음

날 들은 체육 시간까지도 잊지 않고 챙기며 기대된다고 말한다. 학생들이 이렇게 기다리고 좋아하는 시간인 만큼 잘 활용하면 많은 것을 얻을 수 있다. 생활지도에서 빼놓을 수 없는 핵심 가치인 배려, 협력, 존중, 질서, 격려 등을 이 시간을 통해 다 지도할 수 있다.

그럼 여기서 교사 입장에서 체육 시간의 힘든 점에 대해 잠깐 살펴보는 것도 나쁘지 않을 것 같다. 개인마다 다소 생각이 다르겠지만 일반적으로 이런 점을 꼽을 수 있을 것이다.

- 경기를 하면 경쟁이 지나쳐 결국 서로 시비가 붙고 싸우게 된다.
- 땅에 무엇인가를 그려야 하는 활동일 경우 준비 시간이 많이 걸린다.
- 삐지고 장난치고 집중하지 않는 학생들이 꼭 생긴다.
- 운동 기능이 좋은 학생들 몇 명이 독점하는 경향이 있다.
- 안전이 항상 걱정된다.
- 나가고 들어오는 이동 시간이 좀 많이 걸린다.

이런 문제점들을 해결하고 학생들이 그렇게 좋아하는 체육 시간을 즐겁게 할 수 있는 방법을 함께 나눠보려고 한다.

운동장에 나갈 때 제일 먼저 신경 쓰이는 것이 있다. 질서와 안전이다. 학생들에게 이래라저래라 하는 것은 항상 별로 효과가 없다. 항상 강조하는 말이지만 학생들 스스로 찾게 해야 한다. 즉 교사의 입으로 하는 것이 아니라 학생들의 입으로 직접 말하게 해야 한다. 운동장 나갈 때 어떻게 나가면 좋을까라는 질문에 학생들은 당연히 질서를 지켜야 된다고 한다. 이때 학생들과 아주 구체적인 약속을 해야 한다. 서로 붙지 않게 서서 걸어가기, 적어도 한 팔 이상의 간격을 유지하고 걷기로 약속하면 밀고 넘어지고 하는 등의 사고를 막을 있다. 항상 붙어 서서 서로 밀고 장난치다 사고가 난다. 이렇게 뚝뚝 떨어져서 가면 조용히 가게 된다. 2줄로 가면 쉽게 시끄러워진다. 한 줄이 좋다. 여기에서 '침묵으로 가기'까지 약속을 하면 더욱 좋다. '침묵'이라는 것이 두 입술을 꼭 붙인다는 것이 아니라 그냥 말없이 편안하고 자연스럽게 가면 되는 것이라는 것을 반드시 이해시킨다. 운동장까지 나가는 데 걸리는 시간은 길어야 1~2분인데 그 정도는 충분히 말없이 갈 수 있다. 이렇게 가는 습관이 정착되면 이동할 때 부담이 없다. 또 오고가다가 지나가던 다른 선생님들께 칭찬이라도 듣게 되면 신이 나서 더욱 잘 지키게 된다.

운동장에서 줄을 설 때는 항상 교실에서 앉는 것과 같은 대형으로 선다. 교실을 그대로 옮겨왔다고 생각하라고 하면 잘 이해한다. 선생님이 어떤 위치에 있더라도 학생들이 바로 자신들의 위치를 찾을 수 있도록 학년 초에 줄 서는 연습을 하면 좋다.

그 다음은 준비운동이다. 학년 초 첫 번째 체육 시간 전 날 과제로 '준비운동 2가지 이상 알아오기'를 내준다. 태권도 등 체육 관련 과외 활동을 하는 학생도 있고 기타 여러 가지 경험으로 그 정도의 준비운동을 알아오기는 어렵지 않다. 정 모르겠으면 국민체조나 새천년건강체조 동작을 알아오면 된다. 한 사람이 2가지 정도 알아오게 한 후 분단별로 원으로 서게 한다. 원으로 서면 모두를 동시에 볼 수 있어 좋다.

한 사람씩 돌아가며 자신이 알아 온 준비운동을 하면 나머지 학생들은 그 학생 동작을 따라한다. 이때 구령은 준비운동을 알아온 학생이 혼자 붙인다. 구령은 다른 모둠에게 방해가 되지 않을 정도의 크기로 하도록 한다. 물론 준비운동을 하기 전에 심장에서 먼 곳부터 한다든가 오른쪽 왼쪽을 골고루 해야 한다는 것을 알려주어야 한다. 한 분단에 보통 8명 정도의 학생이 있으면 적어도 8가지 동작을 하게 되는 것이다. 이때 교사는 질서 있게 잘하고 있는지 돌아다니며 살펴보면 된다. 혹시 준비운동을 제대로 잘하지 않는 분단이 있으면 몸이 제대로 풀리지 않았으니까 한 바퀴를 더 돌도록 하면 된다. 이렇게 하면 교사가 앞에서 시범을 보이면서 할 때보다 더 집중해서 잘하고 자신이 알아온 동작을 할 때 책임감을 가지고 하게 된다. 어떤 때는 재미있는 동작으로 춤을 추기도 하는데 그 동작을 따라하면서 아주 즐겁게 몸을 푸는 모습도 볼 수 있다. 특별히 어떤 부분을 더 풀 필요가 있을 경우는 교사가 몇 가지 동작을 다 같이 할 수 있도록 보충하면 된다. 어떤 모둠은 스스로 한 바퀴 더 하겠다고 할 때도 있다.

준비운동이 끝나면 본 운동으로 들어간다. 본 운동이 땅 놀이나 어떤 대형을 그려야 할 필요가 있을 경우에는 미리 교실에서 그것에 대해 정하고 나오면 된다. 예를 들어 땅따먹기 모양을 그린다고 하면 가로 몇 걸음, 세로 몇 걸음 정도의 사각형을 그린다 등의 적당한 크기에 대해 미리 협의하면 된다. 그렇게 하면 각 모둠은 미리 운동장에 나가 정해진 크기의 모양을 그리면 되는 것이다. 이때 모든 모둠원이 그리는 활동에 참여해야 한다. 운동장에 있는 나뭇가지나 돌멩이라도 주워 그려야 한다. 즉 모든 학생이 참여해야 한다는 말이다. 무임승차는 절대로 안 된다. 이렇게 하면 시간도 절약되고 학생들도 스스로 그리는 동안 서로 자연스럽게 소통도 하며 참여하게 된다. 자신들이 직접 그린 것이니까 활동 참여도도 당연히 높다. 그리는 것도 점점 숙달되어 점점 아주 반듯하게 잘 그리게 된다. 어떤 때는 나름대로 모양을 약간 변형시켜서 그리기도 한다. 땅따먹기 대형을 그리는데 '하늘'이라는 곳에 하나의 영역을 더 그려 한 단계를 더 추가하기도 한 모둠도 있었다. 간혹 원 대형이 필요하면 '반지름 8걸음 정도의 원 그리기' 등으로 크기를 정하여 그릴 수도 있다.

이렇게 다 준비가 되면 본격적인 본 운동이 시작된다. 학생들이 좋아하는 운동 중 하나인 '피구'를 예로 들어보겠다. 피구를 하기 위해서는 공을 던지고 받는 것이 기본이 되어야 하니까 그것을 숙달시켜야 한다. 도중에 떨어뜨리지 않고 공 주고받기 목표 횟수를 정하게 한다. 그런 다음 모둠원들이 원으로 둘러서서 맞은편 사람에게 공을 던지고, 받은 사람은 또 다른 사람에게 던지는 활동을 계속한다. 이때 바로 옆에 있는 사람에게는 던지지 않도록 하는 규칙을 정하면 된다. 던지고 받는 순서도 미리 정해놓으면 좋다. 도중에 누군가가 공을 받지 못하면 다시 1부터 카운트를 다시 해야 한다. 목표가 있는 문제해결 활동이 되는 것이다. 이렇게 하다보면 처음엔 장난치며 아무렇게나 던지다가 점점 어떻게 하면 잘 던지고 잘 받을 수 있는지에 대해 서로 의논하게 된다. 학생들은 던지는 높이, 빠르기, 던지고 받는 자세 등에 대해 서로 이야기를 나누며 문제 해결을 하다가 더 나아가 '눈을 맞춘다'라든가 '이름을 부른 뒤 쳐다보면 그때 던진다' 등 아주 구체적인 해결 방안을 내 놓기도 한다. 한 남학생이 여학생을 "지혜야!"하며 다정하게 부르며 활동하는 모습이 기억에 남는다. 이런 식으로 하면 목표를 달성할 즈음 모든 학생들의 공 던지고 받는 기능은 많이 향상되어 있다. 공을 잘 다루는 학생만 독점하지 않고 골고루 주고받으니까 누구도 소외되지 않는다. 이런 과정을 거치면서 서로 배려하고 협력하며 팀의 목표를 달성하는 경험을 하게 된다.

그 다음 모둠별로 사각형을 그리고 사각형 안에 들어갈 사람과 밖에서 공 던질 사람 2명 정도를 팀에서 정해 놀이를 한다. 이 단계에서 피하고 받고 던지는 연습을 실전처럼 해볼 수 있다. 그 다음 단계에는 2개 분단 정도가 같이 게임을 하고 마지막 단계에서는 학급 전체가 하면 된다. 이렇게 하다보면 삐지고 싸우고 공을 독점하는 등의 부정적인 사례가 많이 줄어든다.

공에 변화를 주어도 재미있다. 피구공, 배구공으로 해보고 나서 콩주머니로도 해본 적이 있는데 공처럼 굴러가지 않으니까 공격하는 사람이 재빠르게 던질 수 있는 장점이 있었다. 학생들은 나중에 소감을 말하면서 콩주머니 피구가 제일 재미있었다고 말하기도 했다.

체육 시간에 학생들에게 활동의 아이디어를 내도록 하는 것도 매우 효과적이다. 1학년을 담임할 때이다. 후프를 땅에 나란히 늘어놓고 가위바위보를 하며 '징검다리 건너기'라는 활동을 하는 것이었다. 교과서에 이미 나와 있는 활동과 달리 일단 후프를 학생들에게 주고 자유롭게 아이디어를 내서 해보라고 했다. 세 분단 중 두 분단은 이런저런 아이디어를 내며 잘했다. 한 분단은 한 발로 뛰기, 두 발로 뛰기 등 단계를 달리하며 열심히 하고 있었다. 누가 시킨 것이 아니라 스스로 생각해낸 방법들이라 쉬지도 않고 땀을 흠뻑 흘리며 참여했다. 또 다른 분단은 주로 후프 놓는 방법을 다르게 하며 나란히 놓기, 지그재그로 놓기, 놓는 거리를 다르게 하기 등의 방법을 이용했다. 그런데 나머지 한 분단은 후프를 가지고 장난을 치는 아이, 짜증 내는 아이, 서로 치고 도망가며 노는 아이 등으로 제대로 시작도 못하고 있었다. 나는 일단 잘하고 있는 두 분단을 칭찬하며 격려를 했다.

"와, 정말 아이디어 좋은데. 땀 흘리는 것 좀 봐. 정말 열심히 하네."

사실 자신들은 땀이 흐르는지도 모르면서 활동에 흠뻑 빠져있었다. 장난치는 분단 아이들이 들으라고 일부러 더 크게 칭찬을 했다. 한참을 혼란스러운 상태로 개인행동만 하던 분단에 드디어

리더가 나타났다.

"야, 야, 야, 애들아 모여 봐. 우리 이렇게 하자."

 개인행동을 하던 친구들을 불러 모았다. 어느 정도 후프를 가지고 놀아서 그런지 순순히 모여들었다. 그러더니 이런저런 아이디어를 내고 드디어 활동을 시작했다. 다른 모둠에서는 생각하지 못했던 '후프 터널 만들어 빠져 나가기'를 처음 활동으로 선택해 하고 있었다. 이것을 본 다른 분단 한 여학생이 "애들아, 우리 분단도 너희들 것 따라 해도 돼?" 하면서 물어보았다. 허락 없이 했다가는 자기네들 것 따라했다고 시비가 붙는다. 그래서 그것을 사전에 방지하기 위해 미리 허락을 받는 아이들만의 전략이었다.

"응. 써도 돼."

 다른 모둠이 따라하고 싶을 정도의 좋은 아이디어를 냈다는 것을 자랑스럽게 생각하며 흔쾌하게 허락을 해주었다. 뒤늦게 불이 붙은 후발 분단은 다양한 방법으로 재미있게 후프놀이를 했다.

 한 분단의 활동 중에는 후프를 나란히 늘어놓고 모둠발로 뛰어 마지막 후프까지 도착하는 방법도 있었다. 이때 마지막 후프에 미리 건너온 아이들이 옹기종기 모여 있다가 마지막 친구가 올 때 다정하게 손을 잡아주는 센스를 보여주는 모습은 정말 귀엽고 예뻤다.

 모둠별로 어떤 문제해결 활동을 할 때는 항상 스스로 해결할 수 있는 단계가 될 때까지 어느 정도 기다려주는 것이 좋다. 좌절의 정도가 심하면 살짝 개입했다가 다시 빠져야 하지만 웬만하면 팀

내에서 진통을 겪어내며 스스로 해결하게 하는 것이 좋다. 그것 또한 배움의 한 과정이기 때문이다. 뒤늦게 나타나 리더 역할을 한 학생은 그 날 자신감을 얻고 친구들을 잘 이끌어 친구들로부터 인정을 받는 좋은 기회가 되었다.

체육 시간에 함께 나눌 이야기가 있으면 언제든지 원으로 모인다. 모둠별 문제해결 활동을 할 때 좋은 해결 방법을 함께 나눌 필요가 있다고 생각될 때도 원으로 모여 이야기를 나눈다. 또 가끔 개인이나 팀의 기록을 확인하기 위해 모이기도 하고 소감을 말하기 위해서도 모인다. 다른 사람의 말을 통해 얻는 것도 많기 때문에 이런 나눔의 시간은 매우 중요하다.

후프 활동을 끝내고 나서 놀이터에서 잠깐 놀다 가자라는 말을 하는 도중 그 말이 채 끝나기도 전에 예상했던 사태가 벌어졌다. 개인행동을 했던 후발 분단 소속 학생 2명이 후프를 내던지고 쏜살같이 놀이터로 달려갔다. 다른 학생들은 후프를 어떻게 정리해야 하는지에 관해 교사의 말을 기다리고 있었는데 말이다. 정말 다행인 것은 내 말을 끝까지 들었던 학생들과 눈이 딱 마주쳤을 때 서로의 마음을 충분히 공감했다는 것이다. 그런 순간이 있기 때문에 힘이 나고 좀 더 기다려줄 수 있는 것 같다. 일단 체육 창고로 가서 학생들이 하나씩 가져온 후프를 정리하고 있었는데 후프 2개를 가지고 온 학생이 아무렇지도 않게 후프를 나에게 주었다.

"어! 왜 2개야?" 당연히 이유를 알고 있었지만 모르는 척하고 물었다.

"동호가 버리고 놀이터로 가버려서 제가 가져왔어요. 우리 반이 썼으니까 우리가 정리해야 되잖아요."

"와, 역시! 훌륭해."

버리고 간 친구를 탓하기보다는 우리 반에서 사용한 후프는 당연히 우리 반 스스로 정리해야 되지 않느냐는 표정으로 말하는 모습이 얼마나 대견하던지…….

아마도 자신들의 아이디어로 생각해낸 활동을 흡족하게 한 후라 여유가 생겨 그 정도의 친구 행동에 대해서 예민하게 반응하고 싶지 않았을 수도 있다. 그 다음 후프 2개를 자발적으로 들고 온 또 한 학생의 대답도 같았다. 우리 반이 사용했으니까 누구라도 치워야 한다는 것이다. 교실에 들어와서 후프 정리에 관해 잠깐 이야기를 나누었다. 후프 이야기가 나오자마자 정리도 안 하고 놀이터로 갔던 학생들은 핑계를 대느라 야단이었다.

"못 들었는데요."

자신들이 내던지고 간 것을 아무 불평 없이 잘 정리한 친구들이 있었다는 사실을 알고 미안하다는 표정을 지었다. 이 학생들은 분명 자신을 되돌아볼 수 있는 기회가 되었을 것이다.

이처럼 체육 시간을 통해 그때그때 적절한 생활지도를 할 수 있다. 학생들이 실제 겪었던 사례에 대해 이야기를 나누는 것이라 당연히 참여도도 높고 효과도 좋다. 또 운동을 통해 스트레스를 풀 수 있는 것은 물론 스스로의 목표를 달성하면서 성취감도 느낄 수 있다. 땀을 흠뻑 흘리면서 즐겁게 참여한 후 교실에 들어오면 표정들이 참 평안하다. 짜증이나 불만 등은 찾아 볼 수 없다. 당연히 교사와의 관계나 친구들과의 관계도 좋아질 수밖에 없다.

3. 학교 숲을 활용한 생태 체험학습

집집마다 가꾸는 작은 꽃밭이며 여기저기에서 나무와 풀을 충분히 접할 수 있었던 세대와는 달리 요즈음 학생들은 그 흔한 개나리와 진달래도 제대로 구별하지 못하는 경우가 많다. 이런저런 학원에다가 학습지 등에 쫓겨 다니느라 여유를 가지고 자연을 접할 수도 없을 뿐만 아니라 여유 시간이 주어진다 해도 컴퓨터 게임이나 TV 보기 등으로 시간을 때우기 일쑤이다. 그러다 보니 학교 화단에 있는 식물에는 관심이 거의 없고 더구나 학교에 어떤 나무가 있는지 그 나무의 꽃은 어떻게 생겼는지에 대해 알아보려고 노력하지도 않는 현실이 무척 안타까웠다. 이렇게 삭막한 현실 속에서 생활하는 아이들에게 흙먼지를 흠뻑 뒤집어 쓴 채 묵묵히 서있는 학교의 나무들과 풀들에 대해 좀 더 관심을 가질 수 있는 계기를 마련해주고 싶었다. 더 나아가 주변의 자연물에 대해서도 호기심과 사랑을 가져보게 하고 싶었다. 마침 2009년 3월 숲 해설가 자격을 딴 후 아이들에게 어떻게 투입할까 생각하던 중 석세스 프로그램이라는 것을 알게 되었다. 이 프로그램은 YWCA에서 주관하는 창의적 생태 수업 공모 프로그램이다. 그해에 '나무 사랑부'라는 계발 활동 부서를 맡고 있었는데 우리 반 아이들이 그 부서에 무척 들어오고 싶어 했다. 하지만 부서별 인원에 제한이 있는 관계로 안타깝게 생각하던 차에 학교 후배가 석세스 프로그램에 대한 정보를 알려주었다. '그래, 이거야. 우리 반 아이들이랑 한번 해보는 거야.' 하며 당장 학생들에게 의견을 물어보았다. "이런저런 것이 있는데 우리 한번 해볼까?" 했더니 모든 학생들이 대찬성이었다. 그렇게 학생들의 만장일치 찬성으로 그 프로그램을 시작하게 되었다.

주제는 학교 운동장 식물들과 친구 되기(프로젝트명 : '나는야 우리학교 숲 지킴이')로 잡고 다음과 같은 다양한 활동들을 실천했다.

- 다양한 형태(마인드맵, 표, 그림, 편지 등)로 관찰 기록하고 발표하기
- 퀴즈 만들어 풀기
- 관찰 내용 발표하기 서바이벌
- 몸으로 표현해보기(왜가리 워킹 대회, 식물과 동물의 모습 몸으로 표현해보기)
- 환경 관련 책 읽고 새롭게 알게 된 것 발표하기
- 자신의 나무 친구 소개하고 편지 쓰기
- 제시된 나무 퀴즈 다양한 방법으로 해결하기(책, 인터넷 등)
- 현장체험학습

우리 교실부터 푸르게

식물이 교실에 있으면 어떤 점이 좋은지 이야기를 나눈 뒤 그 다음날 좋아하는 화분 2개를 사 가지고 갔다.

"선생님이 사 오셨어요?"

"응, 선생님이 아주 좋아하는 식물이야."

사 가지고 간 화분을 창틀에 놓으니 삭막해보이던 교실이 훨씬 더 환해진 느낌이었다. 일단 아이들에게 화분이 없을 때와 어떤 점이 다르냐고 물으니 '왠지 기분이 좋아진다.', '교실이 예뻐진 것 같다.', '초록색을 보니 마음이 맑아지는 것 같다.' 등의 느낌을 이야기했다.

"저도 화분 가져와도 돼요?"

"그럼, 기르고 싶은 식물이 있으면 가지고 와서 길러도 돼. 그런데 이왕이면 겹치지 않게 가지고 오는 것이 좋을 거야. 그래야 여러 가지 식물을 골고루 관찰할 수 있을 테니까."

이렇게 하여 우리 반은 그 다음날부터 학생들이 각자의 화분을 가지고 온 덕분에 예쁜 정원이 되었다. 거기에다 학교 행사에 쓰고 난 후 창고 구석에 버려져서 죽어가던 큰 철쭉까지 주워와 하루하루 잎이 살아나는 것을 보는 신기함과 기쁨까지 경험할 수 있었다.

나무 친구를 정해볼까?

그 당시 근무하던 학교는 역사는 꽤 되었는데도 불구하고 나무가 그다지 많은 편은 아니었다. 더구나 운동장 흙 사정이 별로 좋지 않아 늘 엄청난 먼지로 인해 나무들의 고생이 이만저만이 아니었다. 그런 열악한 환경에도 불구하고 꿋꿋하게 살아가는 나무 한 그루 한 그루를 학생들의 친구로 정하기로 했다.

'내 나무 친구의 이름', '친구로 정한 이유', '우리 학교 어디에 있나?', '친구에게 해주고 싶은 일', '나무 친구의 특징' 등을 쓰도록 하고 발표하는 시간을 가졌다. 또한 운동장을 돌며 자기 나무 친구 앞에서 간단히 친구를 소개하는 시간을 가졌다. 아이들은 '키가 커서', '향기가 좋아서', '꽃말이 맘에 들어서', '우리 학교 교목이라서', '빨간색을 좋아해서', '어릴 때부터 좋아해서', '보면 마음이 편해져서', '왠지 든든해 보여서', '내가 좋아하는 연보라색 꽃이 피어서' 등을 나무 친구로 정한 이유라고 말했다.

학생들이 나무 친구에게 해주고 싶은 일이라고 말한 내용은 다음과 같다.

- 그림 그려주기
- 더 자세히 알기 위해 조사하기
- 외롭지 않게 매일 찾아가 말 걸어주기
- 칭찬 많이 해주기
- 다른 친구들이 내 친구에게 피해주지 않게 해주기
- 친하게 지내기
- 좋은 말 해주기
- 좋은 추억 만들기

- 예뻐해주기
- 다른 친구들에게도 관심 받게 해주기
- 노래 불러주고 물도 주기
- 주변에 휴지 같은 것 치워주기

학생들은 위와 같이 이야기하면서 정말 옆에 있는 친구에게 대하듯 나무와 금방 친해졌다. 운동장 어느 곳의 위치를 지칭할 때도 "승우 나무 친구 근처에서 놀았어요.", "지석이 나무 친구 옆에 옷 벗어 놓고 왔어요." 등 아주 자연스럽게 나무와 이미 아주 돈독한 친구 사이가 되어 있었다. 난 개인적으로 배롱나무를 좋아해서 그 나무를 친구로 정했는데 진분홍 꽃이 피던 날 학생들은 정말 대단히 큰일이라도 난 것처럼 그 소식을 알려주었다.

"선생님, 선생님 나무 친구 꽃 폈어요."

지금 근무하고 있는 학교 정문 근처엔 살구나무가 있다. 그 살구나무를 나무 친구로 정한 학생은 정문으로 등하교를 하는데 하교 지도할 때마다 살구나무에게 얼마나 다정하게 인사를 하는지 미소가 절로 지어진다.

"우리 학교 살구나무는 참 행복하겠다. 친구가 이렇게 날마다 인사해주니 말이야."

나무 퀴즈를 풀어보자

나무에 관심 있는 소수의 아이들을 제외하고는 흔한 개나리, 진달래도 제대로 모르는 아이들에게 '퀴즈'라는 형식을 이용해서 나무에 대한 관심과 흥미를 갖도록 했다. 예를 들면 "목련나무는 우리 학교 운동장 어디에 있을까?"라는 퀴즈를 내면 아이들이 책이나 인터넷 검색 등을 통하여 알아낸 다음 친구들 앞에서 발표하는 것이다. 어떤 아이는 학교 도서관에서 식물도감을 찾아 그 나무에 대한 정보를 알아낸 후 운동장을 구석구석 돌며 그 나무의 위치를 정확하게 알아내기도 했다. 퀴즈를 낼 때 처음엔 그냥 나무 이름만 알려주고, 또 어떤 때는 거꾸로 나무의 모습을 화면으로 보여주고 직접 그 나무를 찾고 난 다음 이름을 알려주기도 했다. 한 여학생은 도서관 사서에게 참고 도서를 문의해가며 나무를 찾아내고 그 다음날 친구들에게 발표하기도 했다. 이렇게 하는 과정에서 학생들이 운동장의 나무를 찾기 위해 운동장 구석구석을 살펴보는 기회도 되었고 평소에 그런 나무가 있었는지 조차 몰랐던 학생들이 '이런저런 나무들이 우리학교 운동장에 많이 있구나!'라는 것을 자연스럽게 느끼게 되었다.

도전! 환경 관련 책 읽기

환경에 관련하여 다양한 지식과 관심을 갖게 하기 위해 환경 도서를 읽도록 했다. 아이들이 그러한 책을 직접 고르기 힘들 것 같아 학교 도서실에서 환경 관련 책을 한꺼번에 20여 권 빌려다가 학급문고 한 칸에 꽂아두고 자유롭게 읽게 했다. 가장 많이 읽은 2명은 여름방학 중에 실시되었던 YWCA 환경 캠프에 갈 수 있는 행운도 얻게 되어 그 후로 학생들은 더욱더 열심히 도전에 참가하였다.

와! 이런 꽃도 있었네!

주로 나무에 꽃이 피는 시기를 잘 포착하여 꽃을 중심으로 관찰하게 하였다. 먼저 등나무에 대해 알아보았는데 체육 시간 중 학교기사님이 등나무 가지치기 하는 것을 보고 얼마나 반가웠던지 잎이며 꽃, 아직 여물지도 않은 초록 꼬투리까지 풍성하게 얻을 수 있었다. 이것저것 손에 가득 들고 정말 흐뭇한 표정으로 들어가는 학생들을 보고 기사님이 얼마든지 가져가라고 하시면서 신기해하셨다. 교실에 들어와 루페로 꽃을 분해해가면서 살펴보고 잎의 모양이며 촉감 등도 알아보았다. 또 익지도 않은 꼬투리를 잘라서 구석구석 관찰하였다. 운동장에 늘 있었던 그 흔한 등나무의 존재를 알게 되고 더 나아가 신기한 꽃의 생김새, 진한 향기, 잎의 개수, 꼬투리 등에 관해 새롭게 알게 된 잊지 못할 시간이 되었다. 평소에 말이나 행동이 좀 거칠고 부정적인 한 남자 아이가 "야, 이런 공부 진짜 재밌네!" 하면서 만족해하는 모습을 보니 얼마나 감사한지…….

6월 30일엔 운동장 가에 노란색 꽃이 한창인 모감주나무를 관찰했다. 나무 근처에 가니 벌들이 어찌나 많이 윙윙거리던지 아이들이 무섭다고 야단이었다. 전체적인 나무의 형태를 살핀 후 땅에 떨어진 꽃과 잎을 주워 교실에 들어오려던 차에 여학생 한 명이 비명을 질렀다. 꽃잎이 떨어지는 줄 알았는데 꽃잎이 아니고 벌이 그 아이 뒤 목덜미로 떨어진 것이었다. 보건실에 가서 벌침을 빼고 금방 회복되었지만 그 사건으로 인해 학생들은 '모감주나무' 하면 '벌'을 떠올리게 되었다. 교실에 들어와 노란색 꽃, 수술, 암술, 털의 유무, 잎의 모양 등을 자세히 관찰한 후 '분단별 특징 말하기 서바이벌' 활동을 했다. 분단별로 한 명씩 차례대로 모감주나무에서 관찰한 특징을 말하는 것인데 마지막까지 특징을 대는 분단이 이기는 것이다. 아이들이 얼마나 자세히 관찰했던지 "수술의 모양은 루페로 보면 커피 알맹이 같다", "줄기의 안쪽과 바깥쪽 색이 다르다." 등의 표현을 자연스럽게 할 정도였다.

주차장의 차들로 인해 학생들이 별로 접근하지 않는 운동장 구석에 배롱나무가 있었다. 그 나무는 내 친구로 정해 소개한 적이 있기 때문에 '선생님 나무 친구'라고 불렀다. 다른 나무들을 관찰할 때와 마찬가지로 밖에서 전체적인 모습을 관찰한 다음 밑에 떨어진 꽃과 잎들을 주워 교실로 들어와 루페를 통해 자세하게 살펴보고 기록했다. 꽃잎 모양을 말하는데 '꼭 상추 같다'라고 표현하자 다른 학생들도 '맞아, 맞아' 하며 맞장구를 치기 시작했다. 역시 직접 보고 자신의 언어로 표현해보는 것이 얼마나 중요한지 새삼 깨닫게 되었다.

어느 날 솜털이 보송보송한 박주가리 꽃이 화단 여기저기 한창이라 아이들과 같이 관찰해보기로 했다. 그런데 이게 웬일인가? 관찰하려고 가보니 벌써 학교 기사님들이 말끔하게 제거해버리고 겨우 주차장 쪽에 몇 줄기만 남겨져 있었다. 3월말에 '나무사랑부' 아이들과 벼룩나물을 관찰하고 난 후 그 다음 주에 다시 한번 보러 간 적이 있다. 가보니 벌써 다 제거되어 있었다. 기사님들이 이미 제초제를 뿌려서 제거했던 것이다. 그 씁쓸한 기억이 되살아나서 안타까웠다. 줄기에서 나오는 뽀얀 즙, 신기하게 생긴 초록 열매, 보송보송한 꽃들을 보고 학생들은 마냥 즐거워했다. 너도 나도 열매를 따달라고 야단이었다. 남은 몇 줄기마저도 기사님의 눈에 띄면 제거될까봐 그 전에 학생들에게라도 많이 주고 싶어 잎, 꽃, 열매들을 되도록 많이 따 주었다.

여기는 양재천

서울시에서 주관하는 기초 환경 시설 견학 프로그램에 신청하여 양재천에 가게 되었다. 처음엔 양재천에 간다고 했더니 그냥 별로 볼 것도 없는 평범한 개천이려니 하고 기대도 하지 않는 것 같았다. 그런데 막상 양재천에 도착해서는 모두들 행복하다는 표정 그 자체였다. 눈부시게 밝은 6월의 햇볕 아래 징검다리도 건너보고 갈대 잎으로 배도 만들어 보고 풍뎅이 짝짓기 하는 모습도 볼 수 있었다. 애기똥풀, 소금쟁이, 실잠자리, 개불알풀, 왜가리, 수련 등 교실에서 볼 수 없는 여러 가지 생물들과 함께한 멋진 하루였다. 갈 때 차멀미 때문에 힘들어하던 학생들도 언제 그랬냐는 듯 활기가 넘쳤다. 아이들 모두 루페를 목에 걸고 가자 거기에서 자원봉사하시던 선생님들도 "이제까지 이렇게 루페를 각자 가지고 온 아이들은 처음이다. 정말 너희들 대단하다."라고 하시면서 칭찬을 아끼지 않으셨다.

학교로 돌아와 양재천에 갔다 온 소감 써서 발표하기, 분단별로 기억에 남는 것 그림으로 표현해보기, 양재천에서 본 생물에 대한 퀴즈 3개 이상 만들기, 왜가리 워킹 대회 등을 실시하였다. 특히 왜가리 워킹 대회에서 학생들이 얼마나 실감나게 잘 표현하던지 교실은 온통 웃음바다가 되었다. 학생들 표현대로 품위 있고 도도하게 걷는 모습들이 얼마나 귀엽던지……. 평소에 수줍음을 많이 타던 예림이라는 학생이 정말 실감나게 왜가리 워킹을 표현해 친구들이 뽑은 대상 수상자가 되는 이변도 일어났다. 2학기 때는 월드컵공원을 신청해 놓았었는데 신종플루로 인해 취소되어 무척 아쉬웠다. 안타깝게도 이 프로그램은 그 이후에 폐지되었다.

이런 활동을 하면서 평소에 관심이 없었던 나무나 풀에 대해 관심이 많아지고 루페를 통해 관찰함으로써 볼 수 있는 새로운 경험들로 인해 식물에 대한 흥미가 많아졌다. 또 직접 구석구석 살펴보고 냄새 맡고 만져보고 하는 등 다양한 체험활동을 함으로써 관찰 영역의 능력이 현저하게 향상되었으며 학교 운동장의 식물은 물론 다른 식물에 대해서도 호기심이 생기게 되었다. 생명의 신비함과 식물마다의 독특한 개성, 살아가는 자연법칙을 알게 됨으로써 더욱더 자연을 소중하게 여기게 되는 계기도 되었다.

또 식물에 대하여 공부한다는 자부심이 대단하여 다른 반 친구들에게도 자랑을 하며 자연스럽게 꼬마 생태 연구가들이 되어가는 것 같았다. 언행이 좀 거칠고 공격적인 아이들도 식물을 관찰하거나 생태 놀이를 할 때는 표정이 밝아지고 새롭게 관찰한 것에 스스로 감격해하며 즐거워했다.

"선생님, 이거 보세요. 진짜 신기해요."

"와, 이 털 좀 봐."

"엄청 좋은 향기가 나요."

학생들의 감탄소리가 아직도 생생하다. 루페를 통해 보게 된 새로운 세계에 아이들은 마냥 신나고 기뻐했다. 이런저런 학습에 관심이 부족했던 학생들마저도 식물 관찰에 흠뻑 빠져 있는 모습을 볼 수 있었다.

운동장 구석구석을 돌아다니며 나무와 풀을 관찰하던 일, 특징 대기 서바이벌에서 아이들만의 독특한 표현으로 식물의 모양을 말하던 일, 나무 퀴즈를 해결하기 위해 도서실에서 책을 찾아 알아낸 후 운동장 여기저기를 살피고 다니던 일, 모감주 나무아래 모여 열심히 관찰하다 갑자기 벌에 쏘였던 사건, 배롱나무가 선생님 나무 친구라면서 유난히 관심 갖고 아끼던 일, 학교 기사님이 등나무 가지치기 하시는 것을 보고 신나게 달려가 잎이며 열매를 주워오던 일 등 나무와 함께 한 시간들은 학생들 모두에게 무척 행복한 시간이었다.

생태 공부를 하면서 어떤 점이 좋았었는지 발표해보는 시간을 가졌는데, 여러 가지 생각들을 발표했다.

'박같이 생긴 박주가리 공부가 제일 재미있었다.'

'앞으로 5학년 올라가서 선생님이 없으셔도 나 혼자라도 나무 공부를 하고 싶어졌다.'

'풀에 대한 소중함을 느끼고 꽃의 다른 세계를 보게 되었다.'

'식물 키우는 것이 좋아져서 집에서 취미로 식물을 기르고 있다.'

'나무 공부를 하면서 성격도 달라지고 나무 친구가 있어 행복했다.'

'앞으로 나 혼자 아니면 친구들과 동아리를 만들어 같이 나무 공부를 해보고 싶다.'

'우리 반이 자랑스럽고 선생님 덕분에 나무 친구도 생겼다.'

'전에는 풀을 보면 그냥 풀이려니 했는데 지금은 귀중한 것이라는 생각이 든다.'

'다른 반이었더라면 이런 좋을 기회를 놓쳤을 것이다.'

'처음엔 풀 같은 것에 무관심하고 그냥 지나쳤는데 선생님과 같이 공부하고 나서는 지나치지 않게 되었다.'

아이들이 스스로 성격이 좋아졌다는 말까지 자연스럽게 하는 것을 보고 무척 놀랐다. 이 또한 자연의 힘이 아닌가 생각된다. 학원과 학습지에 지치고 힘든 아이들이 생태 공부를 하면서 많은 '쉼'을 얻었다면 그것으로도 정말 감사하다. 자신의 나무 친구에 대해 정말 관심을 가지고 아끼는 모습도 귀여웠다. 주차장 구석에 있는 배롱나무는 선생님 나무 친구라면서 특히 관심을 많이 가져주는 정말 순수한 아이들이다. 생태 공부를 하면서 학생들과의 관계도 훨씬 좋아졌고 학생들이 자기 스스로를 무척 대견해하는 모습도 보기 좋았다. 혼자서라도 하고 싶고 또 친구들과 동아리를 만들어 같이 공부해보고 싶다는 말을 하기도 했다.

일단 담임 선생님이 어떤 것에 관심이 있으면 학생들은 그 쪽으로 저절로 따라오게 된다. 우리 반 학생들도 '우리 선생님은 식물에 관심이 많은 분'이라면서 덩달아 관심을 갖게 되는 것을 보았다. 또한 어떤 활동을 시작할 때 학생들의 의견을 먼저 물어보면 스스로 존중받았다는 느낌을 받아 활동 진행이 훨씬 잘 된다. 우리 반도 활동을 시작할 때 학생들에게 의견을 물었고 그 결과 대찬성이라 활동을 진행하는 데 어려움이 전혀 없었다.

또한 무작정 관찰하라고 하기보다는 관찰한 것 발표하기 서바이벌, 다양한 형태로 창의적으로 기록하기, 나무 찾기 퀴즈 등 여러 가지 형태로 나무에 대한 관심을 갖도록 해주는 것이 좋다. 나무 찾기 퀴즈를 내더라도 이름만 가르쳐 주고 위치 찾아보기, 모양을 보여주고 위치 찾아보기, 잎만 보여주고 나무 찾기 등 다양한 방법으로 제시하면 좋다.

학생들이 좋아한 활동 중 하나는 '왜가리 워킹 대회'이었는데 현장체험학습 갔을 때 보았던 왜가리가 걷는 모습을 똑같이 흉내 내보는 행사였는데 아이들이 몸으로 표현해가며 매우 재미있어했던 활동이었다.

그리고 중요한 관찰 도구인 루페는 항상 교실에 비치해 놓고 학생들이 필요할 때 언제든지 사용할 수 있도록 하는 것이 좋다. 그동안 육안으로는 볼 수 없었던 작은 털들, 신기한 모양들을 보며 감탄하는 모습을 루페가 있음으로 해서 쉽게 접할 수 있기 때문이다.

마지막으로 교사가 관심을 가지고 여러 가지 환경 관련 현장체험학습을 갈 수 있도록 미리미리 계획하고 가정과도 연계하여 숲 체험 행사에 참가한다든지 주말에 집 근처 공원의 식물이라도 관찰할 있도록 안내하면 더욱 효과적이다.

자연 사랑부 동아리 활동 사례(1학년)

[1학기]

월	날짜	활 동 내 용
4월	4월 4일	▪ 동아리 활동 조직 및 활동 계획 세우기
	4월 11일	▪ 나무 친구 정하고 나무 친구에게 편지 쓰기
	4월 18일	▪ 로제트 식물의 지혜를 배워요
	4월 25일	▪ 쓰레기 생산 줄이기 도전!
5월	5월 9일	▪ 봄꽃과 함께해요
	5월 16일	▪ 나무 퀴즈를 만들어봐요
	5월 23일	▪ 지구를 살리는 방법 22가지

[2학기]

월	날짜	활 동 내 용
9월	9월 5일	▪ 나만의 도감을 만들어요
	9월 12일	▪ 아름다운 자연 팔레트
	9월 26일	▪ 나만의 보물을 찾아요
10월	10월 10일	▪ 나뭇잎 손수건
	10월 24일	▪ 자연을 살려요
	10월 31일	▪ 동아리 발표회

주변 자연에 대한 인식과 나눔을 통해 자연에서 새로운 즐거움을 발견하고, 가슴에 직접 와 닿는 체험을 해봄으로써 자연과 사람이 지속 가능한 환경 속에서 더불어 살아가는 것을 안다는 것은 매우 중요하다. 이러한 맥락에서 1학년 학생들이 먼저 학교 주변의 자연과 친밀한 관계를 맺을 수 있도록 하기 위해 학교 숲을 이용한 생태 체험활동을 중심으로 실시했다. 화단에서 자라는 풀한 포기, 나무 한 그루라도 그 생명을 소중히 여기고 존중하는 마음을 갖는 것은 매우 중요하다. 따라서 교내에 있는 나무 중 한 그루를 정하여 나무 친구를 삼고 항상 관심을 가지고 살펴보기도 하고, 오고가며 대화도 나누는 등 '자연과의 소중한 관계 맺기'에 힘썼다. 그 결과 학생들은 학교에 있는 나무를 더욱 아끼고 계절마다 변화하는 모습에도 신기해하며 1학년 특유의 순수함으로 학교의 식물들과 친구처럼 잘 지내게 되었다.

지구를 살리는 방법 22가지 찾기 활동에서는 학급 학생 수대로 실천 가능한 구체적인 방법을 찾아보면서 지구가 처한 어려움을 살펴보았다. 거창한 실천보다는 1학년 학생 수준에 맞는 방법을 실천할 수 있도록 계획을 발표하고 실천을 다짐했다. 물 아껴 쓰기나 자전거 타기, 급식 남기지 않고 다 먹기, 휴지 함부로 낭비하지 않기 등 실제 생활 속에서 실천 가능한 것을 선택하여 실천하였다. 현장학습 갈 때에도 '쓰레기 생산'이 얼마나 되었는지 모둠별로 점검하여 일회용품 사용도 자제하고 현장학습 뒤처리도 말끔하게 할 수 있었다.

그 외에도 자연물 팔레트를 만들면서 자연의 아름다움과 다양

나무 친구에게 편지 쓰기

지구를 살리는 방법 알아보기

성을 느껴보기도 하고 '나만의 도감'을 만들면서 동물과 식물에 관해 좀 더 관심을 갖게 되었으며 더불어 살아야 한다는 것을 자연스럽게 깨닫는 기회가 되었다.

다음은 '탐구! 로제트' 시간에 활용할 수 있는 지도안이다.

'탐구! 로제트' 지도안

활동명	탐구! 로제트
준비물	루페, 연습장

진행과정	▶ 로제트 모양 식물 관찰하기
	  - 왜 이런 모양이 되었을까?
	  - 이런 모양으로 생기면 식물에게 어떤 도움이 될까?
	▶ 주변에서 로제트 식물 찾아보기
	  - 달맞이꽃, 꽃마리 등
	▶ 로제트와 관련된 활동 만들기 프로젝트 실시
	  - 놀이, 이야기, 만들기, 퍼포먼스 만들기
	  - 다양한 의견을 서로 수용하며 팀별로 활동 만들기
	  - 로제트 술래잡기(활동 예시)
	    • 활동 영역을 정한다.
	    • 술래를 정한다.
	    • 술래를 피해 도망 다니다가 술래가 치면 바닥에 앉아 두 손은 땅에 닿게 한다.(로제트 모양으로)
	    • 살아있는 다른 사람이 앉아 있는 사람을 '봄'이라고 말하면서 살짝 쳐주면 다시 살아나 도망 다닌다.
	    • 술래가 모든 사람을 앉게 만들면 술래를 바꿔 실시한다.
	  - 활동 발표 및 평가
	▶ 활동 소감 나누기
	  - 새롭게 알게 된 것은?
	  - 활동 중 가장 힘들었던 것은?
	  - 칭찬해주고 싶은 친구는?

유의사항	▶ 서로 존중하면서 의사소통하고 문제해결을 위하여 협력하는 분위기가 조성되도록 한다. ▶ 문제해결을 통해 얻은 성취감이 실생활에 연계되도록 한다.

4. 현장체험학습 : 버스 좌석 배치부터 실천 결과 발표까지

현장체험학습 가정통신문이 나가는 순간부터 학생들은 버스에서 누구와 앉아 가느냐에 대한 관심이 지대하다. 친한 친구끼리 앉아 가고 싶은 마음은 충분히 이해하지만 학생들이 그렇게 기다릴 만큼 좋아하는 날에 좌석 배치로 인해 누군가 속상한 마음을 갖는다면 그것 또한 반드시 짚고 넘어가야 할 문제이다. 현장학습 차량에서 자리를 어떻게 배치할 것인가에 대해 학급회의를 해본 적이 있었는데 아무리 해도 결론이 나지 않았다. 결국 어떤 방법이든 모두를 만족시키지는 못한다는 것을 학생들이 스스로 깨닫는 좋은 기회가 되었다. 나중에는 자기네들도 지치는지 그냥 교실에서 앉는 것처럼 앉자는 이야기가 학생들 입에서 자연스럽게 나올 정도였다. 현장학습은 교실에서 체험할 수 없는 것을 해당 장소로 옮겨 직접 보고 듣고 경험하는 것이라는 것, 그러니까 교실 대신 장소만 바뀐다는 것을 이해시키면 버스 탈 때 교실에서 앉는 자리 그대로 앉아가도 별 이의가 없다. 그렇게 앉으면 교사가 인원 파악을 할 때도 바로 한눈에 누가 없는지 알 수 있어 좋다.

좌석을 어떻게 하느냐가 결정되면 이제 '현장학습에서 이것만은 꼭 지킬 수 있어요'라는 주제로 실천 계획을 짜고 발표하는 시간을 갖는다. 모둠별로 의논하여 전체 친구들 앞에서 발표하는데 다른 모둠보다 실질적이고 구체적인 의견일 경우 친구들로부터 많은 칭찬을 받게 된다. '버스 타는 데까지 오고 가는 길', '버스 안에서', '현장학습 장소에서', '밥 먹을 때', '설명해주시는 강사님께' 등의 항목을 정하여 구체적으로 지킬 일을 이야기한다. 한번은 어떤 학생이 '앞사람 의자를 발로 쿵쿵 차지 않는다.', '의자를 뒤로 너무 젖히지 않는다.' 등의 의견을 발표하면서 의자를 가지고 나와 직접 시연을 해서 친구들의 관심을 끈 적도 있었다.

모든 모둠의 발표가 끝나고 나서 교사는 한마디만 하면 된다. "아주 좋은 의견들이 많이 나왔어요. 그런데 이러한 멋진 계획도 중요하지만 더 중요한 것은 무엇일까요?"라고 물으면 학생들은 거의 대부분 금방 답한다. "실천이요."

이렇게 사전 지도를 하게 되면 스스로 생각해 낸 약속이라서 모두 잘 지키려고 노력한다. 현장학습을 다녀온 후에는 실천 결과를 점검하고 다시 발표하는 시간을 갖는다. 이때 한 가지 더 점검하는 것이 있는데 '쓰레기 생산 결과'이다. 현장학습에서 쓰레기 생산을 어느 정도 했는지 모둠별로 점검하는 것이다. 거의 대부분의 학생들은 쓰레기 생산을 전혀 하지 않지만 일부 학생은 엄마가 은박지에 김밥을 싸주셔서 은박지 쓰레기가 나왔다며 엄마를 탓하기도 한다. 쓰레기 생산을 제로로 만들기 위해서는 사전에 일회용품 사용 금지에 대해 약속을 해야 한다.

현장학습에서 학생들이 관심 갖는 것 중 하나는 먹을거리이다. 소풍날이나 운동회 날이 되어야 그나마 과자나 기타 간식을 먹을 수 있었던 시대가 있었다. 그러나 지금은 그때와는 사정이 전혀 다르다. 좌석 배치할 때 말했던 것처럼 장소만 옮겨서 학습하는 것이고 장소를 옮겼기 때문에 학교 급식 대신 도시락을 준비해오는 것이라고 하면 잘 이해한다.

"음료수 싸와도 돼요?"

"과자 싸와도 돼요?"

이런 질문이 반드시 나온다. 현장체험학습은 평소에 못 먹던 과자나 음료수 먹으러 가는 것이 아니라는 것을 확실히 이해시키면 별 불만은 없다. 1학년부터 6학년까지 그동안 담임을 맡았던 학생들은 모두 긍정적으로 받아들이고 학부모님들도 잘 따라주었다. 그렇게 하니까 과자 대신 다양한 과일을 준비해오는 경우가 많았고 음료수보다는 엄마가 직접 만든 매실차 등을 자랑스럽게 가져오는 경우도 있었다. 이런 식으로 하니까 차 안이나 점심식사 후 쓰레기가 거의 나오지 않아 교사나 학생 모두 뒤처리에 매우 자유로워진다. 가끔 알림장을 확인하지 않은 학부모가 과자를 잔뜩 사서 아이 가방에 넣어주는 경우도 있었는데 바로 학급 친구들의 신고가 들어와 먹지 못하고 집으로 다시 가져가는 경우가 발생하기도 했다. 그런 경우라도 학급의 약속이기 때문에 불만은 없다. 어떤 학생은 엄마가 과자를 사 가지고 왔지만 우리 반은 과자나 음료수를 안 가져오기로 약속했다고 하면서 집에다 스스로 꺼내놓고 왔다고 말해 친구들의 칭찬을 받기도 했다. 과자 같은 주전부리를 먹는 것도 추억이라며 굳이 그렇게까지 할 필요가 있겠느냐는 사람도 있지만 이것만은 계속 변함없이 이런 식으로 해오고 있다.

보통 현장학습은 학년 단위로 많이 가게 되지만 학급 단위로 갈 수 있다면 더욱 좋다. 공문을 잘 살펴보면 자치단체나 기타 기관에서 주관하는 좋은 프로그램들이 많이 있다. 그런 곳에 신청을 하면 비용도 전혀 들어가지 않고 프로그램의 내용이나 질도 꽤 좋은 경우가 많다. 서울시에서 주관하는 '에코스쿨'이라는 환경프로그램에 신청하여 여러 번 학급 체험학습을 다녀온 적이 있다. 차량에다 전문 강사까지 지원되며 장소도 교사가 선택할 수 있어 매우 인기 있는 체험 프로그램이었다. 그 프로그램 덕분에 서울시에 있는 생태공원이나 하수시설, 하천, 쓰레기 처리장 등 생태 환경 관련 시설을 살펴볼 수 있었다. 그러나 아쉽게도 지금은 폐지된 것으로 알고 있다.

또 국립환경인력개발원에서 실시하는 '환경 교사 연수'를 받으면 참가 교사의 학급에 현장체험학습을 신청할 자격이 주어진다. 이 프로그램은 차량이 지원되고 장소도 교사가 선택할 수 있다. 환경탐방 후 보고서를 올리면 된다. 이 프로그램 덕분에 2번이나 국립생물자원관으로 현장학습을 다녀올 수 있었다.

학급 단위로 가면 학년 단위로 움직일 때보다 시간도 매우 넉넉하게 활용할 수 있고 학급 나름대로의 활동도 할 수 있어 매우 좋다. 국립생물자원관에 갔을 땐 오전에는 자원관 해설과 자체 프로그램에 참여하고 오후엔 학급에서 따로 준비한 활동을 했다.

또 대산농촌문화재단에서 주최하는 초등학생 농촌 체험 프로그램에 신청하여 부래미 마을이라는 곳에 간 적도 있다. 인절미도 만들고 고구마도 캐는 등 학생들이 좋아할 만한 다양한 활동을 할 수 있다. 우리 반이 갈 때에는 차량까지 전액 지원되었었는데 지금은 체험 경비(체험비, 중식비)만 제공되고 차량은 자비인 것으로 안다.

현장학습 사전 지도 사례(2학년)

교사 : 지금부터 내일 현장학습에서 어떤 점을 지켜야 할지 모둠별로 토의를 하고 토의 결과를 발표하는 시간을 갖도록 하겠어요. 그럼 모둠별로 토의해 보도록 하세요. (잠시 후) 그럼 어느 모둠이 먼저 발표할까요?

성익 : 저희 모둠이 먼저 발표하겠습니다. (3모둠원들이 모두 앞으로 나와 인사한다.) 저희 모둠에서 토의한 내용에 대해 발표하겠습니다. 먼저 현장학습에서 지켜야 할 일은 선생님을 잘 따라다니는 것입니다.

유미 : 또 도우미 아주머니 말씀을 잘 들어야 합니다.

연희 : 혼자 마음대로 돌아다니면 안 됩니다.

성신 : 줄을 잘 서야 합니다.

슬기 : 차안에 쓰레기를 함부로 버리면 안 됩니다.

윤기 : 이상입니다. 질문 있습니까?

지혜 : 지금까지 말한 내용을 잘 지킬 자신 있습니까?

성익, 유미, 연희, 성신, 슬기, 윤기 : 네, 자신 있습니다.

성익 : 더 이상 질문 없으시면 이상 마치겠습니다. 다음 모둠 나와 주시기 바랍니다.

(2모둠원들이 모두 앞에 나와 인사하고 바르게 선다.)

지희 : 저희 모둠에서 토의한 내용을 발표하겠습니다. 우리들이 현장학습에 가서 지킬 일은 먼저 도시락을 먹고 마음대로 돌아다니지 않는 것입니다.

성준 : 짝과 손을 잡고 잘 다녀야 합니다.

온유 : 점심 먹은 자리는 자기가 잘 정리해야 합니다.

유찬 : 나쁜 사람을 따라가지 않아야 합니다.

지희 : 이상입니다. 질문 있습니까? 질문 없으시면 이상 마치겠습니다. 다음 모둠 나와 주시기 바랍니다.

(1모둠원들이 모두 앞에 나와 인사하고 바르게 선다.)

준현 : 저희 모둠에서 토의한 내용을 발표하겠습니다. 버스 안에서는 조용히 해야 합니다.

민서 : 놀이공원에서 함부로 침을 뱉으면 안 됩니다.

진현 : 멀미를 하는 사람은 멀미봉지를 가지고 오고 미리 약을 먹거나 귀에 붙이는 것을 붙여야 합니다.

혜진 : 차를 타거나 놀이기구를 탈 때 새치기를 하면 안 됩니다.

준현 : 이상입니다. 질문 있습니까?

해민 : 1모둠 친구들을 칭찬합니다. 우리들이 생각하지 못한 것을 잘 생각했습니다.

준현 : 더 이상 질문 없으면 이상 마치겠습니다. 다음 모둠 나와서 발표해 주시기 바랍니다.

(나머지 모둠들이 모두 나와 발표한다)

교사 : 아주 좋은 의견들이 많이 나왔네요. 이렇게 좋은 의견을

내는 것도 중요하지만 더 중요한 것은 무엇일까요?

학생들 : 실천하는 것이요.

교사 : 네. 각 모둠에서 발표한 내용을 꼭 실천하도록 노력하기
　　　바랍니다.

현장학습 가기 전에 교사가 아무리 주의를 주어도 들뜬 마음에 집중을 제대로 하지 않는 경우가 많다. 그러나 이런 방법을 쓰면 학생들이 머리를 맞대고 스스로 어떤 점을 주의할까 생각해보고 발표할 수 있어 매우 효과적이다. 특히 다른 모둠과 선의의 경쟁을 하며 여러 가지 좋은 의견들이 나올 수 있으므로 발표 훈련의 기회도 될 수 있다.

학생들이 작성한 '현장학습에서의 우리 모둠 쓰레기 생산은?'과 '현장학습에서 지킬 일은?' 몇 가지를 소개하면 아래와 같다.

현장학습에서의 우리 모둠 쓰레기 생산은?

현장학습 일시 및 장소	2006년 9월 12일 월드컵 공원
김하람	하나도 생산하지 않았다. 0%
정진우	하나도 생산하지 않았다. 0%
윤희연	하나도 생산하지 않았다. 0%
박선화	하나도 생산하지 않았다. 0%
우리들 생각	우리들이 이렇게 쓰레기를 생산하지 않은 것을 보니 기분이 뿌듯하고 좋다. 다음에 갈 때도 쓰레기 생산을 하지 말아야겠다는 생각이 들었다.
선생님 확인	약속을 잘 지키는 훌륭한 친구들이네요.

현장학습에서의 우리 모둠 쓰레기 생산은?

현장학습 일시 및 장소	2010년 10월 21일 민속촌
정민우	없음.
김한솔	없음.
박준영	바나나 껍질
조예슬	없음.
우리들 생각	준영이만 바나나 껍질을 안 버렸으면 완벽했을 텐데…….
선생님 확인	다음엔 모두 다 지킬 수 있도록 노력해보세요.

어떤 모둠은 생산한 쓰레기 옆 칸에 '쓰레기 주운 사람'이라는 칸을 스스로 만들어 표시하기도 하였다. 그리고 소감 쓰는 란에 '모두들 쓰레기를 생산하지 않았고 도리어 남이 버린 쓰레기를 주웠다.'라고 쓴 모둠도 있어 감동을 주었다.

현장학습에서 지킬 일은?

현장학습 일시 및 장소	2011년 6월 17일 월드컵공원, 자원 회수 시설	모둠원	
	이것만은 꼭 지킬 수 있어요		결과
버스 안과 오고가는 길에서	- 기사님 운전 방해되지 않게 소곤소곤 말하기 - 안전벨트 매기(멀미할 때는 헐렁하게 매도 됨.) - 앞 의자 발로 차지 않기 - 쓰레기 버리지 않기 - 휴대폰 진동으로 하기 - 멀미하는 사람 약 챙기기 - 창문 열어서 얼굴이나 손 내밀지 않기 - 차 움직일 때 일어서지 않기 - 의자 뒤로 젖히지 않기		모둠원 모두 다 잘 지킴.

월드컵 공원에서	- 개인행동 하지 않기 - 시설 파괴하지 않기 - 안내하시는 분의 말 귀 기울이기 - 친구와 장난치지 않기 - 질문 예의바르게 하기 - 나뭇가지 꺾지 않기	모둠원 모두 다 잘 지킴.
자원 회수 시설에서	- 아무거나 만지지 않기 - 안내하시는 분 말 귀 기울이기 - 쓰레기 버리지 않기 - 개인행동 하지 않기 - 기계에 가까이 가지 않기 - 일하시는 분 방해하지 않기	모둠원 모두 다 잘 지킴.
점심 먹는 곳에서	- 쓰레기 생산하지 않기 - 음식물 흘리지 않기 - 나눠 먹기 - 일회용품 사용하지 않기 - 친구에게 간식 달라고 조르지 않기	종회가 일회용품을 사용했다.
기타	- 자기 물건 잘 챙기기 - 선생님 잘 따라 다니기 - 길 잃어버리지 않기 - 멀리가지 않기 - 지정된 장소에 모이기	모둠원 모두 다 잘 지킴.

현장학습에서 지킬 일은?

현장학습 일시 및 장소	2013년 10월 12일 용도수목원	모둠원	
	이것만은 꼭 지킬 수 있어요		결과
수목원에서(꽃 관 찰, 고구마 캐기, 놀이시설 이용)	- 꽃 꺾지 않기 - 고구마 캘 때 흙장난 하지 않기 - 호미 조심 - 썰매에서 손 놓치지 않기 - 고구마 많이 캤다고 친구에게 자랑하지 않기 - 흙 뿌리지 않기 - 썰매 탈 때 먼저 탄다고 밀지 않기 - 고구마 캔 것 빼앗지 않기		모둠원 모두 다 잘 지킴.

5. 아이들 스스로 꾸리는 학급 행사

"선생님, 남자 애들 사물함 장난 아네요."

쉬는 시간에 한 여학생이 걱정스러운 듯이 말했다. 어느 정도인데 그러느냐고 물으니 사물함 문을 살짝만 열고 물건을 얼른 꺼낸 뒤 바로 닫는 시늉을 했다. 속에 들어있는 물건이 와르르 쏟아질까봐 그런 식으로 사물함 문을 여닫는 친구들이 많다는 것이다.

"그래? 그럼 어떻게 하면 좋을까?"라는 말에 '사물함 정리왕'을 뽑으면 어떻겠느냐는 제안이 나왔고 다른 학생들도 모두 찬성하여 '사물함 정리왕' 선발 행사를 추진하게 되었다.

사물함 1인 1역을 맡은 학생의 사회로 그 행사에 대한 협의가 시작되었다. 선발 일시와 방법, 기준 등에 대해 여러 가지 의견이 나왔다. 일단 언제 할 것인가에 대한 결정은 정리할 시간이 필요하므로 3~4일 후가 적당하다는 쪽으로 의견이 모아졌다. 뽑는 기준으로는 '깨끗한가?', '꺼내고 넣기 편한가?' 등을 정했다. 그 외에 여러 가지 질문이 나왔다. 사물함 앞쪽을 스티커로 장식해도 되느냐고 한 여학생이 질문했다. 대부분의 학생들이 다음 해에 다른 학생들이 또 써야 하니까 장식은 하지 말자고 했다. 다른 사람의 도움을 받아도 되느냐는 질문도 나왔다. 이것에 대해서는 정리를 잘하는 친구에게 방법을 물어보는 것은 괜찮다고 했다. 그날만 잘하고 또 정리가 안 된다면 어떻게 할 것인가에 대한 질문도 나왔는데 거기에 대해서는 평소에도 정리를 잘하는 사람을 뽑으면 된다는 의견이 나왔다. 회의가 거의 끝나갈 무렵 한 학생이 진지하게 질문했다.

"상품 있나요?"

정리왕으로 뽑히면 어떤 선물이라도 있느냐는 말이었다. 이 질문에 사회를 보고 있던 사물함 1인 1역 담당자는 자신이 어린이날 받은 선물 중 안 쓰는 물건이 있다면서 그것을 상품으로 내놓겠다고 했다. 나도 상품을 제공할 수 있다고 말하니 여기저기서 자신도 상품을 기부하겠단다. 이렇게 '사물함 정리왕 뽑기' 행사에 관련한 구체적인 협의가 끝났다. 곧바로 사물함 1인 1역 담당자는 학급 알림판에 협의 내용을 적어 게시했다.

그때부터 학생들은 쉬는 시간이나 점심시간에 자신의 사물함을 정리하느라 정신이 없었다. 집에 가져가지 않고 사물함에 넣어두었던 날짜도 한참 지난 가정 통신문부터 먹기 싫어 몰래 넣어두었던 유통기한 지난 우유까지 정말 다양한 것들이 쏟아져 나왔다. 잃어버렸다던 공책도 뒤쪽에서 구겨진 채 나오고 온갖 잡동사니가 오랜만에 얼굴을 드러냈다. 물론 평소에 깔끔하게 정리를 잘하는 학생들은 별로 손댈 일이 없었다. 갑자기 폐휴지함에 종이가 가득 쌓이고 쓰레기봉투에도 쓰레기가 넘칠 정도였다. 다음 날 집에서 쓰던 플라스틱 정리 파일을 가져오는 학생도 있었다. 정말 정리를 잘 못하는 남학생은 여학생들에게 물어보아 가며 나름대로 열심히 정리를 했다. 아무튼 며칠 동안 열심히 사물함 정리를 하느라 사물함 앞은 늘 학생들로 붐볐다.

드디어 사물함 정리왕을 뽑는 그날이 왔다. 5교시 시작 10분 전 모두 자신의 사물함을 열어 놓으라는 사물함 1인 1역 담당자의 말이 있었다. 1분단부터 침묵으로 친구들의 사물함 정리 상태를 돌아보았다. 그러고 나서 정리를 잘했다고 생각되는 사람 3명을 뽑고 그 이유를 적었다. 모든 학생들이 다 돌아본 뒤 칠판에 나와 자신이 뽑은 친구의 이름에 표시를 했다. 자신이 뽑은 친구의 이름이 없으면 자신이 직접 쓰면 된다.

학생들이 표시한 수를 집계하여 금, 은, 동을 뽑았다. 왜 그 친구를 뽑았나에 대한 이유도 들어 보았다. 수납공간을 잘 활용해서 뽑았다며 '수납공간'이라는 전문용어를 쓰는 학생도 있었다. 학생들이 놀라는 표정으로 그런 단어를 어떻게 알았느냐고 하니까 엄마가 그런 말을 자주 사용한다고 말했다. 그 말을 한 덕분에 그 학생은 반 친구들에게 갑자기 전문 어휘를 잘 아는 친구로 인정받는 계기가 되었다. '교과서를 크기별로 잘 정리했다.', '리코더를 분해해서 정리했다.', '꼭 필요한 물건만 들어 있었다.', '꺼내고 넣기가 편하게 정리했다.', '책과 다른 물건들 사이에 받침을 끼워놓았다.', '조그만 상자를 사용하여 정리했다.' 등의 다양한 이유를 들었다. 뽑은 이유 중에 '아늑해서 뽑았다.'라는 이유도 있었는데 그 작은 사물함이 아늑하면 얼마나 아늑한 느낌이 들까 하는 생각이 들었다. 그런데 정말 가서 열어보니 아닌 게 아니라 왠지 아늑한 느낌이 들었다. 아기자기하면서도 아늑한 느낌이 들게 정리를 해놓았던 것이다. 그 학생의 표현이 그냥 아무렇게나 한 말은 아닌 것이었다.

이 행사 덕분에 얼마 동안은 기분까지도 개운해지도록 말끔한 상태로 유지되었다. 깨끗한 상태가 얼마 가지 못한 것이 아쉽긴 했지만 학생들의 필요에 의해 자율적으로 치른 행사로서 학생들에게는 매우 의미 있는 행사였다.

2월이면 진도도 거의 다 끝나고 시간도 여유 있어 학년말 학급행사를 하면 좋다. 먼저 학년말에 어떤 행사를 하면 좋을지 생각해서 모둠별로 제안을 하도록 한다. 우리 반에서 나온 의견으로는 '소 체육대회', '영화 감상하기', '웃음 빵빵 콘서트', '추억 골든벨', '알뜰시장' 등이 있었다. 모둠별로 제안하는 이유를 대고 대강의 추진 계획을 발표했다. 그리곤 투표를 통해 3가지 활동을 뽑았다. '소 체육대회'는 많은 학생들의 지지를 얻어 뽑혔고 '웃음 빵빵 콘서트'는 그 모둠에 믿을 만한 친구들이 많아 그 덕분에 뽑혔다. 마지막으로 '영화 감상하기'는 영화 볼 때 모둠별로 뻥튀기를 무료로 제공한다는 말에 혹하여 학생들의 관심을 끌었다. 난 개인적으로 '추억의 골든 벨'이 재미도 있고 의미도 있을 것 같아 그 활동에 한 표를 행사했지만 아쉽게도 뽑히지 못했다. 1년 동안 학급에서 일어난 일들을 퀴즈로 만들어 푸는 것이라고 해서 기대도 컸는데 학생들의 생각은 나와는 많이 달랐던 모양이었다.

학생들의 결정에 따라 3가지 활동을 하기로 의견을 모았다. 선정된 행사는 제안한 모둠에서 추진하는 것을 원칙으로 하고 혹시 도움이 필요하면 선생님이나 친구들에게 언제든지 요청하면 된다고 말했다.

그런데 학생들이 제일 기대했던 '소 체육대회' 행사 날짜가 점점 다가오는데도 아무런 사전 알림이 없었다. 궁금한 나머지 학생들은 그 모둠 친구들에게 "준비물은 뭐야?", "정확히 몇 교시에 하는 거야?" 등의 질문을 했지만 정작 책임을 맡은 학생들에게 추진할 기미가 전혀 보이지 않았다. 실망한 나머지 다른 모둠의 한 학생이 이것저것 계획을 짜서 가져왔다. 담당 모둠원들의 부탁이 있었냐고 물었더니 전혀 없었다고 했다. 답답해서 자기가 해왔다고 했다. 학급 일에 직접 나서서 자발적으로 한 것은 좋지만 책임을 맡은 친구들이 전혀 요청도 하지 않았는데 알아서 다 도움을 준다는 것은 좋지 않다고 말했다. '소 체육대회'를 제안했던 모둠원들은 아이디어만 내놓고 정작 추진할 의욕도 없고 노력도 하지 않았던 것이다. 결국 그 행사는 안타깝게도 무산되고 말았다.

한 행사가 취소되자 그 다음 행사를 맡은 모둠원들의 태도는 더욱 진지해졌다. 모둠원들끼리 자주 모여 의논도 하고 역할 분담도 하면서 잘 추진하고 있었다. 발표 신청서도 만들고 행운권 추첨 상자도 준비하는 등 열심히 준비했다. 학생들 자필로 쓴 발표 신청서에는 발표 종목이나 소요 시간이라는 말 대신 '무엇을 발표하고 싶은가?', '시간은 얼마나 걸리나?', '누구와 같이 하나?' 등 학생들만의 말로 쉽게 풀어 문장을 만들어 썼다. 신청서를 받아 대강의 소요 시간을 계산해 본 후 2시간 정도 시간이 필요하니 그 정도의 시간을 달라고 했다. 행사 날짜와 시간이 정해지자 그 모둠

리더가 알림장에 그 내용을 알렸다. 처음에는 약간의 간식도 허용한다고 하더니 간식이 있으면 집중을 하지 않을 것 같다며 간식은 안 가지고 오기로 다시 정했다고 했다. 프로그램 안내지를 만드는 것도 반 친구들에게 지원자를 받았다. 남학생 한 명이 자신이 디자인하여 컬러로 프린트해오겠다고 했다. 당일 날 보니 '무한 도전'이라는 TV프로그램의 타이틀 모양을 조금 본 따서 나름대로 멋지게 꾸며서 왔다. 그 학생은 친구들의 좋은 반응에 매우 기뻐하며 학급 행사에 기여했다는 생각에 무척 자랑스러워했다. 철저한 준비 덕분에 '웃음 빵빵 콘서트'는 아주 성공적으로 잘 치러졌다. 많은 학생들이 신청하여 발표에 참여했고 사회자도 차분하게 잘 진행했다.

마지막 행사인 '영화 감상하기'는 영화가 생각보다 재미가 없었는지 도중에 '계속 보자'와 '그만 보자'에 대해 잠깐 협의를 해야 할 정도였다. 계속 보자는 의견이 좀 더 많아 끝까지 보기는 했지만 뻥튀기까지 먹으면서 보느라 다소 소란스럽기까지 했다.

모든 행사가 다 끝나고 평가하는 시간을 가졌다.

'소 체육대회'를 하지 못한 것에 대한 실망감이 컸었는지 그 모둠에 관련된 이야기가 많이 나왔다. 이제부터 아무리 아이디어가 좋아도 추진할 능력이 있는지를 반드시 체크하고 뽑겠다는 말도 나왔다. 어떻게 보면 그 행사가 취소되는 덕분에 학생들은 아주 좋은 경험을 하게 된 것이다. 번지르르한 계획보다 실천이 얼마나 중요한지를 실감하는 좋은 기회였던 것이다.

'영화 감상하기'에 관해서는 뻥튀기 뒤처리에 관한 이야기가 많이 나왔다. 사전에 뻥튀기 뒤처리까지 어떻게 할 것인가를 확실히 해야 했었다는 의견이 나왔고 특히 그 날 청소 모둠들의 불만이 많았다.

  '웃음 빵빵 콘서트'에 대해서는 대부분의 학생들이 '아주 재미있었다.' '준비가 잘 되었다.', '모둠원들이 협력을 아주 잘 했다.' 등 모두 긍정적인 평가를 했다. 특히 프로그램 안내지를 프린트해서 만들기 위해 친구들에게 도움을 요청한 것, 사회자가 미리 연습해서 진지하게 잘한 것 등을 칭찬했다. 학생들은 나름대로 정확하고 예리하게 평가를 내리고 있었다.

  학생들은 보통 "선생님 다른 반은 이런 것 하는데 우리 반은 안해요?"라고 묻는다. 하고 싶으니까 교사가 결정하고 다 준비해서 '짠' 하고 내놓아 달라는 식이다. 학생들에게 하고 싶은 일이 있으면 언제든지 제안할 수 있다는 것을 확실하게 할 필요가 있다. 그 제안한 내용은 학급 구성원이 협의해서 결정하면 된다. 그리고 구체적으로 계획을 세우고 스스로 추진할 수 있도록 한다. 물론 그 과정에서 도움이 필요하면 언제든지 교사에게 도움을 요청하면 된다. 친구들의 도움이 필요하면 친구들에게 도움을 청한다. 스스로 주체가 되어 행사를 계획하고 추진하는 과정에서 친구들과 당연히 의사소통을 하게 된다. 또 서로 도와주다보면 서로의 재능을 나눌 수 있는 좋은 기회를 가질 수도 있으며 역할을 분담하며 책임감도 키울 수 있다.

과연 학생들이 제대로 할 수 있을까 하는 걱정은 안 해도 된다. 제안에서부터 추진하는 과정에 이르기까지 학생들 스스로 주체가 되어 참여하는 것 자체가 학생들에게는 배움이고 성장이다. 부족하면 부족한 대로 괜찮다. 학생들이 만족하면 되는 것이다. 그것을 통해 얻는 것이 많다. 의외의 인물이 리더로 나설 수 있는 좋은 기회도 되고 자신의 재능으로 학급 일에 기여할 수도 있다. 학급의 주인으로서 일을 해냈다는 자부심도 느낄 수 있다. 행사를 치루면서 얻은 성취감은 어떤 것보다도 값진 경험이 된다. 이렇게 되면 학급의 주인이 자신들임을 자연스럽게 느끼며 공동체 의식도 더욱 강하게 된다. 그런 행사를 멋지게 치러 내고 나면 더 이상 "우리 반은 이런 것 안 해요?"라는 소심한 질문은 하지 않는다.

〈참고 문헌〉

김영주 외, 「프레네 교육의 첫걸음」, 『2008년 전국참교육실천대회 및 직무연수 자료집』. 전국교직원노동조합, 2009.

김용림, 『교실 안에 갇힌 아이 자연 속에 커가는 아이』, 선미디어, 2004.

김유미, 『뇌를 통해 본 아동의 정서』, 학지사, 2005.

김종훈, 『어린이 언어발달과 말하기 지도』, 집문당, 1995.

김주환, 『회복탄력성』, 위즈덤하우스, 2011.

남효창, 『애들아 숲에서 놀자』, 추수밭, 2006.

데일 카네기 저, 최염순 역, 『카네기 인간관계론』, 씨앗을뿌리는사람, 2008.

도널드 L. 핀켈 저, 문희경 역, 『침묵으로 가르치기』, 다산북스, 2010.

디틀린데 바이예 저, 송순재 역, 『프레네 교육학에 기초한 학교 만들기』, 내일을여는책, 2002.

레이프 에스퀴스 저, 박인균 역, 『에스퀴스 선생님의 위대한 수업』, 추수밭, 2008.

로레인 수투츠만 암스투츠 · 쥬디 H. 뮬렛 저, 이재영 · 정용진 역, 『학교 현장을 위한 회복적 학생생활지도』, KAP, 2011.

마셜 B. 로젠버그 저, 캐서린 한 역, 『비폭력 대화』, 한국NVC센터, 2011.

루스 실로 저, 박민경 역, 『유태인의 자녀교육』, 민예사, 1995.

박성방, 『총체적 언어학습』, 우리교육, 1995.

박숙영, 「어떻게 행동을 변화시킬 것인가?」, 『좋은 교사』(2013년 10월). 좋은교사, 2013.

박원순, 『원순씨를 빌려 드립니다』, 21세기북스, 2010.

_____, 『마을이 학교다』, 검둥소, 2010.

밥 파이크 저, 김경섭 · 유제필 역, 『밥 파이크의 창의적 교수법』, 김영사, 2004.

서울시대안교육센터, 「교사의 자기 회복과 성장을 위한 워크숍」, 서울
　　시대안교육센터, 2007.

엄은남, 「발표 불안 감소를 위한 소집단 발표훈련 프로그램 개발과 그 효
　　과에 관한 연구」, 서울교육대학교 교육대학원 석사학위 논문, 2003.

_____, 「모두가 주인이 되는 Win-win class」, 참교육 학부모신문 247호
　　6면, 2012.

_____, 「소통과 배려의 Win-win class 만들기」, 「초등교사 커뮤니티
　　인디스쿨」, 2013.

_____, 「모두가 주인이 되어서」, 『우리아이들』 195호, 전국교직원노동
　　조합 초등위원회, 2013.

_____, 「함께 나누는 이야기 선물」, 『우리아이들』 196호, 전국교직원
　　노동조합 초등위원회, 2013.

_____, 「자기주도·협력의 Win-win class 만들기」, 『우리아이들』 197
　　호, 전국교직원노동조합 초등위원회, 2013.

_____, 「소통과 배려의 평화로운 교실 만들기」, 『우리아이들』 198호,
　　전국교직원노동조합 초등위원회, 2013.

_____, 「서로 나누며 같이 배워요」, 『우리아이들』 199호, 전국교직원
　　노동조합 초등위원회, 2013.

_____, 「스스로 꾸리는 학급행사」, 『우리아이들』 200호, 전국교직원노
　　동조합 초등위원회, 2013.

윤동혁, 『나를 살리는 숲, 숲으로 가자』, 거름, 2006.

이귀학, 『선생님도 전략이 있어야 산다』, 동서문화사, 2009.

이영득 글, 박신영 그림, 『내가 좋아하는 풀꽃』, 웅진씽크빅, 2008.

이원구, 『학습방법의 학습프로그램 2』, 은하출판사, 1994.

이정숙, 『리더로 키우려면 말부터 가르쳐라』, 가야넷, 1999.

전국교직원노동조합 경북지부, 『겨울연수 교재 프레네 교육철학 아카데
　　미』. 전국교직원노동조합 경북지부, 2011.

정태범, 『학교 학급경영론』, 한국교육행정학회, 1995.

정호남, 「발표에 어려움을 겪는 아동들의 유형 연구」, 숙명여자대학교 교육대학원 석사 학위논문, 1998.

정훈, 『자발성과 협력의 프레네 교육학』, 내일을여는책, 2009.

조문제, 『말하기·듣기: 교수·학습의 이론과 방법』, 교학연구사, 1996.

조벽, 『나는 대한민국 교사다』, 해냄, 2010.

____, 『인재혁명』, 해냄, 2010.

조셉 B. 코넬 저, 장상욱 역, 『자연체험 1』, 우리교육, 2002.

주삼환 외, 『수업관찰분석과 수업연구』, 한국학술정보, 2009.

초등교사커뮤니티인디스쿨, 『인디스쿨 겨울연수 교재 프레네 교육』, 초등교사커뮤니티인디스쿨, 2012.

토머스 고든 저, 김홍옥 역, 『교사역할훈련』, 양철북, 2003.

파멜라 드러커맨 저, 이주혜 역, 『프랑스 아이처럼』, 타임북스, 2013.

하워드 제어 저, 손진 역, 『회복적 정의란 무엇인가』, KAP, 2010.

한국모험상담교육연구소, 『새로운 시작을 위한 숨고르기』, 한국모험상담교육연구소, 2010.

한형식, 『수업개혁』, 교육과학사, 1995.

호리 신이치로, 김은산 역, 『자유와 교육이 만났다, 배움이 커졌다』, 민들레, 2008.

황성원, 『표현과 소통의 교육, 셀레스탱 프레네』, 창지사, 2010.

후쿠타 세이지 저, 박재원·윤지은 역, 『핀란드 교실혁명』, 비아북, 2009.

J. N. Even, O. Francomme, 성장학교 별 역, 『프레네학교 이야기 1』, 성장학교 별, 2008.

Laurie S. Frank, Journey Toward the Caring Classroom. Wood N Barnes, 2004.

Project Adventure, Inc., Youth Leadership In Action. Kendall Publishing Company, 1995.

엄선생의
학급운영 레시피

발행일   2014년 2월 21일 초판 1쇄 발행
              2015년 11월 30일 초판 2쇄 발행
지은이   엄은남
발행인   방득일

발행처   맘에드림
주 소   서울시 중구 퇴계로48길 26(묵정동 31-2) 2층
전 화   02-2269-0425
팩 스   02-2269-0426
e-mail   nurio1@naver.com

ISBN 978-89-97206-16-2 03370

삶과 교육을 바꾸는
맘에드림 출판사 교육 도서

혁신학교란 무엇인가

김성천 지음 / 값 15,000원

교육 공동체가 만들어내는 우리 시대 혁신학교 들여다보기. 혁신학교 전반에 관한 이야기를 다루고 있는 책으로, 공교육 안에서 혁신학교가 생기게 된 역사에서부터 혁신학교의 핵심 가치, 이론적 토대, 원리와 원칙, 성공적인 혁신학교의 모습을 보이고 있는 단위 학교의 모습까지 담아냈다.

학부모가 알아야 할 혁신학교의 모든 것

김성천, 오재길 지음 / 값 15,000원

학부모들을 위한 혁신학교 지침서!
'혁신학교에서는 무엇을, 어떻게 가르치고 있는지, 교사 · 학생 · 학부모는 어떻게 만나서 대화하고 관계를 맺어가는지, 어떤 교육 목표를 지향하고 있는지 등 이 책은 대한민국 학부모들의 궁금증에 친절하게 답을 한다.

덕양중학교 혁신학교 도전기

김삼진 외 지음 / 값 14,500원

이 책의 1부는 지난 4년 동안 덕양중학교가 시도한 혁신과 도전, 성장을 사실과 경험에 기반한 스토리텔링 방식의 성장기로 전개하고 있다. 그리고 2부는 지역사회와 협력하여 펼치고 있는 교육 프로그램, 배움의 공동체 수업 등을 현장 사례 중심의 교육적 에세이 형태로 담고 있다.

학교 바꾸기 그 후 12년

권새봄 외 지음 / 값 14,500원

MBC PD 수첩에 방영되어 화제가 되었던 남한산초등학교.
아이들이 모두 행복하고, 얼굴 표정이 밝은 아이들. 학교 가는 것을 무엇보다 좋아하고, 방학을 싫어하는 아이들. 수업과 발표를 즐겼던 이 학교를 졸업한 아이들이 그 후 12년의 삶을 세상에 이야기한다.

교사는 수업으로 성장한다

박현숙 지음 / 값 12,000원

그동안 교사는 수업에서 아이들을 만나지 못해왔다. 관계와 만남이 없는 성장의 결손을 낳았다. 그리하여 우리 아이들과 교사들은 모두 참 아프고 외로웠다. 이 책에서는 교사, 학생, 학부모, 지역사회가 공동체로서 서로 관계를 맺을 때에만 배움은 즐거운 활동으로서 모두가 성장하는 삶의 일부가 될 수 있음을 보여준다.

교사와 학부모가 함께 읽는 주제 통합 수업

김정안 외 지음 / 값 15,000원

'서울형 혁신학교'로 지정된 7개 혁신학교들이 지난 1~2년 동안 운영한 주제 중심 통합 교육 과정과 수업 사례를 소개한 책이다. 이 학교들의 교육과정은 전국적으로 이루어지는 혁신학교들의 성과를 반영하였고, 자신의 지역사회의 실제 환경과 경험을 살려 실제 수업에 적용한 것이다.

혁신교육 미래를 말한다

서용선 외 지음 / 값 14,000원

혁신교육은 2009년 이후 공교육 되살리기의 새로운 희망이 되어왔다. 이러한 정책을 입안하고 추진하는 데 기여해왔던 6명의 교사 출신 연구자들이 혁신교육 발전에 필요한 정책 과제들을 모아 하나의 책으로 제시한다. 이 책은 교육철학, 교육과정, 교육행정과 학교 운영(거버넌스) 등에서 주요 이슈들을 정리하고 혁신교육의 성과와 과제가 무엇인가를 보여준다.

수업을 살리는 교육과정

서우철 외 지음 / 값 16,500원

최근 교육과정을 재구성하는 논의가 활발한 가운데, 이 책에서는 개별 교과목과 교과서의 형식에 얽매이지 않고 아이들의 발달을 고려하여 주제를 중심으로 교육과정을 재구성하여 통합적으로 운영하는 방법과 구체적인 실천 사례를 설명하고 있다. 이러한 과정은 같은 학년을 맡고 있는 교사들의 토론과 협력을 통해서 이루어진 것임을 이야기한다.

수업 딜레마
이규철 지음 / 값 14,000원

이 책을 관통하는 키워드는 '사람'이다. 저자의 노하우를 전수하는 것이 아니라, 수업 속에서 딜레마에 맞닥뜨려 고통받고 있는 선생님들의 고민을 담고, 신념을 담고, 그것을 이겨내기 위한 한 분 한 분의 마음을 담고 있다. 이런 고민 속에 이 책을 집어 든 나를 귀하게 여기며 다시 한 번 교사로 잘 살아보고 싶은 도전을 하게 한다.

좋은 엄마가 스마트폰을 이긴다
깨끗한미디어를위한교사운동 지음 / 값 13,500원

스마트폰에 대한 아이들의 집착은 대단하다. 스마트폰은 '재미있고 편리하다.' 그러나 스마트폰 때문에 아이들은 시간을 빼앗기고, 건강이 나빠지고, 대화가 사라지며, 공부와 휴식, 수면마저 방해를 받는다. 이 책은 이러한 사례들을 생생하게 소개하고 부모들에게 아이들의 스마트폰 사용에 어떻게 대응해야 하는지 대안을 제시한다.

진짜 공부
김지수 외 지음 / 값 15,000원

혁신학교가 추구하는 '진짜 공부'와 '진짜 스펙'이 무엇인지 보여주는, 졸업생들의 생동감 넘치는 경험담. 12명의 졸업생들은 학교에서 탐방, 글쓰기, 독서, 발표, 토론, 연구, 동아리, 학생회 활동을 통해 자신들이 생각하지도 못한 진짜 공부를 경험했음을 보여준다. 이 책을 통해 수능시험이 아니라 정말로 청소년 스스로 하고 싶을 즐기면서 성장하는 것이 우리 사회에 필요한 것임을 새삼 느낄 수 있다.

수업 디자인
남경운, 서동석, 이경은 지음 / 값 15,000원

서울형 혁신학교의 대표적인 수업 혁신을 담은 이야기. 아이들이 서로 협력하면서 배우는 수업을 목표로 삼은 저자들은 범교과 수업모임을 통한 공동 수업설계를 대안으로 제시한다. 아이들은 교사의 설명을 통해 배우는 것이 아니라 서로 '옥신각신'하며 함께 문제에 도전할 때 수업에 몰입하고 배우게 된다. 이 책은 이러한 수업을 위해서 교사들이 교과를 넘어 어떻게 협력하고 수업을 연구해야 하는지 잘 보여준다.

아이들이 가진 생각의 힘

데보라 마이어 지음 / 정훈 옮김 / 값 15,000원

미국 공교육 개혁의 전설적 인물 데보라 마이어가 전하는 교육 개혁에 대한 경이롭고도 신선한 제언. 이 책은 학교 혁신의 생생한 기록을 통해 우리가 학교에서 무엇을 왜 가르치고 배워야 하는지에 대한 근원적인 성찰을 담고 있다. 아이들이 지성적으로 생각하는 마음의 습관을 배우는 것이 얼마나 중요하고 그것을 위해 학교가 무엇을 해야 하는지를 일깨워준다.

어! 교육과정? 아하! 교육과정 재구성!

박현숙 · 이경숙 지음 / 값 16,500원

교육과정 재구성을 고민하는 교사를 위한 현장 지침서. 이 책은 저자들이 학교 현장에서 교육과정 재구성이라는 화두를 고민하고, 실행한 사례들이 담겨져 있다. 책의 내용은 주제 통합 수업, 교과 통합 수업, 범교과 주제 학습, 교과 체험 학습, 프로젝트 수업 등 학교 현장에서 적용해 큰 성과를 본 것들을 세밀하게 소개하면서 교육과정 재구성 작업의 노하우를 펼쳐 보인다.

행복한 나는 혁신학교 학부모입니다

서울형혁신학교학부모네트워크 지음 / 값 16,000원

이 책은 학부모가 자신의 눈높이에서 일러주는 아이들의 혁신학교 적응기일 뿐 아니라, 학부모 역시 학교를 통해 자신의 삶을 고양시켜가는 부모 성장기라는 점에서 대한민국의 모든 학부모에게 건네는 희망 보고서이기도 하다. 혁신학교가 궁금한 학부모들이 이 책을 통해 혁신학교 학부모로서의 체험을 미리 하는 데 부족함이 없을 것이다.

일반고 리모델링 혁신고가 정답이다

김인호, 오안근 지음 / 값 15,000원

교육 환경이 열악한 지역에 있던, 서울의 한 일반계 고등학교가 혁신학교로서 4년간 도전과 변화를 겪으면서 쌓은 진로, 진학의 비결을 우리 사회 모든 학생, 학부모, 교사, 시민 등에게 낱낱이 소개해주는 책. 이 책은 무엇보다 '혁신학교는 대학 입시에 도움이 안 된다.'는 세간의 편견을 말끔히 떨어 없앤다. 이 책에서 저자들은 '결과' 중심 교육과정을 '과정' 중심으로 바꾸고, 교내 대회와 동아리 활동, 봉사 활동을 장려함으로써 대학 진학이란 놀라운 결과가 어떻게 이루어질 수 있었는지 보여주고 있다.

우리가 신뢰하는 학교, 어떻게 만들 것인가?

데보라 마이어 지음 / 서용선 옮김 / 값 15,000원

이 책의 저자인 데보라 마이어는 보수와 진보를 막론하고 미국 공교육 개혁 분야에서 가장 신뢰받는 실천가이자 이론가로 평가받는다. 학교 안에서 '신뢰의 붕괴'를 오늘날 공교육이 직면한 가장 큰 도전으로 인식한다. 이 책의 원제 'In Schools We Trust'에서 나타나듯, 저자는 신뢰할 수 있는 공교육의 조건이 무엇인지 자신의 경험 속에서 제안하고, 탐색하고, 성찰한다.

교사, 어떻게 살아야 하는가

김성천 외 지음 / 값 15,000원

오랫동안 교육 현장에서 교육과 연구를 병행해온 저자 5인이 쓴 '신규 교사를 위한 이 시대의 교사론'. 이 책은 학교 구성원과의 관계 맺기부터 학교 현장에서 맞닥뜨리게 되는 여러 가지 문제들과 극복 방법, 교육 개혁에 어떻게 주체로 설 수 있는지, 어떤 과정을 통해 개인의 성장을 도모해야 하는지 등 신규 교사의 궁금점에 대해 두루 답하고 있다.

리셋, 교육과정 재구성

서울신은초등학교 교육과정 연구회 모임 지음 / 값 16,000원

서울형 혁신학교인 서울신은초등학교 교사들이 1학년부터 6학년까지 모든 학년의 교육과정을 재구성하고 실천한 경험을 모두 담았다. 이 책에 소개된 혁신학교 4년의 경험은 진정한 학습이란 몸과 마음을 통해 경험함으로써, 생각이나 감정을 다른 사람과 주고받음으로써, 과거 경험을 새로운 지식으로 다시 생각함으로써 실현된다는 점을 잘 보여주고 있다.

다섯 빛깔 교육이야기

이상님 지음 / 값 16,000원

충북 혁신학교(행복씨앗학교)인 청주 동화초등학교의 동화 작가 출신 선생님이 아이들과 함께 보낸 한해살이 이야기다. 이오덕 선생의 "아이들의 삶을 가꾸는 교육"을 고민하던 저자가 동화초 아이들을 만나면서 초등학생의 특성에 맞도록 활동 중심의 교육과정을 재구성하는 한편, 표현 위주의 교육을 위한 생활 글쓰기 교육을 실천하면서, 학교 교육을 아이들의 놀이와 생활, 삶과 연결시키고자 노력한 교단 일지를 바탕으로 구성되었다.

만들자, 학교협동조합
박주희 · 주수원 지음 / 값 14,500원

이 책은 학교협동조합이 무엇인지, 어떤 유형의 학교협동조합이
가능한지, 전국적으로 현재 학교협동조합의 추진 상황은 어떠한지
국내외 사례를 통해 소개하고 안내하는 한편, 학교협동조합을
운영하는 원리와 구체적인 교육방법을 상세하게 풀어놓고 있다.
저자들의 실천적 지침들을 따라가다 보면 학교협동조합은 더 이상
상상이 아니라 학교 구성원의 필요와 의지, 실천으로 극복할 수
있는 실현 가능한 미래라는 점을 알게 된다.

땀샘 최진수의 초등 수업 백과
최진수 지음 / 값 21,000원

초등학교에서 20여 년간 아이들을 가르쳐온 저자가 초등학교
수업에 대해서 기록하고 연구하고 실천하며 쌓아온 경험을
바탕으로 초등학생들과 수업을 함께하는 방법을 담고 있다.
아이들의 학습 동기, 아이들이 수업에 참여하는 방법, 칠판과
공책을 사용하는 방법, 모둠 활동, 교과별 수업, 조사와 발표
등 초등학교 교사가 아이들을 가르칠 때 알아야 할 가장
기본적이면서도 가장 중요한 모든 것을 다루고 있다.

혁신 교육 내비게이터 곽노현입니다
곽노현 편저 · 해제 / 값 17,000원

서울시 18대 교육감이자 첫 번째 진보 교육감으로서 혁신 교육을
펼쳤던, 곽노현은 우리 사회 전반을 아우르는 주요 교육 현안들을
이 책에서 포괄적으로 다루고 있다. 2014년 3월부터 1년간
방송된 교육 전문 팟캐스트 '나비 프로젝트' 인터뷰에 출연한
전문가들과 나눈 대화와 그에 대한 성찰적 후기를 담고 있다. 이
책은 그야말로 우리가 '지금 알아야 할 최소한의 교육 이야기'를
포괄하고 있다.

무엇이 학교 혁신을 지속가능하게 하는가
권성호, 김현철, 유병규 정진헌, 정훈 지음 / 값 14,500원

독일 '괴팅겐 통합학교', 미국 '센트럴파크이스트 중등학교', 한국
혁신학교의 사례들을 통해 성공적인 학교 혁신의 공통점을
찾아내고 그것을 지속가능하도록 만들기 위해서 필요한 것은
무엇인지를 보여준다. 독자들은 이 책에서 괴팅겐 통합학교의
볼프강 교장이 말한 것처럼 '좋은 학교'를 만들기 위한 학교
혁신에 세계적으로 보편적이라고 할 만한 공통점을 찾을 수 있다.

교과를 꽃 피게하는 독서 수업

시흥 혁신교육지구 중등 독서교육 연구회 지음 / 값 16,500원

이 책은 지난 5년 동안 진행된 혁신교육지구 사업의 일환으로 학교에서 고군분투하며 독서교육을 이끌어왔던 독서지도사들이 실천 경험을 엮어낸 것으로 청소년기 학생들에게 장래 진로, 사랑, 우정, 삶의 지혜를 찾는 데 도움을 주는 독서교육을 잘 보여주고 있다. 특히 이 책에 소개된 국어, 수학, 과학, 사회, 도덕, 미술, 역사 등 다양한 교과와 연계한 협력수업은 독서교육의 새로운 전망을 보여주는 결실이다.

혁신학교의 거의 모든 것

김성천, 서용선, 홍섭근 지음 / 값 15,000원

저자들은 이 책에서 혁신학교에 대한 100가지 질문에 답하면서 혁신학교의 역사, 배경, 현황, 평가와 전망을 구체적인 증거를 통해 설명하고 있다. 이 책에 서술된 혁신학교에 관한 100문 100답을 통하여 우리 사회에 필요한 교육은 무엇인지, 교사와 학생들이 더 즐겁게 가르치고 배우면서 성장할 수 있는 교육을 위해 필요한 것이 무엇인지, 그것을 위해서 우리 사회 시민 각자가 자신의 위치에서 무엇을 하면 좋은가를 더 깊이 생각해볼 기회를 얻을 것이다.

교실 속 비주얼씽킹

김해동 / 값 14,500원

이 책은 비주얼씽킹 기본기부터 시작하여 교과별 수업, 생활교육, 학급운영 등에 비주얼씽킹을 응용하는 방법을 설명하고 있다. 특히 교사들이 초등학교 1학년부터 고등학교 3학년까지 국어, 수학, 영어, 과학, 사회 등 모든 교과 수업에 비주얼씽킹을 활용할 수 있도록 수업 지도안을 상세하면서도 간결하게 제시하고 있다. 또한 독자들이 책 내용에 대해 더욱 풍부한 이미지와 자료를 접할 수 있도록 저자의 블로그로 연결되는 QR코드를 담고 있다.

교육과정-수업-평가 어떻게 혁신할 것인가

이형빈 지음 / 값 15,500원

이 책은 교육과정 사회학자 번스타인(Basil Bernstein)이 제시한 '재맥락화(recontextualized)'의 관점에 따라 저자가 장기간에 걸쳐 일반 학교 한 곳과 혁신학교 두 곳의 수업을 현장에서 면밀하게 관찰하고 심층 인터뷰와 설문조사를 통한 연구를 바탕으로 무기력과 불평등을 재생산하는 교실을 민주적이고 평등한 구조로 바꾸기 위해 교육과정-수업-평가를 어떻게 혁신해야 하는지 제안하는 내용을 담고 있다.